PENSER LA JUSTICE

Michael Walzer
Astrid von Busekist

PENSER LA JUSTICE

Entretiens

*Traduit de l'anglais
par Astrid von Busekist*

Itinéraires du savoir

Albin Michel

Collection «*Itinéraires du savoir*»
dirigée par Hélène Monsacré

NOTE SUR LES TRADUCTIONS
PAR ASTRID VON BUSEKIST

De nombreux livres de Michael Walzer ont été traduits, j'indique l'édition française à la première occurrence dans les notes. Dans la plupart des cas, et sauf indication contraire, je cite l'édition française.

Les articles, ceux qui sont parus notamment dans *Dissent*, mais aussi les très nombreux textes publiés dans les revues spécialisées ou dans la presse, n'existent pas en français. J'ai fait le choix d'en traduire de larges extraits pour les rendre accessibles aux lecteurs français; pour leur permettre de situer les auteurs que Michael Walzer évoque, j'ai fait des notices bibliographiques et biographiques. *Dissent* a été récemment digitalisé, on peut donc consulter les archives, depuis le premier numéro paru en 1954, en suivant le lien: https://www.dissentmagazine.org/

J'ai également eu accès à une partie des archives personnelles de Michael Walzer.

Introduction

Philosopher dans la cité

Michael Walzer se présente comme un enfant du Bronx. C'est là qu'est né ce petit-fils d'immigrés juifs de Galicie et de Lituanie. Il y a joué, sur le grand terre-plein «entre l'immeuble des Juifs et celui des Irlandais», où il est allé à l'école primaire publique, où il a appris les rudiments de l'hébreu, au *heder*[1] d'abord, avec M. Bain ensuite.

Comment cet enfant issu d'une famille modeste, où judaïsme et socialisme se conjuguaient naturellement («quand j'étais jeune, je pensais que judaïsme et socialisme étaient la même chose[2]»), est-il devenu l'un des intellectuels et des théoriciens américains les plus lus et les plus commentés, l'un des plus engagés, aussi, dans le débat public? Entre ses premiers écrits des années 1950 et son ouvrage le plus récent, *A Foreign Policy for the Left*[3], le monde a changé plusieurs fois. Mais, à quatre-vingt-quatre ans, l'homme est resté ferme dans ses analyses. Réservé sans doute, espiègle souvent, affûté surtout, il n'a rien perdu de sa rigueur et n'a renoncé à aucune bataille. J'en ai fait l'expérience plus d'une fois lors de nos conversations à Paris et à Tel Aviv, ainsi que dans nos nombreux échanges par mail: c'est un être de conviction qui n'aime pas l'imprécision et ne rend pas facilement les armes. Si sa pensée a évolué dans certains domaines, elle demeure pour l'essentiel constante, en particulier dans sa conception de la justice sociale et ses réflexions sur la guerre qui sont au cœur de son long travail. Le judaïsme fait-il partie de ces fils qui tissent une œuvre ? Sans doute, mais pour des raisons qui tiennent autant aux sentiments qu'à l'érudition, à l'expérience de la minorité qu'aux relations qui le lient à l'État d'Israël. Le lecteur pourra l'apprécier dans ce livre où une large part est faite à Israël, à la tradition politique juive et à la lecture walzérienne de la Bible hébraïque.

Michael Walzer parle comme il écrit, dans une langue pure, à la fois simple, juste et précise. Ses maîtres en écriture ? George Orwell, pour son « bel anglais » et Irving Howe[4], le fondateur de *Dissent*, pour son sens critique. Howe pensait en effet que l'on pouvait améliorer n'importe quel article à condition de le réécrire et d'en supprimer 10 %[5] : il continue d'ailleurs de « me lire par-dessus mon épaule[6] », dit Walzer. La question n'est pas secondaire, car le style de *Dissent*, et les centaines d'articles que Michael Walzer a publiés dans ses colonnes, incisifs et destinés au plus grand nombre, répondent aussi à un engagement politique : un argument démocratique doit être porté par une écriture lisible[7]. Le philosophe lui-même n'a pas de statut particulier à faire valoir, c'est un « piéton » *[pedestrian]* qui, pour être efficace, doit parler à tous, depuis l'intérieur, ou, si l'on veut, depuis le même trottoir. Le passage entre les articles engagés, critiques, polémiques à l'occasion, et le travail universitaire peut se faire de manière harmonieuse, à condition d'« ajouter une vingtaine de notes de bas de page » lors du voyage d'un mode à l'autre. Privilège des Grands ou fausse modestie, je ne sais, toujours est-il qu'il n'y a guère de couture entre les deux types d'intervention. Elles se complètent et se nourrissent, Michael Walzer l'a souvent affirmé : la théorie politique, telle qu'il la pratique, est une «licence», celle de défendre ses idées et ses préférences politiques, que ce soit dans une salle de cours ou dans une tribune[8]. Le public change, les engagements demeurent.

Michael Walzer est-il un philosophe? Il affirme que non, et ajoute qu'il n'est pas un «penseur systématique». Mais sans me convaincre tout à fait. Même s'il en récuse le terme, Walzer est bien ainsi le philosophe exemplaire, celui qui est *dans* la cité, à l'affût du dialogue avec les siens, à la fois redevable à ses concitoyens et soucieux de les élever. Il les accompagne dans leurs combats contre l'injustice et l'oppression. Engagé dans un dialogue démocratique, il ne leur impose pas une vérité sans rapport avec leurs vraies vies. Michael Walzer est un philosophe *politique.*

Dans les pages qui suivent, je vais tenter de dire pourquoi la philosophie et la critique sociale pratiquées par Walzer me semblent à la fois uniques et indispensables. Je délaisserai pour l'instant trois dimensions importantes de son œuvre, l'idée politique, la guerre, le judaïsme, qui sont au cœur de nos conversations.

I.

Un bon philosophe politique est un être qui appartient au monde, ou plus exactement à *son* monde, au monde de ses semblables : il fait un «*inside job*[9]». La critique sociale que Walzer appelle «connectée» est pratiquée depuis l'intérieur :

elle a pour objet *ma* société, forte d'une histoire de significations partagées, telle qu'elle existe ici et maintenant[10]. Le critique doit toujours pouvoir dire d'où il parle. Le point est essentiel à la compréhension de l'œuvre de Michael Walzer : il donne une intelligibilité à son travail de recherche, il éclaire ses interventions dans le débat public, il caractérise l'homme.

La façon dont il conçoit cette critique se lit dans de multiples textes, mais selon des déclinaisons renouvelées[11] : dans ses écrits sur la « morale minimale » et la « morale maximale »[12] (qui est une réponse aux contempteurs de *Sphères de justice*[13]), dans ses réflexions sur l'universalisme réitératif, le sens de la communauté et la place de la nation dans le système international[14], dans sa lecture située de la tolérance[15], mais aussi, bien que de manière oblique, dans ses textes sur la guerre et dans son interprétation du texte sacré. Un fil relie en effet ses premières notes des années 1960 sur le rôle des prophètes dans *La Révolution des saints* (l'objet de son mémoire de fin d'études à Brandeis *[senior honors essay]* et de sa thèse de doctorat[16]) et ses derniers ouvrages (*Dans l'ombre de Dieu*[17] et le collectif sur la *Tradition politique juive*[18], dont le troisième volume a paru en 2018).

Le bon critique social est en effet le descendant lointain du prophète biblique : « la critique sociale est moins le résultat pratique de la connaissance scientifique que le cousin instruit de la plainte commune[19] », dit Walzer ; il est un spécialiste de la contestation[20]. Comme celle du prophète, sa critique est immanente ; il délivre un message intramondain et s'exprime publiquement dans un langage simple[21]. Ahad Ha'Am, Gandhi ou Orwell sont de tels personnages : ils sont « des nôtres[22] » ; leur message repose sur l'expérience quotidienne d'une morale partagée. Travailleurs plutôt que révolutionnaires, ils doivent avoir du «courage, [de la] compassion et un bon œil[23]». Ils sont mus par la bienveillance; que leur critique soit juste importe autant que leur morale personnelle[24].

L'identité du critique, membre de l'«Ancienne et Vénérable Compagnie des Critiques Sociaux[25]», est faite d'un mélange de proximité avec la société qu'il interpelle et de distance critique vis-à-vis des siens. Il est au plus loin de l'autorité et de la domination sociale[26], mais au plus près de la contestation des pratiques oppressives et injustes. Comme Socrate, en somme, il se tient, «un peu sur le côté [mais], pas à l'extérieur: la distance critique se mesure en centimètres[27]».

Un grand nombre de textes illustrent cette position juste mais inconfortable. Walzer lui-même s'est doublement exposé: vis-à-vis de ses pairs, parce qu'il ne fait pas partie des courants philosophiques dominants de l'époque; vis-à-vis de ses lecteurs, de gauche en particulier, à qui il rappelle les vertus de la modération et de la patience. Lorsqu'il s'engage dans le débat entre libéraux et communautariens[28], ou lorsqu'il défend la légitimité des frontières étatiques, il est accusé de conservatisme ou de statisme[29]; lorsqu'il critique l'*hubris* et l'autoritarisme d'une partie de la gauche, il est accusé de servir les projets de ses ennemis; lorsqu'il défend une vision de la justice décentralisée et pluraliste comme dans *Sphères*, il devient un apostat.

Dans ses écrits comme dans nos conversations, il n'a pourtant cessé de répéter que la vertu cardinale de son engagement est le sens du concret: si les individus sont situés, le critique doit l'être également.

II.

Sa pratique philosophique, la critique sociale, repose sur l'*interprétation*. Cette démarche a un sens particulier au regard des deux autres approches : la *découverte* et l'*invention*, toutes deux insatisfaisantes ou incomplètes, trop « héroïques », dit Walzer, pour permettre d'accéder à la loi morale partagée.

La *découverte* correspond d'abord à la transmission de la Révélation. Quelqu'un doit rapporter la parole divine : au retour de la montagne ou du désert, le prophète apparaît comme le découvreur de la loi morale. Dans un monde sécularisé, celle-ci est figurée par des doctrines : l'utilitarisme par exemple, ou le marxisme. Le philosophe fait un pas en arrière, s'abstrait de son identité spécifique, affiche son objectivité, ne parle d'«aucun point de vue particulier[30]», ce qui est aussi sa principale faiblesse. Cette translation philosophique de la découverte, plus tardive, marque une régression au regard de la puissante nouveauté de la révélation-découverte divine, bien que les deux formes de découverte, religieuse et philosophique (Michael Walzer fait davantage confiance à la première) ne soient en réalité que des redécouvertes : elles donnent forme à des principes universels enfouis, mais connus et éprouvés par les sociétaires. L'autorité de ces morales «découvertes» est redevable à Dieu ou à une vérité dite objective. Par analogie, la découverte correspond au travail de l'exécutif dans la distinction classique entre les trois branches du pouvoir : elle proclame puis elle fait respecter la loi. On retrouvera plus loin la place particulière qu'occupe la loi mosaïque dans les textes de Walzer, notamment dans le chapitre sur la politique dans la Bible hébraïque et la pensée politique juive.

L'invention n'est pas sans rapport avec le détachement du philosophe découvreur, mais ici, c'est le philosophe constructeur qui prend le relais. Inventeur d'une nouvelle morale de justice et de vertu à la manière de Descartes, celui-ci crée un système moral en apparence totalement indépendant du monde antérieur. Pour le bâtir, il lui faut un plan, une procédure ou une méthode, analogue à celle du discours du même nom. Plus près de nous, John Rawls ou Jürgen Habermas incarnent assez bien cette seconde catégorie : leur raisonnement, qui doit supplanter l'autorité divine ou celle qui révèle Sa parole, s'apparente au magistère de la représentation universelle, mais il est interne ou analytique : il repose, de bout en bout, sur le respect de la procédure argumentative. Les participants ne sont ici que des acteurs idéaux, stylisés, spécifiquement destinés à trouver un consensus. Ils ne peuvent vraiment se dire coauteurs de l'invention, s'accorder sur l'ensemble des règles politiques et morales résultant de la discussion, comme le suppose la «justice comme équité» issue de la position originelle mise en scène par Rawls. Ils ne sont pas à l'image des participants du débat démocratique, plus brouillon, où des acteurs véritables – des gens ordinaires, des citoyens – sont appelés à s'accorder[31].

Dans sa version maximaliste, c'est l'invention d'un nouveau code moral *universel* qui crée «ce que Dieu aurait créé s'il y avait eu un Dieu», ou qui corrige ce que Dieu ou la nature n'ont pu nous dispenser[32]. Ce geste philosophique est à proprement parler autoritaire[33], il déroge aux contraintes de la délibération démocratique.

Dans sa version plus nuancée, l'invention est *particulière*, adaptée à une société et à ses pratiques spécifiques. C'est évidemment celle que préfère Walzer : pourquoi, en effet, «des principes nouvellement inventés devraient-ils gouverner des individus qui partagent déjà une culture morale[34]»? Là se trouve l'intrigue : la moralité sociale préexiste, la découverte est toujours une redécouverte. Le philosophe peut mettre en forme, inventer des types idéaux, mais, comme le rapporteur de la parole divine, il ne sera jamais qu'un passeur, un réinventeur. Ainsi la force critique de l'invention ne réside-t-elle pas dans la création d'un monde moral *ex nihilo*, mais dans le caractère correctif qu'elle apporte à nos intuitions morales déjà présentes[35]. C'est une leçon importante de modestie pour le philosophe et le critique social. Elle nous renseigne aussi sur la place que Walzer accorde au critique : limitée, plus proche du poète que de Platon[36].

À proprement parler, le philosophe, ou le critique social, n'est pas un inventeur : d'une part, il travaille (retravaille) toujours une morale sociale, un déjà-là ; d'autre part, il ne gomme pas les aspérités de la réalité sociale ou politique (la dispute, la négociation, le compromis, la manipulation, mais aussi la socialisation des individus et la situation empirique de délibération). L'issue de la conversation philosophique, telle que la conçoivent les «inventeurs», dépend entièrement des règles qui en fixent le déroulement. La forme du raisonnement l'emporte sur le contenu : «une fois que l'on possède le plan de la conversation, il n'est plus nécessaire de parler[37]», dit Walzer, car les vraies conversations sont instables et turbulentes, nécessairement «plus radicales que les conversations idéales[38]».

On le voit, il est malaisé de réfléchir à la justice en faisant abstraction des conditions réelles dans lesquelles ont lieu nos débats ; le choix d'exclure *a priori* toute relation de pouvoir ou de domination, de policer notre parole, de l'orienter vers le but désiré par le philosophe lui-même, ne rend pas compte des disputes véritables entre citoyens. C'est ce que Walzer a voulu mettre en scène dans *Sphères de justice*, mais aussi dans sa critique de la démocratie participative, autre témoignage de sa sensibilité à la vraie vie des citoyens. Il est certes souhaitable que nous soyons tous en permanence mobilisés politiquement, mais c'est faire peu de cas des autres obligations et désirs des citoyens : jouer avec leurs enfants, peindre, faire l'amour[39], et c'est sous-estimer la vertu et la légitimité de la représentation. Il n'est pas besoin d'être toujours sur le qui-vive politique, il suffit d'être entendu lorsqu'on a quelque chose à dire. Une démocratie doit tenir compte de ses *Kibbitzers*[40].

La sensibilité à la turbulence et l'attention à la réalité historique expliquent sans doute la place singulière qu'occupe Michael Walzer parmi les philosophes de sa génération. La démarche par l'invention ou la construction, dont il marque les limites, ressemble à s'y méprendre à celle de la philosophie analytique pratiquée par la plupart de ses collègues à Harvard dans les années 1970. Tandis que Walzer compulse des centaines de mémoires de soldats et des milliers de pages d'histoire militaire pour rédiger son *Guerres justes et injustes*, ses collègues font des expériences de pensée « bizarres » (ce sont ses mots). Tandis qu'il tente de distinguer des « sphères de justice » correspondant à des lieux et des critères de distribution de biens différents, son collègue Rawls construit sa *Théorie de la justice* à partir du voile d'ignorance – une forme d'expérience de pensée – qui aboutit à un modèle unique.

Sphères de justice réfute en effet deux idées : celle du « consensus par recoupement[41] » rawlsien (auquel il oppose le pluralisme horizontal de sphères autonomes source d'«égalité complexe») ; celle d'une unicité de la justice distributive («je voudrais soutenir que rechercher une unité de ce genre c'est se méprendre sur la nature de la justice distributive», écrit-il). Nos mondes sociaux sont, dans une situation réelle et non hypothétique, tout simplement incommensurables.

Les sociétés possèdent des lieux de sens différents, définis par les biens sociaux qui y sont distribués ; chacun de ces lieux a ses propres critères d'allocation. Ceux-ci doivent être répartis pour des raisons différentes, par des agents différents et à des individus différents, afin qu'aucune sphère n'assure son emprise sur une autre. Les principes de justice sont relatifs : « Le problème véritable est celui du particularisme de l'histoire, de la culture et de l'appartenance à une communauté[42]. » Si chaque sphère a ses propres critères de distribution, le sens des biens eux-mêmes est contingent et repose sur des conventions sociales. La justice distributive, comme le libéralisme lui-même[43], est ainsi conçue comme un « art de la différenciation[44] ».

Voilà ce qui distingue Walzer de ses collègues et des « constructeurs » de la justice : «Nous ne pouvons pas apprécier ce qui est dû aux uns et aux autres tant que nous ne savons pas comment ces personnes se relient les unes aux autres à travers les choses qu'elles fabriquent et qu'elles distribuent[45]. » Dit autrement, la singularité des individus et des sociétés ne tient pas seulement aux choses et aux biens qu'ils fabriquent, aux significations attachées à ceux-ci, elle est surtout liée à une objectivation progressive et singulière du sens que revêtent ces choses et ces biens[46].

III.

Si le but de la découverte et de l'invention est de trouver une aune extérieure ou un étalon universel permettant d'apprécier notre moralité, ou de dessiner des situations idéales fatalement détachées de la vraie vie, l'*interprétation*, celle que défend Walzer, prend acte de la vie morale telle qu'elle *est*, d'un monde moral déjà habité dont l'interprète fait pleinement partie, elle prend les relations *politiques* au sérieux[47]. Elle correspond au *judiciaire* dans la métaphore des branches du pouvoir.

Le choix de l'interprétation, la forme « la plus familière de l'argumentation morale[48] », est déterminant pour le travail de la critique, la lecture de notre univers moral, et d'une certaine forme de particularisme associé au terme de communautarisme. L'interprète n'a pas l'ambition du philosophe-découvreur ou de l'inventeur[49], même s'il partage avec les meilleurs d'entre eux le rejet de la domination, de l'injustice ou de la tyrannie, et même s'il croit, comme eux, à des interdits universels (ne pas tuer, ne pas exploiter, ne pas « contrister » comme il est dit dans la Bible), car il sait que ce ne sont là que des valeurs-cadres (un « code minimal[50] ») dont il faut spécifier les contours et les significations particuliers à chaque société. Et, puisque les « significations sociales partagées » (les actions sociales *et* leurs justifications au sein d'une société donnée) sont le fruit d'histoires communes et de débats continus, elles sont nécessairement plurielles.

L'interprète n'a pas le goût du dernier mot, il préfère le « plus ou moins » et la lecture infinie qui préservent les adaptations et les changements de cours[51]. On sait que les scribes de la Bible hébraïque n'ont pas cherché à gommer les contradictions internes au Livre, ils n'ont tenté ni de rassembler en un seul texte les trois codes légaux[52] ni de réconcilier le sens des deux Alliances (abrahamique, mosaïque), car, comme le dit Walzer après les rabbins, une « opinion dissidente pourrait, à l'avenir, s'avérer exacte ». Les amateurs du Grand Soir trouveront sans doute cette indétermination frustrante, mais ils sont appelés à reconnaître que les révolutions qui ont radicalement tourné le dos au passé ont toutes échoué. Walzer le montre dans *The Paradox of Liberation : Secular Revolutions and Religious Counterrevolutions* : les États issus de révolutions d'indépendance séculières (Algérie, Inde, Israël) qui n'ont pas tenu compte des valeurs sociales idiosyncratiques, notamment religieuses, ont été plus tard confrontés à un « retour du religieux[53] ». On ne fait pas table rase des valeurs.

C'est pour cela que Michael Walzer préfère le pas lent de la social-démocratie (le temps du dialogue et des changements progressifs) aux mouvements rapides et souvent brutaux des révolutionnaires[54]. Et c'est pour cela que la prétention à la vérité philosophique lui paraît suspecte : elle est unique alors que l'opinion est plurielle. Banale et familière en apparence, cette opposition entre vérité et opinion a pourtant des conséquences politiques importantes. Lorsque la vérité élaborée par le philosophe est, par exemple, relayée par le juge (la judiciarisation du politique qui remplace le débat démocratique[55]) ; ou, à l'inverse, lorsque le débat démocratique prend lui-même la forme d'une argumentation philosophique (la « démocratie délibérative » comme type idéal de la participation prescrite par le philosophe)[56].

L'interprète est un poète qui regarde l'avenir, un démocrate ou un sophiste qui s'adresse aux siens : aucune critique ne serait possible si elle n'était portée par un espoir[57]. Fondamentalement hostile à toute clôture de sens[58], il est capable de changer d'avis, de retourner vers ses lectures et de remettre l'ouvrage sur le métier. Au sens propre, la morale sociale de l'interprète est contestable : si elle ne faisait à chaque instant l'objet de discussions, si elle n'appelait toujours la justification[59], elle ne mériterait pas le nom de morale[60]. Par le travail créatif et argumentatif des acteurs sociaux, la critique sociale prend ainsi la forme d'une conversation ininterrompue : avec nos amis, notre famille, nos concitoyens et nos adversaires. C'est une activité « pluralisante[61] » qui se fonde sur des significations socialement partagées, qui les produit aussi. Il est sans doute « utile d'avoir une théorie », mais mieux vaut « raconter des histoires [...], même s'il n'y a pas d'histoire définitive »[62]. Le miroir que tend Hamlet ne peut instruire le Danemark ni lui montrer ce qui est pourri en ce monde, que s'il arrive à persuader les Danois eux-mêmes de s'engager dans la réflexion collective[63].

L'appartenance du critique à sa société pose cependant le problème de la distance. Peut-on être citoyen et partisan[64], être « dedans » et produire une critique audible qui exigerait détachement et concepts universels ? À cette objection Walzer répond de deux manières : en distinguant les bons et les mauvais critiques, la morale maximale et la morale minimale.

IV.

Il y a les bons et les mauvais prophètes. Les bons ? Amos, Socrate, Locke, Montesquieu, Camus, Gramsci. Les mauvais ? Ils ressemblent plutôt à Jonas, Platon, Sartre, aux épigones de Marx, et par moment à Foucault – Simone de Beauvoir occupant une place étrange et intermédiaire, seule femme présente dans la galerie de onze portraits qui composent *La Critique sociale au XXe siècle*. Ils ont en commun d'ériger le détachement de leur société, quelquefois l'inimitié ou même la trahison, en vertu épistémique[65].

La principale différence entre les deux entreprises critiques est celle de la distance morale. Il n'y a en effet aucune vertu à renoncer (mentalement ou physiquement) à son appartenance pour être un bon critique. Par principe, la critique repose sur un débat interne[66], mais l'extériorité – la fameuse distance critique – est en quelque manière assurée grâce à deux éléments. D'une part, parce qu'il s'agit d'un débat, mené avec d'autres, ces interlocuteurs ordinaires qui ont remplacé Dieu dans les siècles séculiers[67]; d'autre part, parce que le lieu pertinent de ce débat se trouve à l'intérieur de la société, au sein des tensions qui traversent la culture dominante et l'universalisme formel. Pour illustrer ces contradictions, Michael Walzer s'appuie sur Marx et Gramsci. Toutes les classes dominantes – la bourgeoisie capitaliste de Marx, la culture hégémonique de Gramsci –, dont les intérêts de classe sont présentés comme des valeurs « universelles », sont, *in fine*, prises à leur propre piège par l'expérience de l'inégalité concrète des masses et le dévoilement de l'idéologie bourgeoise ou dominante. L'égalité formelle donne le droit à « tous les Français […] de dormir sous les ponts de Paris », raillait Anatole France, mais cette expérience décille les yeux de ceux qui souffrent. L'idéologie se pare du costume de l'universel, mais elle se heurte à la vigilance du critique social[68].

Walzer ne définit pas ici une posture théorique ou une critique philosophique détachée du réel. Ses écrits font écho au programme et à l'engagement des fondateurs de *Dissent*, auquel il a donné une grande part de son temps et de son travail. Magazine plutôt que revue – c'est ainsi qu'il se définit pour signifier sa proximité avec le lectorat –, *Dissent* se démarque du sectarisme et de la pureté théorique. Politique, «connecté» aux problèmes sociaux et aux difficiles combats de la gauche américaine, *Dissent* exprime l'engagement pluraliste, met en scène la culture du débat, prend acte de la participation de ses auteurs aux significations partagées qui façonnent une culture démocratique. Créé par deux jeunes ex-trotskistes dans les années 1950, le magazine a connu un succès et une longévité remarquables, en partie sans doute parce que ses contributeurs ont pris les leçons de la critique sociale au sérieux. Toujours au plus près des événements, *Dissent* a su saisir le *Zeitgeist* américain tout en offrant un miroir critique aux citoyens. Michael Walzer donnera ici sa propre interprétation des événements qui ont jalonné la vie de cette publication unique dans le paysage intellectuel américain. La critique «depuis l'intérieur» s'adosse à une culture morale partagée, elle n'est pas immédiatement universalisable. Il en va de l'expérience et de l'interprétation de l'égalité comme de la tolérance, à laquelle Michael Walzer a consacré un ouvrage.

V.

La manière de concevoir la tolérance illustre de façon exemplaire l'attention que porte Walzer à l'histoire et au vocabulaire des valeurs du protestantisme. Valeur libérale cardinale, fondement du pluralisme, la compréhension (légale, morale, religieuse) de la tolérance est pourtant située. Faire l'histoire de ses expressions permet de souligner deux faits importants : le contexte culturel dans lequel elle s'exprime et la difficulté de raisonner *in abstracto*[69]. Locke occupe une place particulière dans cette histoire : ses contemporains l'ont compris car il argumentait dans le langage de la foi, mais il est devenu, par la lecture infinie dont je parlais plus haut, l'emblème même du discours normatif sur la tolérance.

Pourquoi Locke a-t-il été ainsi reçu ? Lorsqu'il écrit sa *Lettre sur la tolérance*, il est pourtant loin de l'Angleterre, mais son exil hollandais ne l'empêche pas de rédiger ce que Walzer appelle un « manifeste whig ». Or la *Lettre* n'est pas à proprement parler un texte politique : la tolérance que recommande Locke est formulée dans le langage moral du protestantisme anglais[70]. Avant de devenir, par itérations successives, un credo général, la tolérance lockienne se présente comme un message idiosyncratique adressé aux protestants anglais : le salut tel que nous le comprenons n'est pas compatible avec la persécution ; celle-ci est contraire à notre « être moral[71] ». Les idées ne sont efficaces que lorsqu'elles sont incarnées, adossées à un ensemble de significations et de pratiques sociales.

Il n'est pas sûr cependant que l'appartenance « émotionnelle » à sa société[72], la proximité ou l'empathie avec ses valeurs soient, en théorie comme en pratique, immédiatement comprises. Le contraste entre Camus et Sartre le montre. Homme engagé, Camus défendait, comme il le dit dans ses *Carnets*, des « valeurs moyennes ». Il était « connecté » à son pays natal, attaché à un code d'honneur (et de justice), mû par ses « loyautés premières ». Ni universaliste ni idéologique, il défendait une position sensible, « intime », « familière »[73].

Défenseur des Kabyles, critique de l'indifférence du régime colonial à leur égard, ne comptant pas sa peine pour dénoncer la répression de Sétif, il cherchait à sa manière une issue à la guerre d'Algérie, qui fût respectueuse des identités de tous, des Algériens comme des pieds-noirs dont les différences devaient être, selon lui, dûment négociées[74].

C'était là pour Sartre péché d'amour, l'expression d'un être sensible, d'un indigène, enfermé dans sa propre condition : « La vie d'un critique doit toujours commencer par le rejet de sa propre socialisation, le refus de la société en lui[75]. » L'autocritique sans concession, « l'alignement inconditionnel avec la classe sous-privilégiée[76] », le rôle qui lui revient de « gardien des fins fondamentales, ce qui veut dire des valeurs universelles[77] », font de Sartre, un être sans ancrage.

Pour être héroïque, ce détachement, dit Walzer, a un prix : en se séparant des siens, l'intellectuel oublie « la texture de la vie morale[78] ». Radicalement « désocialisé[79] », fuyant même la camaraderie « car les liens de l'histoire et des sentiments corrompent sa pensée[80] », il perd son assise et manque sa cible. La critique de celui qui se décrit comme un ennemi et comme un traître est « corrompue[81] ». Walzer ne pardonne pas à Sartre sa préface aux *Damnés de la terre* de Frantz Fanon[82].

Amos et Jonas sont en quelque sorte les jumeaux bibliques de Camus et de Sartre. Les prophètes, figures de la plainte commune, sont les représentants originels de la critique sociale, Amos incarnant la critique interne, et Jonas – qui n'a rien à dire de la moralité substantive du peuple de Ninive – la critique externe. La prophétie est bien, selon l'expression de Max Weber[83], la forme première du pamphlet politique.

VI.

Michael Walzer cite souvent ces premiers représentants de la critique sociale. Certains de leurs messages lui apparaissaient encore « douloureusement obscurs » en 1985[84], mais il y revient régulièrement ; progressivement, la connaissance des textes bibliques prend une grande profondeur. Le rôle des prophètes ne se résume plus à illustrer une manière particulière de faire de la critique sociale : défier les gouvernants, condamner l'hypocrisie des puissants – observants un jour, exploitant les plus démunis le suivant[85]. Walzer continue de voir dans leurs exhortations comme une annonce de la critique moderne, mais il trouve aussi dans le récit biblique les ingrédients d'une protodémocratie. Amos, le prophète préféré de Walzer, ne relaie pas de message ésotérique, il parle un langage ordinaire[86], il cherche à accomplir ce vers quoi le critique moderne doit tendre. Les prophètes n'ont peut-être pas d'« imagination philosophique », mais ils vivent parmi les leurs et acquièrent ainsi une puissance de transformation sociale inégalée. Peut-on parler d'une lecture « social-démocrate » de la Bible ? Lorsque je lui demande, lors de nos entretiens, s'il ne force pas le trait en faisant du texte une illustration précoce d'une « presque démocratie », Michael Walzer répond que non, et il ajoute qu'Amos pourrait (devrait ?) inspirer les démocrates d'aujourd'hui.

Les prophètes éclairent un autre aspect de notre relation au monde : selon qu'elle est générale ou particulière, notre morale est maximale ou minimale. Walzer trouve dans la lecture du texte biblique sa distinction entre une morale « fine » *[thin]* et particulière, et une morale « épaisse » *[thick]* et universaliste. La première correspond à un universalisme abstrait ou absolu *[covering law universalism]* – celui qui s'exprime dans le christianisme triomphant d'autrefois ou, plus près de nous, dans la Déclaration universelle des droits de l'homme –, la seconde à un universalisme «réitératif» qui reproduit les mœurs particulières d'une société au-delà de ses frontières, par itérations successives. Celle-ci prend la forme d'un universalisme par le bas, minimal et pluriel, qui trouve sa source dans la cohabitation pragmatique ou le partenariat entre les nations.

La «vie concrète» des individus donne naissance à un certain nombre d'impératifs universels, car tous les êtres moraux vivent sous les commandements, tous sont capables de réitérer la libération du joug égyptien. Les traditions particulières – toujours cette même idée de significations partagées – sont le meilleur gage de la reconnaissance de l'Autre. Dieu reconnaît les siens, certes, mais il reconnaît également les autres nations et les bénit chacune selon ses particularités ; Amos, Isaïe et Jérémie le font savoir aux Hébreux[87]. Walzer tente d'intégrer cette sagesse à ses travaux : «[On] arrive au pluralisme par un acte d'empathie et d'identification [...]. La valeur de la vérité universelle est aussi incertaine vue depuis l'intérieur d'une communauté particulière qu'est la valeur du pluralisme vue depuis l'extérieur de chaque communauté particulière[88].» Prendre la tradition hébraïque à rebours, considérer qu'elle ne peut s'accorder avec une modernité plurielle, c'est ne pas être fidèle à la sagesse parfaitement ouverte au pluralisme des prophètes.

Cette fidélité ne se concilie sans doute pas aisément avec les contraintes de la réalité politique contemporaine à laquelle Walzer réfléchit dans le sillon des prophètes.

Pourtant, les questions politiques les plus débattues en Israël devraient, selon lui, marier la sagesse biblique et les enseignements des pères fondateurs de l'État. Il faut concilier et réconcilier, comme il le dit dans notre conversation, trouver un langage commun qui pourrait s'appuyer à la fois sur le recours à la tradition et la modernité séculière. Il faut parfois renoncer à perpétuer la mentalité d'exil qui valait pour le peuple dispersé, mais qui ne convient pas aux citoyens d'un État moderne ; parfois s'ouvrir à la richesse du texte biblique et y puiser les éléments d'une entente ouverte.

VII.

Les ramifications de la dialectique particulier/universel éclairent aussi l'analyse que Walzer donne de la tolérance et du respect mutuel. Cette dialectique explique en effet, autrement que par un communautarianisme conservateur ou relativiste, son attachement à l'appartenance et à l'autodétermination des sociétés politiques ; elle est ainsi au fondement de l'importance qu'il accorde à la nation et à l'État. Les valeurs de loyauté, d'amitié ou de patriotisme ont une signification universelle, mais en éprouver les bienfaits est toujours une expérience singulière[89]. L'art de la différence dont il était question plus haut est le programme de l'universalisme réitératif, sa finalité est la paix. C'est en partant de l'expérience particulière que nous pouvons espérer nous élever mutuellement à la reconnaissance de principes universels, par répétitions, additions successives, débats et discussions sur notre moralité « spécialisée », et nous reconnaître comme agents créateurs de morale [moral makers].

Cette reconnaissance suppose cependant qu'aucun code universel n'est «correct»[90], qu'aucun code n'a le dernier mot sur la morale ou sur la justice. C'est en passant par l'universalisme réitératif que l'on peut défendre l'autonomie et l'indépendance des États et des nations. La question est longuement revenue dans notre conversation qui a clarifié, je crois, l'idée que se fait Walzer des frontières d'une part, du multilatéralisme solidaire d'autre part.

Une loi universelle qui gouvernerait les États ou les nations signifierait, pratiquement, l'établissement d'un État universel et, théoriquement, le renoncement au pluralisme des valeurs : aucune pensée téléologique (que ce soit la victoire du prolétariat ou la venue du Messie[91]), Isaiah Berlin l'a bien compris, n'est compatible avec la liberté, qu'elle soit individuelle ou collective[92]. La défense de l'indépendance de l'État et de ses frontières, et de cette forme particulière de communauté politique qu'est la nation, exprime, plus qu'un quelconque nationalisme, un acquiescement au pluralisme et une hostilité à la domination. À l'unification, à l'assimilation forcée et à la répression au nom d'une version univoque de ce que devrait être une nation politique, l'homme de l'art devrait, contrairement à l'idéologue, préférer l'accommodation, le pluralisme culturel et l'inclusion. Les recettes ne manquent pas (elles vont de l'empire à la fédération en passant par l'association volontaire[93]), mais il faut d'abord reconnaître la créativité culturelle de chaque communauté et l'égale valeur de toutes.

La justification que Walzer donne des frontières dans notre conversation doit être lue à cette aune. Leur légitimité réside dans la défense du bien commun : une démocratie distributive et juste ne peut exister sans ces bornes qui dessinent le premier cercle de la solidarité entre sociétaires et qui permettent le fonctionnement régulier de l'État-providence. Cela ne rend pas Walzer insensible à ceux qui ne font pas partie du premier cercle : les migrants notamment, à l'égard desquels les États ont des devoirs particuliers. L'appartenance est un bien précieux à distribuer équitablement, Walzer insiste sur ce point dans *Sphères de justice*, mais elle ne peut être « juste » sans tenir compte de la vulnérabilité de ceux qui sont exclus.

La pensée de la réitération est ainsi fidèle à l'interprétation (la réitération est une forme d'interprétation continue). Elle correspond ensuite à une extrapolation des « sphères » de justice à la société internationale (à chaque communauté politique particulière sa sphère). Elle explique enfin, au niveau domestique, l'attachement de Walzer à un certain multiculturalisme souvent exprimé dans les colonnes de *Dissent*.

Ces remarques éclairent le sens de la « critique sociale connectée » que défend Walzer. Elles précisent l'identité singulière de son combat, à la fois libéral et social-démocrate. La communauté et la nation ont besoin de significations partagées. Ces significations, qui tiennent une grande place dans *Sphères de justice*, ne sont pas le signe d'un conservatisme, comme le disent certains critiques[94] ; elles sont, au contraire, le résultat d'une dynamique, d'un processus continu, sujet à des révisions et des changements. Elles constituent une « législation morale » et elles acquièrent une certaine objectivité parce qu'elles ont été « construites socialement »[95]. Cette construction et cette objectivité sont assez éloignées de celles, disons, des défenseurs de « la construction de la réalité sociale » comme Searle[96]. Ce que Walzer a en tête est simple et profond : nous conférons aux objets des normes d'usage et des valeurs qui régissent notre rapport aux objets eux-mêmes et aux autres individus. En conférant aux objets ou aux biens (matériels et immatériels) des normes d'usage et des valeurs, nous en faisons les intermédiaires des relations sociales. Ainsi compris, ils sont plus que de simples biens, ils deviennent, par leur circulation et l'accord sur leur signification, les agents de liaison entre les individus. Ils créent littéralement le monde social.

Les individus sont pris dans une toile de significations sociales qu'ils ont eux-mêmes contribué à créer à travers le temps. Et celles-ci ont des conséquences normatives sur nos comportements (ce que Walzer appelle la «législation morale»). Les significations partagées ne sont pas «objectivement» justes ou injustes, vraies ou fausses; notre comportement, en revanche, est objectivement juste ou injuste au regard de la signification partagée du bien[97].

Plutôt qu'une diffusion depuis un centre d'autorité, la «construction sociale *réitérée* est ainsi la meilleure manière de rendre compte des usages et des valeurs des biens dans différentes sociétés[98]». Toutes les sociétés construisent leurs sens sociaux – là se trouve leur part d'universel – mais toutes selon des impératifs différents. Quant aux individus, agents coconstructeurs, ils en sont aussi les principaux critiques et interprètes. Ce qui est objectif, c'est que toutes les significations sociales sont construites.

La philosophie que défend Walzer est attachée à la préservation du particulier, au respect du local et à la défense du pluralisme. Le libéralisme qu'il promeut associe fermement la vertu de la séparation et celle du partage. Il est un art à la fois de la différence et de la conversation. De la différence par son insistance sur l'autonomie des sphères[99], par sa théorie de l'«égalité complexe» qui, seule, assure l'autonomie et le respect de chacun. De la conversation par son insistance sur les individus situés qui, par-delà leurs appartenances particulières, peuvent s'entendre. Le critique doit encourager l'engagement politique, susciter le débat, et solliciter ce qu'il y a de plus noble en nous. L'individu que Walzer promeut est un être de liberté qui sait ce qu'il doit aux siens. Un individu situé est engagé dans une conversation infinie avec ses pairs, tous ses pairs. Celui qu'il était déjà lorsqu'il grandissait dans son quartier du Bronx ? Je ne lui ai pas posé la question, mais je suis bien convaincue qu'aujourd'hui encore, après tant de livres, d'articles, de conférences sur l'individu et la communauté, la justice et la guerre, le judaïsme et l'universalisme, la démocratie, le libéralisme et le socialisme, il ne retrancherait rien de ses premiers écrits.

Notre conversation a été longue, riche, amicale et personnelle. Nous avons eu des points de désaccord ici ou là, mais ce qui a animé nos échanges était avant tout l'humour et une profonde solidarité sur les choses qui comptent.

Astrid von Busekist

I.

Qui êtes-vous, Michael Walzer?

Michael Walzer, la longue conversation que nous entamons aujourd'hui à Paris se poursuivra à Tel Aviv, reprendra par des échanges à distance, de New York à Paris, puis peut-être encore de vive voix à New York ou à Paris. Il nous faudra du temps pour développer les sujets qui ont marqué votre œuvre, car vous avez beaucoup écrit, édité et publié une quarantaine de livres, des centaines d'articles, participé à tant de conférences et de congrès qu'il est impossible de les dénombrer. Vous ne pourrez pas parler de tout. Votre curiosité, votre universalisme, votre empathie aussi, je crois, vous ont conduit à emprunter les pistes que l'histoire, les lectures ou simplement la vie ouvraient devant vous. Qu'y a-t-il de commun entre le sujet de votre thèse, La Révolution des saints, *les saints protestants, et vos derniers travaux sur la pensée juive ; vos écrits sur la guerre et votre réflexion sur la justice ; votre analyse des doctrines et des pratiques politiques et votre militantisme sur le terrain et au sein de* Dissent *? Simplement, me semble-t-il, l'unité et la cohérence de votre pensée. Vous avez élevé de nouvelles cloisons, déplacé ou abattu parfois celles que vous aviez* *déjà dressées, mais votre maison est restée bien solide sur ses fondations. Vous ne vous répétez pas, vous ne vous contredisez pas, mais vous modulez parfois et vous enrichissez toujours.*

De cet ensemble de travaux je vous propose d'extraire quelques thèmes : votre militantisme politique, votre travail au sein de Dissent, *vos réflexions sur la guerre, la théorie politique, la justice sociale et l'État d'Israël, votre lecture enfin de la Bible hébraïque. Nous accorderons moins de temps à d'autres aspects de votre œuvre ; ils ne seront pas totalement absents de ce livre, nous les retrouverons sans doute au gré de nos échanges mais, puisque vous avez beaucoup écrit, il fallait choisir, avec l'ambition de tenir fermement le fil épais de votre pensée.*

Y avait-il déjà une pensée avant votre pensée ? Avez-vous tiré de votre enfance et de votre formation ce qui a ensuite nourri votre réflexion ? Trouve-t-on dans vos premières expériences, vos premières lectures, vos premiers écrits, précoces je crois, un peu de la matière qui a fait votre vie d'intellectuel juif, américain mais universel ? C'est bien par là qu'il faut commencer, n'est-ce pas ? Et d'ailleurs, où exactement ?

On devrait commencer dans le Bronx, ou juste un peu avant.

Mon père est né à New York, dans le Lower East Side. Sa famille était originaire de Galicie, la partie de la Pologne qui avait été incorporée dans l'Empire autrichien.

Moses Walzer, mon grand-père paternel, a renié son allégeance à l'empereur lorsqu'il est devenu citoyen américain à Chicago dans les années 1880. Je ne sais pas comment il est arrivé dans cette ville. Mon père, lui, a grandi à New York. Quant à ma mère, elle est née dans une ferme du

Connecticut, en 1906, la même année que mon père. Mon grand-père maternel est arrivé aux États-Unis au début du siècle, aux alentours de 1900, laissant sa famille derrière lui. Il a travaillé dans l'industrie du vêtement à New York puis, avec l'aide de la fondation Baron de Hirsch, il a acheté une ferme dans le Connecticut. Ma mère était l'enfant des retrouvailles familiales ; tous ses frères et sœurs sont nés en Europe. Elle était l'Américaine. J'ai visité le site de la ferme avec mes parents des années plus tard. Ma mère a rendu visite à son ancienne institutrice ; celle-ci a ouvert la porte, l'a regardée, et a dit : « Bonjour Sadie Hochman. » Elle lui avait donc laissé une certaine impression !

Ma mère a fréquenté l'école élémentaire de Wallingford. La famille l'a ensuite envoyée chez un couple de Juifs à New Haven, des parents proches, je pense, parce que le lycée du secteur de Wallingford organisait sa cérémonie de remise de diplômes dans une église. Mon grand-père tenait à ce qu'elle aille dans un établissement qui ne l'obligeait pas à entrer dans une église pour recevoir son diplôme. Elle a vécu avec cette famille à New Haven pendant quatre ans, mais elle revenait à la maison pour les week-ends. Elle a commencé des études supérieures à New York, mais son père est mort peu de temps après, la ferme a dû être vendue, et elle a dû travailler. Elle n'a donc passé qu'un an à l'université.

Mon père n'a pas fait d'études. Il a tout de suite travaillé dans la fourrure, l'activité familiale. Mes parents se sont rencontrés à la fin des années 1920. Je me souviens des récits de ma mère, notamment ceux qui portaient sur les élections présidentielles de 1928, c'était la première fois qu'un catholique s'engageait dans la campagne[1]. Ma mère était pour, mon père contre – ou peut-être l'inverse, je ne m'en souviens pas.

35

Vos deux parents viennent-ils de familles religieuses ?

Ma mère vient d'une famille religieuse, mon père non. La famille de ma mère était certainement religieuse – comme l'indique l'histoire de la cérémonie de remise de diplômes. Après la mort de mon grand-père, ma grand-mère a déménagé à New York où elle a vécu d'abord avec ma mère, puis avec mes deux parents après leur mariage. Elle est morte en 1943 ou début 1944, j'avais huit ans. Ma mère a travaillé comme secrétaire dans un cabinet d'avocats dont John Foster Dulles était l'associé principal. Elle ne savait pas exactement pourquoi elle avait été engagée, mais elle était la première Juive employée par le cabinet. Elle travaillait pour l'un des associés juniors.

Je suis né en 1935, dans le Bronx. Nous vivions sur le Grand Concourse, dans un immeuble immense donnant sur une grande cour, occupé presque exclusivement par des Juifs. Il y avait un autre bâtiment à côté du nôtre, habité essentiellement par des Irlandais. Entre les deux, se trouvait une aire de jeux où nous jouions ensemble, nous nous disputions quelquefois, lancions des défis, mais je ne me rappelle pas m'être véritablement battu moi-même.

J'étais le premier-né ; ma sœur est arrivée cinq ans plus tard.

Mon père a fait faillite dans l'industrie de la fourrure lors de la crise de 1937. Il a été ensuite recruté par une entreprise qui, pendant la guerre, est devenue une usine de défense fabriquant des outils de précision pour l'armée. Il y a travaillé pendant toute la durée de la guerre. Il avait été exempté du service actif parce qu'il était père de famille. Ma mère ne travaillait plus à cette époque. Elle avait deux enfants, il n'y avait pas de garderies, c'était ainsi alors. Je me souviens d'elle, assise dans la cour de l'immeuble, nous surveillant et papotant avec les autres femmes.

Je suis allé à l'école élémentaire publique à côté de la maison, PS 64, j'allais au *heder* dans l'après-midi. Lorsque ma grand-mère est morte, mes parents m'ont retiré du *heder* et ont embauché un précepteur, M. Bain, qui venait à la maison. Il m'apprenait les prières, l'alphabet ; nous lisions des histoires simples. J'avais huit ans.

En 1944, la guerre touchant manifestement à sa fin, l'usine de défense où travaillait mon père préparait sa fermeture, son activité ralentissait. Ma mère avait un oncle à Johnstown en Pennsylvanie, il offrit à mon père un emploi de responsable dans un magasin de bijoux. La fourrure et les bijoux sont des activités similaires : le business du luxe.

Nous avons emménagé à Johnstown en novembre 1944. J'avais neuf ans.

Nous vivions à Westmont, un faubourg de la périphérie de Johnstown, bâti sur une colline après la grande crue de 1889. Au début, Westmont était habité par les directeurs et les cadres dirigeants de Bethlehem Steel ; les Juifs s'y sont installés à partir des années 1940. C'était devenu possible après l'arrêt de la Cour suprême déclarant les « clauses restrictives » inconstitutionnelles, en l'occurrence l'interdiction, largement appliquée dans la région, de vendre des biens aux Noirs et aux Juifs.

Johnstown comptait une population juive d'environ deux mille personnes, et, évidemment, trois communautés. Une petite communauté orthodoxe, et deux assez grandes communautés, l'une conservatrice, l'autre réformée. Mes parents faisaient partie de la communauté réformée ; leur rabbin, Haim Perlmutter, un disciple de Stephen Samuel Wise[2], tentait de faire adopter au mouvement réformé classique un rite plus traditionnel ; Wise et Perlmutter étaient par ailleurs des sionistes très engagés.

La communauté juive de Johnstown était intéressante. Une sociologue polonaise, Ewa Morawska, l'a étudiée[3]. Elle avait fui la Pologne au moment de la répression de Solidarnosc par l'armée polonaise et avait rejoint l'Université de Pittsburg. Je l'ai rencontrée des années plus tard, alors qu'elle était boursière à l'institut [Institute for Advanced Studies à Princeton]. Elle a choisi de travailler sur Johnstown, la ville de l'acier, à soixante-dix miles à l'est de Pittsburg. Sa première étude portait sur les Slaves de la ville[4]. On y trouve des observations intéressantes. Tous ces Slaves étaient des antisémites traditionnels. Ils maîtrisaient le langage antisémite et le lui récitaient, mais ils préféraient avoir affaire aux marchands juifs, aux médecins juifs, aux avocats juifs. Il y avait une familiarité avec les Juifs, alors qu'ils ne partageaient rien avec les Yankees.

La « petite grève de l'acier » dirigée contre les moyennes entreprises, dont Bethlehem Steel[5], avait été cassée en 1937 à Johnstown. Une enquête du Sénat avait révélé que le maire et la moitié du conseil municipal étaient sur la liste des salariés de l'aciérie et avaient brisé la grève avec l'aide d'une bande de mercenaires. Après l'enquête et le scandale qui avait confirmé l'implication du maire, le *National Labor Relations Board* [Bureau national des relations de travail] avait organisé un vote en 1941 : le comité organisateur des ouvriers de l'acier l'avait emporté par quatre voix contre une, et le syndicat s'était installé à Johnstown. En 1944, lorsque nous sommes arrivés, la ville était en pleine expansion. L'industrie de l'acier se portait très bien ; et, grâce aux nouveaux accords syndicaux, les travailleurs avaient plus d'argent qu'ils n'en avaient jamais eu. Ils pouvaient donc venir dans la boutique de mon père acheter un premier collier ou bracelet à leurs filles de seize ans. La boutique s'appelait Rothstein's, elle aussi était florissante.

Nous avons rejoint la synagogue réformée Beth Zion. Mes parents se sont immédiatement impliqués dans ses activités, nous étions des amis proches du rabbin et de sa femme. J'ai fait ma bar-mitsva en 1948. « Ki Tissa », la *paracha*[6] que je devais lire, raconte l'histoire du veau d'or. Je me souviens que je devais monter sur une boîte placée sur la *bimah* [l'estrade] pour voir l'assemblée.

Il est question, dans « Ki Tissa », de Moïse qui descend de la montagne et dit : « Ainsi a parlé l'Éternel, Dieu d'Israël : Que chacun de vous s'arme de son glaive ! Passez, repassez d'une porte à l'autre dans le camp et immolez, au besoin, chacun son frère, son ami, son parent ! » (Exode, 32,27). J'ai dit au rabbin que je ne voulais pas lire ce passage. C'était un homme très intelligent, il ne m'a donc pas dit que je devais le faire. On en a débattu pendant quelques semaines, et j'ai finalement bien lu l'ensemble du passage, ce qui prouve peut-être que j'allais grandir comme menchevik et non comme bolchevik. Les bar-mitsva d'alors étaient des cérémonies très simples, il y avait un déjeuner après et c'était tout. Rien de plus.

La paracha *est importante pourtant : vous dites quelque part qu'elle a été une lecture fondamentale pour votre travail futur, le début d'une longue étude de la signification de l'Exode*[7]*... Vous ne saviez pas alors ce qu'était un menchevik, n'est-ce pas ?*

Non, je ne le savais pas. Mais il manque une partie de l'histoire de Johnstown. Mes parents étaient des gens de gauche tendance Front populaire. *PM* était le quotidien que nous lisions à New York, c'était un journal du Front populaire[8]. J'ai appris à lire en lisant *PM*. Il y avait, parmi les éditorialistes, Max Lerner et I. F. Stone[9].

I. F. Stone était un excellent journaliste, et un ardent sioniste de la première heure. Il avait publié, en 1946, un livre illustré par des photos de Frank Capra sur l'expérience des immigrants arrivant en Israël[10]. J'ai grandi en lisant ce genre de livres. J'ai rencontré Stone beaucoup plus tard : notre premier appartement à Cambridge appartenait à sa fille ; et, comme il venait la voir régulièrement, nous avons pu le rencontrer.

Après avoir été un lecteur assidu de *PM* pendant des années, j'ai écrit, à Johnstown, à l'âge de dix ans, une histoire en dix pages de la Seconde Guerre mondiale qui se terminait par cette phrase (copiée quelque part) : « La Russie ne se bat pas par goût de la conquête, mais pour mettre un terme à la conquête ! » C'était ma ligne politique en 1945.

1948, l'année de ma bar-mitsva, a été une année riche en émotions. Je devrais vous raconter mon histoire de la *UJA*[11]. Mes parents ont décidé alors que j'étais désormais un Juif adulte et m'ont emmené au dîner annuel de l'*UJA*, l'événement de collecte de fonds le plus important de l'année juive à Johnstown. Le dîner avait lieu dans le seul grand hôtel de Johnstown ; il appartenait à une famille juive. Après le discours, très émouvant, d'un homme venu de New York sur la guerre d'indépendance [israélienne], les réfugiés, et le nouvel État, des formulaires de don ont circulé. Il fallait les remplir à chaque table, puis les passer au président de la table où était installé Sam Rappaport. C'était le propriétaire du plus grand magasin de mobilier de la ville, il était au courant de tout ce qui se passait à Johnstown : qui avait un enfant à l'université, qui avait un parent malade, qui avait des problèmes et qui allait bien... Il ouvrait toutes les enveloppes, scrutait le montant des dons et, s'il pensait que ce n'était pas assez, il déchirait le formulaire en deux et le repassait à la table d'origine. Je me souviens d'avoir été soulagé que notre formulaire ne subisse pas ce sort. C'est ainsi que les Juifs collectaient des fonds, officiellement et sans coercition. J'ai été très impressionné par la soirée, je lui ai même consacré un article dans *Foreign Affairs*. Les éditeurs m'avaient demandé d'écrire sur l'aide humanitaire : j'ai parlé du caractère paradoxal de la *tsedakah*[12] et j'ai conclu que l'aide extérieure devrait ressembler à quelque chose comme ça, à cette forme de don particulière.

En 1948, j'ai également commencé à publier un petit bulletin, une imitation d'Izzi Stone, appelé *Between the Lines* [Entre les lignes] sur un hectographe – vous savez ce qu'est un hectographe ? J'écrivais sur la politique, et j'avais treize ans. Le grand débat qui agitait les Juifs en 1948 portait sur le vote en faveur de Wallace ou de Truman[13]. Il y avait peut-être un Juif républicain à Johnstown, mais c'était globalement une communauté démocrate. Considérant mon éducation et tout ce que j'avais appris en grandissant dans une famille politisée, j'aurais dû supporter Henry Wallace, qui était le candidat du Parti progressiste, mais, du haut de mes treize ans, j'étais en colère contre lui parce qu'il avait refusé de soutenir le pont aérien de Berlin. J'ai donc publié un numéro spécial de *Between the Lines* que j'ai fait circuler dans ma famille et auprès de quelques amis du lycée annonçant que je soutenais

Truman[14]. Ma mère en a envoyé une copie à la Maison-Blanche, et j'ai reçu une lettre de Harry Truman. Ma mère a aussi appelé le *Johnstown Tribune* qui a publié l'histoire avec une photo où l'on me voit, moi, tenant la lettre, et ma petite sœur émerveillée devant son grand frère.

En d'autres termes, à cet âge, vous aviez déjà une véritable conscience politique[15]. Vous parliez politique à la maison, avec vos parents ? Vous encourageaient-ils ? Voici ce que vous dites lors de la célébration du 125ᵉ anniversaire de la présence juive à Johnstown : « Je me souviens d'un épisode politique intéressant : en 1949 ou 1950, l'assemblée législative de Pennsylvanie avait adopté une loi pour encourager l'apprentissage de la conduite dans les lycées – une initiative qui répondait, je présume, au fait qu'un nombre croissant de citoyens pouvaient désormais s'offrir une voiture. L'État s'engageait à fournir une voiture à tous les lycées qui organisaient de tels cours. Le conseil de mon lycée décida de ne pas le faire car, m'a-t-on dit, la fourniture d'une voiture par l'État était le signe d'un "socialisme rampant". (Je n'ai pas de mal à imaginer une réponse similaire faite par le Tea Party aujourd'hui.) Mes parents n'avaient pas encore de voiture, mais moi, je voulais vraiment apprendre à conduire, s'il le fallait grâce à l'aide de l'État de Pennsylvanie… J'ai donc fait circuler une pétition demandant au conseil du lycée de revoir sa position. L'un de mes professeurs, l'enseignante d'histoire du monde, m'a fait venir et m'a demandé, d'un air très préoccupé, où étaient nés mes parents. Elle a dû penser que la pétition était un complot soviétique. Mes parents, lui ai-je répondu, sont nés à New York et dans le Connecticut.

J'ai tenu bon, j'ai recueilli beaucoup de signatures, mais nous n'avons malheureusement jamais appris à conduire dans mon lycée. L'enseignante ne m'a pas vraiment pris pour un espion soviétique ; elle m'a même donné une très bonne note. »

Oui, bien sûr, nous parlions politique et ils m'encourageaient. Johnstown était un lieu sûr. Lorsque Ewa Morawska a écrit son livre, elle a interrogé des habitants qui s'y étaient établis avant mes parents. Ils lui ont décrit les grèves et la condition des travailleurs de l'acier. Les organisateurs des grèves venus à Johnstown étant pour la plupart juifs, ils s'adressaient aux Juifs du lieu quand ils avaient besoin d'un endroit pour dormir. Ces Juifs étaient les marchands d'une ville contrôlée par Bethlehem Steel, ils étaient donc solidaires du syndicat et le soutenaient, mais en silence. « *Sha !* », « Taisez-vous ! », voilà comment vivaient les Juifs autrefois. Mes parents, eux, faisaient déjà partie de la génération suivante.

Quatre ou cinq ans plus tard, alors que nous étions déjà à Brandeis et que commençait le procès des Rosenberg, certains d'entre nous ont rédigé une pétition contre la peine de mort. Mes parents étaient inquiets, mais pas les étudiants. C'est alors que s'est fait le vrai changement de génération.

J'allais donc au lycée Westmont Upper Yoder Junior-Senior Joint Consolidated High School. « *Consolidated* » [intégré] est le terme qui importe. Il signifiait que le lycée englobait le secteur de Westmont, la banlieue des classes moyennes et supérieures créée après la crue de 1889, mais aussi celui de la banlieue ouvrière voisine appelée Upper Yoder. Les enfants des ouvriers et des classes moyennes supérieures se retrouvaient ainsi dans le même établissement, mais pas avec le même destin : en 1952, à la fin de mes études secondaires, la moitié des garçons allait à l'université, tandis que l'autre allait se battre en Corée. Si vous connaissiez leur adresse, vous saviez quel sort les attendait. C'était cela l'éducation dans le système de classes américain.

Westmont était différent pour la raison suivante : ma classe comptait soixante-quinze élèves dont cinq Juifs – trois filles et deux garçons : Gordon P., qui fut élu délégué de la classe, et moi-même, qui fus président du conseil des élèves. En 1951, il ne devait pas y avoir beaucoup d'endroits où cela était possible. La plupart de mes camarades n'étaient pas juifs. Mon meilleur ami était Pat Gleason, le neveu du patron du Parti républicain local ; nous étions proches même si nous étions en désaccord sur beaucoup de choses. Le Parti républicain était alors radicalement différent. Pat et moi sommes allés écouter Joe McCarthy[16] qui prononça un discours dans un champ de foire à l'extérieur de Johnstown, cela devait être au début des années 1950. Pat était moins inquiet et moins consterné que moi, mais il est sûr que le républicanisme de McCarthy n'était pas son genre.

Pourquoi pensez-vous que cela n'aurait pas pu arriver ailleurs ?

Deux garçons juifs élus aux postes les plus prestigieux ! De plus, j'ai été élu contre le capitaine de l'équipe de foot, et les filles avaient voté pour moi.

Les trois filles juives de ma classe étaient beaucoup plus sophistiquées que je ne l'étais. Je suis sorti avec des filles qui avaient un ou deux ans de moins que moi. Ma première petite amie n'était pas juive, il a fallu que je rassure mes parents : on n'allait pas se marier. Elle avait quatorze ans et s'appelait Irene Adcott. «Good Night Irene» était l'une des chansons populaires de l'époque. Son père était le manager du Woolworth de Johnstown. Je ne savais pas alors que j'allais organiser des grèves contre la chaîne des années plus tard[17].

Vous avez donc obtenu votre diplôme. Apparemment vous n'avez que de bons souvenirs de vos années de lycée...

Oui, ce furent de belles années. J'avais deux amis très proches : Pat, que je viens d'évoquer, a poursuivi ses études à Georgetown ; je suis allé à Brandeis. Il s'est présenté aux élections législatives, sans doute à Westmont. Il a été élu, mais il est mort d'un cancer assez jeune. L'autre était Jim («Doc») Quest. J'ai continué de le voir, il a vécu à New York pendant un temps, je le rencontrais parfois sur la 5e Avenue. Il est allé à Cornell. Comme quoi les enfants des classes moyennes de Westmont accédaient aux bonnes universités.

Le choix d'aller à Brandeis s'imposait-il parce que c'était une université juive ?

Brandeis était une université juive, elle venait d'être créée lorsque j'ai rempli mon dossier d'inscription. Elle a été fondée en 1948 ; la première promotion a reçu son diplôme en juin 1952. Je suis moi-même arrivé à l'automne de cette année. J'avais aussi été accepté à Penn State où je pouvais bénéficier d'une bourse de la légion américaine. Mes parents ne gagnaient pas beaucoup d'argent, et, sans l'intervention du rabbin auprès du président de l'université, je n'aurais pas pu choisir Brandeis, qui avait d'abord rejeté ma demande de bourse. Mes parents ont été très heureux de ce choix. Ils avaient entendu parler de certains professeurs qui y enseignaient et ils savaient que, à Brandeis, je ne rencontrerais que des filles juives *(rires)*. J'ai travaillé dans le magasin du campus, j'ai d'ailleurs travaillé tout au long de mes études. La bourse ne couvrait que les frais de scolarité.

Les membres de la faculté de Brandeis étaient tous de gauche, et beaucoup d'étudiants étaient ce qu'on appelait des « red diaper babies » [littéralement, bébés couches rouges], des enfants de parents militants ou sympathisants communistes. Sachar[18], le premier président, était un bon libéral New Deal qui devait rapidement rassembler une équipe d'enseignants. Il a recruté des gens qui, à l'ère du maccarthysme, n'étaient pas employables ailleurs, des Juifs de gauche notamment qui n'avaient même pas de doctorat. Il faut dire que la socialisation dans la gauche juive était alors une sorte de substitut à l'éducation supérieure : en être équivalait à une bonne éducation, marxiste généralement, mais pas seulement. Irving Howe, par exemple, n'était jamais allé à l'université. Il était incroyablement cultivé et enseignait l'anglais. Brandeis avait imité le modèle de Harvard et proposait des cours de « formation générale ». Humanités 1, enseigné par Marie Syrkin (je l'adorais), allait de la Bible à Shakespeare. Elle était la fille de Nachman Syrkin et la biographe de Golda Meir[19]. Elle avait écrit un livre intitulé *Blessed Is the Match*, l'histoire de Hannah Senesh, que j'avais lu dans mon adolescence[20]. Irving Howe enseignait la seconde partie du cours d'Humanités, de Shakespeare à... je ne me souviens pas où il s'arrêtait. Peut-être avec les auteurs russes. À Brandeis, le professeur que j'ai le plus fréquenté était Frank E. Manuel[21]. Juif radical, il avait rejoint l'université après avoir travaillé dans les cercles du New Deal puis au sein du OSS *[Office of Strategic Services]*. Ma majeure à Brandeis était l'histoire, avec une spécialisation en histoire des idées. J'ai donc suivi l'enseignement de Lewis Coser sur le marxisme et un cours sur les Lumières donné entre autres par Manuel. C'est lui qui m'a conseillé de postuler pour un poste de science politique à Harvard, « parce que ce n'est pas une discipline », disait-il, « tu peux faire ce que tu veux ».

Vous avez collaboré à un journal, Justice, *à Brandeis. Il a dû bénéficier de votre expérience à* Between the Lines. *Vous étiez déjà un vétéran du journalisme...* Justice *était un journal de gauche, je présume.*

Oui, mais l'ensemble du campus était de gauche ; *Justice* s'intéressait avant tout aux questions locales. J'ai, une fois de plus, fait campagne pour devenir le président du conseil étudiant – et j'ai gagné, en dépit de la désapprobation du président Sachar.

Vous connaissez Brandeis ? Eh bien, l'une des controverses de l'époque concernait les trois chapelles. Abe Sachar avait décidé que l'université devait être la contribution juive à l'enseignement supérieur aux États-Unis. C'était une université laïque mais subventionnée par la communauté juive. Sachar voulait afficher son sécularisme en collectant des fonds pour construire trois lieux de culte : juif, protestant et catholique. Je pense que l'université était juive à 95 %, mais on disait aux gens que les Juifs ne représentaient que 75 % des effectifs. Cette idée des trois chapelles apparaissait ridicule aux étudiants, mais elle est devenue *le* sujet sur le campus.

Vous étiez contre les chapelles à cause de la collecte ou à cause du symbole ?

On pensait que Brandeis devait ressembler à n'importe quelle université subventionnée par une communauté religieuse. Comme Harvard qui avait d'abord eu un temple protestant avant que les catholiques ne construisent leur centre Thomas d'Aquin, puis les Juifs leur maison Hillel. C'était, selon nous, ce qu'exigeait le respect de soi juif. On n'avait pas à se plier en quatre pour prouver qu'on était juifs, mais pas trop juifs aux yeux des autres.

L'autre grande querelle dont je me souviens concernait le film *Birth of a Nation*[22] avec ses répliques à la fois racistes et antisémites. Un certain nombre d'étudiants voulaient le montrer sur le campus, et il y a eu des discussions sur la pertinence de cette projection. Cette histoire est devenue l'enjeu des élections au conseil étudiant. J'étais plutôt favorable à une projection suivie d'un débat. Mon adversaire y était opposé – il apparaissait donc plus juif que moi… c'est ce que je me suis dit à l'époque, je ne sais pas. En tout cas, j'ai gagné l'élection. Ma seconde présidence !

Avez-vous fait l'expérience de l'antisémitisme durant cette période ?

À Johnstown, je ne me suis rendu compte de rien, cela me semble si étrange aujourd'hui. Certains enfants d'ouvriers utilisaient au lycée des expressions comme «*Don't Jew me down*» [«N'essaie pas de m'arnaquer» – littéralement: «Ne fais pas le Juif» –] lorsqu'on marchandait, mais je ne crois pas qu'ils avaient en tête des Juifs en chair et en os. Ils avaient alors peut-être quatorze ou quinze ans, on était au lycée. Mais à part ce genre de remarques, je ne me rendais vraiment compte de rien. Cela dit, le *country club* de Westmont n'acceptait pas de membres juifs.

C'était la règle explicite ?

Oui, c'était explicite : pas de Juifs, pas de Noirs. Bethlehem Steel n'employait ni Juifs ni Noirs. Je devais en avoir une certaine conscience quand même. Le *country club* était avant tout un club de golf, mais il organisait aussi des cours de danse pour les lycéens : j'ai refusé d'y aller bien que ces cours fussent ouverts à tous – j'ai refusé d'y aller parce que les Juifs ne pouvaient pas être membres du club. Nous allions donc en ville, avec pas mal d'autres adolescents, au Kelly's Dancing Studio, dont les propriétaires étaient la mère et la sœur de Gene Kelly. Comme tous mes amis, j'ai appris à danser grâce à la sœur de Gene Kelly ! Je ne percevais pourtant pas alors l'antisémitisme comme une menace.

Vous dites que vous en aviez une certaine conscience. Le fait de ne pas pouvoir adhérer au country club *était assez violent, de même que la règle explicite interdisant d'employer des Noirs ou des Juifs. Cela vous paraissait alors normal ? Vous avez l'air très philosophe sur cette question.*

D'abord les Juifs ne devenaient généralement pas des ouvriers de l'acier. À cette époque, les marchands juifs de Johnstown se portaient très bien, grâce au syndicat. La première génération d'avocats et de médecins allait très bien aussi.

Mes parents n'ont jamais mis les pieds dans une maison non juive, tous leurs amis étaient juifs. Ils formaient une communauté d'adultes entièrement fermée. Mais nous, les enfants, vivions confortablement parmi les autres. Lorsque nous avons déménagé à Westmont, nous avons acheté une maison dans une rue où nous étions les premiers Juifs. Nous avons été accueillis très chaleureusement d'un côté de la rue. Ma mère qui avait grandi dans une ferme a planté un potager avec l'aide enthousiaste d'une voisine. Les gens de l'autre côté de la rue ne nous ont jamais adressé la parole.

Parce que vous étiez juifs? Cela semble ne pas vous avoir choqué outre mesure. Mais aujourd'hui, cela vous choquerait.

Vous avez raison : cela ne me choquait pas outre mesure ; aujourd'hui cela me choquerait.

Vos parents sont nés aux États-Unis, mais ils ont probablement vécu avec le souvenir de la Shoah comme tous les Juifs de cette génération. Avaient-ils peur qu'une telle horreur se reproduise?

Oui, je suis sûr qu'ils y étaient plus sensibles que je ne l'étais alors. Ils se rendaient certainement compte du caractère communautaire *[enclosed]* de leur propre vie. Mais la communauté juive de Johnstown n'était pas un milieu désagréable à cette époque :

« Lorsque j'ai été élu président du conseil lycéen à Westmont, je suis allé voir le proviseur et lui ai dit que le lycée ne devrait pas organiser de matchs de basketball le vendredi soir – à cause du shabbat juif. Je lui suis reconnaissant aujourd'hui : il a souri, il m'a écouté, et il a au moins fait semblant de me prendre au sérieux. Les petites minorités ne peuvent pas façonner le calendrier général [...]. On a donc continué de jouer le vendredi, et j'y suis allé plus souvent que le contraire. Cette histoire résume bien mon expérience à Johnstown : en tant que Juif, je me sentais en sécurité, et suffisamment sûr de moi pour aller voir le proviseur ; et celui-ci a répondu de manière très juste. Johnstown était un lieu qui tolérait les faiseurs d'histoire, et nous devons tous, quelquefois, faire des histoires[23]. »

Comment vos parents ont-ils réagi au sujet de thèse que vous avez choisi à Brandeis ? Ne trouvaient-ils pas étrange votre choix de travailler sur les puritains anglais ?

Non. Ils suivaient ma carrière de près, surtout ma mère. Mais j'étudiais dans une université juive, j'ai épousé une fille juive. Nous sommes allés en Israël, ils ne s'inquiétaient pas. Je pouvais tranquillement écrire sur les puritains anglais.

Et vous ? Votre choix peut sembler bizarre. Comment avez-vous rencontré le puritanisme anglais et l'Église réformée ?

Je crois que, pour une large part, cela s'explique par mon monde monolingue. J'étais un gauchiste et je voulais écrire sur les révolutions. Mon français était déplorable, et mon russe inexistant ; il me restait donc la Révolution anglaise. J'ai commencé à travailler sur les puritains à Brandeis.

Au terme de ma deuxième année à Brandeis, et après avoir suivi les cours d'Irving Howe, j'ai annoncé à mes parents que je voulais être un intellectuel. Ils m'ont demandé si l'on pouvait gagner sa vie ainsi. Le monde académique était alors en pleine expansion et l'on employait beaucoup d'intellectuels free-lance (comme Irving Howe), on pouvait donc gagner sa vie. Même si cela l'aurait rendue heureuse, ma mère savait que je ne pouvais pas devenir rabbin, car, comme elle me l'a dit, je n'aurais jamais été capable de me rendre au chevet des malades dans les hôpitaux. Elle était très intelligente. L'alternative commune était de devenir avocat. Je suis sûr qu'à un moment mes parents ont attendu de moi que je fasse des études de droit.

Le diplôme de Brandeis en poche, vous êtes parti en Angleterre, avec votre femme, Judy.

J'ai connu Judy à Brandeis où elle est arrivée après des études secondaires dans un lycée d'art et musique à New York. J'étais alors en deuxième année. Nous nous sommes rencontrés pour la première fois lors d'une soirée de danses folkloriques. Avant notre départ pour Cambridge (on m'avait attribué une bourse Fulbright pour y séjourner, entre mes séjours à Brandeis et à Harvard), nous avons décidé, ou plutôt, nous avons dû nous marier : c'était alors nécessaire si nous voulions partir ensemble en Europe. C'était un monde différent, nos familles auraient été très contrariées si nous ne l'avions pas fait. Nous nous sommes donc mariés à New York, dans une synagogue de Long Island où habitait la tante de Judy, devant six rabbins, dont l'un était le rabbin Perlmutter, venu de Johnstown avec mes parents.

Judy a également grandi dans le Bronx?

Oui, elle a grandi dans le Bronx, mais elle est allée, à Manhattan, au collège et au lycée qui étaient des écoles publiques où l'on était admis après un examen d'entrée. Au lycée d'art et de musique, elle s'est engagée dans *Hashomer Hatzaïr*[24]. À Brandeis, sa spécialité était l'histoire, elle a donc, elle aussi, suivi les cours d'Irving Howe. Elle a même occasionnellement écrit pour *Dissent*[25]. Mais c'était bien plus tard.

Cambridge a été une étape importante dans votre formation.

À Cambridge, mon tuteur était Geoffrey Elton, un historien du XVIe siècle[26]. Il a fait de Thomas Cromwell, dont il était un spécialiste, une figure majeure, le fondateur du service public britannique. Geoffrey était hostile à l'histoire intellectuelle, c'était un historien des institutions, mais il était étonnamment gentil et disposé à m'aider dans mon travail. Pour nous, il était l'incarnation de l'Anglais tory, la quintessence même de l'Anglais classique. Or, à Cambridge, nos amis n'étaient pas britanniques: il y avait un Sud-Africain, un couple de Juifs communistes, un garçon gallois, un Indien. Nos amis sud-africains et indien étaient des communistes, le garçon gallois était une sorte de gauchiste. Nous avions aussi un ami britannique que je n'oublierai jamais. Il rédigeait sa thèse de doctorat sur le commerce entre l'Écosse et la Scandinavie au XVIe siècle, et il avait une peur bleue qu'on ne le devance ou qu'on ne lui vole ses résultats. Nous avons essayé de lui dire qu'il ne devait pas s'inquiéter.

À notre retour aux États-Unis, je suis entré à Harvard alors que Judy terminait sa dernière année à Brandeis. Elle a reçu un jour un mot de Victor Ehrenberg[27], un professeur invité nous priant de venir prendre le thé. Il nous a reçus avec sa femme et nous a dit d'emblée : « Vous connaissez mon fils. » Geoffrey ? Nous n'avions jamais pensé qu'il était juif. Il avait servi dans l'armée, dans le service de renseignements, et l'armée avait changé son nom. Peut-être avait-il pris ce changement trop au sérieux ; toujours est-il qu'il avait épousé sa femme, Sheila, selon les rites du Premier Livre de la Prière commune de l'Église anglicane. Il ne nous avait jamais parlé de sa famille, et nous nous sommes donc trouvés dans une situation très embarrassante lorsque nous avons fait la connaissance de son père. Quant à Geoffrey, c'est sans doute parce que j'étais un garçon juif qu'il avait été si gentil avec moi.

Nous étions en Angleterre lors de la guerre de Suez, en 1956. Je ne savais qu'en penser, nous avions participé à quelques manifestations. À cette époque, nous ne savions pas vraiment comment évaluer ce conflit qui ressemblait à une guerre néocoloniale menée par les Britanniques et nous ne comprenions pas vraiment la coalition formée par Israël, la France et le Royaume-Uni. Mais je me souviens d'avoir été très impressionné par la police britannique. Après le dernier discours de la manifestation, les *bobbies* ont commencé à traverser la foule en disant : « C'est fini maintenant, rentrez s'il vous plaît. » Et les gens, en effet, sont rentrés chez eux. J'étais stupéfié.

Durant notre séjour en Angleterre, Judy assistait à des *lectures* données par F. R. Leavis, le fondateur du groupe de *Scrutiny*, un magazine littéraire (dont on disait qu'il était de droite), et nous allions de conférence en conférence tout en découvrant la Nouvelle Gauche britannique.

Nous sommes allés à Oxford pour écouter Isaac Deutscher[28] et son imitation de Lénine (ou était-ce Trotski ?). Et nous avons assisté à une réunion des universités et de la *Left Review*, créée justement cette année-là, et qui est devenue plus tard la *New Left Review*. Nous y avons rencontré Charles Taylor et Stuart Hall[29], mais nous ne les avons vraiment connus que quelques années plus tard.

Vous citez souvent Stuart Hall, vous l'aimez bien.

Oui. Lors de notre deuxième voyage en Angleterre, en 1964, nous sommes devenus amis avec Margaret et Michael Rustin[30]. Margaret était la sœur de la femme de Stuart Hall[31]. Stuart était donc le beau-frère de Rustin. Nous avons passé du temps ensemble. Nous observions alors la naissance de la Nouvelle Gauche britannique, mais sans véritablement y participer. Nous avions évidemment des désaccords avec Hall, mais nous étions aussi d'accord sur des sujets importants. Politiquement, j'étais, je crois, plus proche de Charles Taylor[32], avec lequel je me suis lié d'amitié.

Lorsque nous avons quitté Cambridge en 1957, à la fin de l'année universitaire nous avons rejoint des amis de Brandeis en France, et nous avons voyagé ensemble à travers l'Europe. Nous avons fait une halte à Dachau. Nous avons continué à travers la Yougoslavie pour rejoindre le Pirée où nous nous sommes embarqués sur un bateau pour Haïfa. C'était un bateau très spécial, je crois que nous étions les seuls à avoir payé notre traversée. Il y avait deux groupes de réfugiés juifs sur le bateau. Des Juifs communistes polonais qui avaient sorti leurs enfants des écoles au moment où Gomulka avait fait revenir les curés en 1956, et des Juifs égyptiens qui étaient venus par l'Italie après la guerre de Suez en 1956. Les deux groupes étaient sur le même bateau : les Égyptiens étaient des bourgeois, traditionnels, les Juifs polonais étaient laïques et de gauche. Nous sommes devenus amis avec l'un des Polonais, un traducteur qui parlait très bien l'anglais ; il avait un fils de neuf ans.

Un jour, alors que nous étions avec le père, le fils est arrivé en courant. Il avait vu les Égyptiens faire la prière du matin, et il a dit à son père : « Je croyais que les Juifs étaient des gens qui ne priaient pas. » Le papier que j'ai écrit sur cette traversée est l'un de mes textes les plus sentimentaux. Je me souviens des employés de l'Agence juive qui devaient aider les réfugiés à préparer leur vie en Israël, leur apprendre *Ha-Tikvah* [l'hymne national israélien]. La vue de Haïfa émergeant des brumes était extraordinaire, un des Polonais a commencé à chanter. Je me disais que ces deux groupes si différents, dont aucun n'était sioniste au départ, n'avaient pas d'autre lieu où aller. Le compte rendu de ce que j'ai ressenti pendant ce voyage a été publié dans un livre allemand appelé *Mein Israel*, puis en anglais dans un collectif sur les différentes expériences liées à l'arrivée en Israël[33].

Nous sommes restés en Israël environ six ou sept semaines. Nous n'avions pas d'argent, nous avons donc sillonné le pays en faisant du stop. Nous sommes d'abord allés au kibboutz Nachshon[34]. J'ai écrit sur cela aussi. Nachshon, l'homme, est l'invention d'un rabbin midrashique troublé par la passivité des Juifs lors de la sortie d'Égypte. Il en est question dans une seule généalogie biblique, nulle part ailleurs mais, dans le *midrash*, il est celui qui, sans hésiter, plonge dans la mer Rouge parce qu'il a foi en la libération divine. Les *kibboutznikim* pensaient qu'il voulait traverser à la nage... c'était un activiste de la première heure[35].

Nous avons séjourné un moment à Nachshon. Judy y avait retrouvé des amis ; certains sont restés, d'autres sont repartis. Ils étaient venus parce qu'ils aspiraient à une autre vie, une vie où l'on cultive la terre, où l'on travaille dur dans la journée et où l'on se retrouve le soir pour écouter Mozart. Mais ce n'était pas cela du tout.

Nous sommes allés ensuite vers le nord où nous avons visité un grand camp de réfugiés − ce n'était pas encore à proprement parler une colonie *[settlement]* − quelque part en Galilée, à Kiryat Shmona ou dans les environs[36]. Nous avons continué vers le sud, vers la mer Morte et le kibboutz d'Ein Gedi où venait de naître le premier enfant de la communauté. Nous avons vraiment sillonné tout le pays. J'avais gardé un correspondant de la période de Johnstown, il vivait à Jérusalem. Nous sommes allés lui rendre visite, à lui et à sa famille. Contrairement à nous, la famille était très *«yekke»* (comme le disaient les Juifs d'Europe centrale à propos des Juifs allemands).

Nous étions partis sur un bateau italien, mais nous sommes revenus sur un navire israélien qui nous a menés à Gênes. Je crois que c'est là, ou peut-être quand nous étions encore en Israël, que nous avons reçu une lettre de ma mère nous annonçant que mes parents quittaient Johnstown pour Chicago : le rabbin Perlmutter avait été nommé à Chicago et il souhaitait que ma mère devienne la secrétaire exécutive de sa communauté. C'était la plus grande communauté réformée de Chicago. Judy et moi sommes rentrés à Cambridge, avant d'aller rendre visite à mes parents à Chicago. Je ne suis pas retourné à Johnstown jusqu'à la réunion des vingt-cinq ans de mon bac ; puis, à nouveau, il y a quelques années pour le 125ᵉ anniversaire de la vie juive à Johnstown. La naissance de la vie juive commence avec le premier enterrement – c'est ainsi qu'ils avaient daté l'anniversaire. La communauté a organisé une célébration qui n'en était pas vraiment une : elle ne comptait plus que deux cents membres alors qu'elle en réunissait autrefois deux mille. Les aciéries Bethlehem Steel n'existaient plus, l'usine avait fermé, et la plupart des Juifs étaient partis, mais ils ont quand même tenu à célébrer la vie juive de Johnstown. J'ai prononcé le discours inaugural, évoquant le fait de grandir en tant que Juif à Johnstown[37].

Lorsque nous sommes rentrés aux États-Unis, nous avons loué un appartement du mauvais côté de Beacon Hill à Boston, le côté bon marché. Les transports étaient ici plus pratiques, et Judy devait aller à Brandeis tous les jours. C'était plus facile pour moi car je pouvais me rendre à Harvard en métro. Judy était dans sa dernière année à Brandeis, et j'entamais ma première année de doctorat. Je crois bien que j'ai vécu là la pire année de ma vie universitaire. J'étais très malheureux. Le but des études doctorales [graduate school] est de transformer des jeunes gens intelligents et éveillés en professionnels de la science politique, mais je ne voulais pas devenir un politologue professionnel, je voulais être un intellectuel. Je me disais que mes camarades doctorants étaient vieux avant l'âge. J'ai cependant réussi à trouver quelques protecteurs parmi les membres de la faculté, c'est très important dans une école doctorale[38].

Vous avez travaillé avec Louis Hartz et Sam Beer à Harvard.

Oui, Louis Hartz était un historien de la pensée politique américaine. Il avait développé une thèse influente sur l'exceptionnalisme américain dans son livre *The Liberal Tradition in America*[39]. Sam Beer était un politologue, spécialiste du Royaume-Uni[40] et un bon représentant de la social-démocratie américaine. Dans ces années-là, et même s'ils changeaient ensuite de discipline, les professeurs de Harvard faisaient presque tous leur doctorat ainsi que leur premier livre en théorie politique. Sam Beer enseignait en politique comparée, mais son premier livre portait sur Kant. J'ai fait ma thèse sous sa direction. Hartz et lui étaient mes protecteurs. Comme je devais étudier la politique américaine, j'ai suivi les cours de V. O. Key[41]; j'ai aussi assisté aux cours de Zbigniew Brzeziński[42]. Je l'ai revu plus tard alors qu'il était à la Maison-Blanche.

Qu'enseignait-il? Les relations internationales?

Il faisait un cours critique sur la politique est-européenne. J'ai aussi suivi un cours de Rupert Emerson[43] sur l'impérialisme. Pour l'évaluation de son cours, j'ai rédigé un essai sur le Parti communiste indien (que j'ai réutilisé des années plus tard dans mon étude sur la résurgence du religieux en Inde, dans *The Paradox of Liberation*). J'ai retenu une chose de Louis Hartz qu'il a dite lors de notre premier cours: «Quand vous écrivez des papiers, ne définissez jamais vos termes. Il faut que le lecteur comprenne de quoi vous parlez, mais ne définissez jamais vos termes.»

Cela a beaucoup changé. A-t-il influencé votre manière d'écrire ? Vous n'étiez déjà plus un jeune chercheur lorsque vous êtes arrivé à Harvard.

J'étais déjà un auteur, c'est en tout cas ce que je croyais, mais je n'étais pas encore un «théoricien du politique». À Harvard, la théorie politique était enseignée sous la forme de l'histoire de la théorie politique. C'est ce que j'avais déjà fait à Brandeis, et c'est ce que je faisais à Cambridge. J'étais un historien. Ma thèse comportait sans doute une dimension de politique comparée – je comparais les puritains aux jacobins et aux bolcheviks –, mais c'était avant tout une histoire intellectuelle de la Révolution anglaise. J'ai lu des centaines de sermons puritains, c'est là que j'ai trouvé des répétitions et des citations de l'histoire de l'Exode mais, alors, je n'essayais pas encore de faire ce qu'on appelle la «théorie politique normative».

L'histoire de l'Exode revient très souvent dans vos écrits, dans The Paradox of Liberation *et dans d'autres textes. Pour vous, cette histoire est le modèle de bien des révolutions.*

Oui, l'Exode est une référence constante dans mes écrits. Nous en reparlerons. Nous avons donc passé un an à Boston, puis emménagé dans un appartement à Cambridge. Judy faisait alors son doctorat à Brandeis, elle prenait encore le train, mais pas tous les jours. J'étais moi-même en deuxième année de thèse.

Avec certains de mes amis doctorants nous avons créé à Cambridge, en 1958-1959, un nouveau club de gauche. J'écrivais désormais régulièrement pour *Dissent*. À Cambridge, en Angleterre, j'avais rédigé un texte sur la Révolution hongroise accompagné d'une critique de la réponse de la gauche britannique. Pas mal de gauchistes soutenaient alors que la répression soviétique était «historiquement nécessaire». Moi, j'étais déjà farouchement antistalinien, je ne croyais pas que l'Union soviétique représentait la marche de l'histoire. En revanche, à Cambridge, Massachussetts, mes amis étaient d'accord avec moi.

Nous sommes en 1961 à Cambridge...

Oui, nous avons alors lancé un nouveau club de gauche *[The New Left Club]*[44]. Nous avions écrit une sorte de déclaration critiquant l'invasion de Cuba, et cherchions à collecter des signatures. Elle a été publiée, dans le *New York Times* je crois[45]. J'ai gardé la copie. Je me rappelle avoir demandé aux collègues de signer, beaucoup l'ont fait. Parmi mes amis du *NLC*, il y avait Stephan et Abigail Thernstrom[46]. Abigail, et peut-être Steve aussi, est devenue une sorte de néocon. Gabriel Kolko[47] faisait également partie de la Nouvelle Gauche – il écrira plus tard des livres sur et contre la politique étrangère américaine. Les Thernstrom étaient nos amis les plus proches à Cambridge mais, lorsque nous sommes partis pour Princeton, nous nous sommes un peu perdus de vue.

Après Harvard vous êtes allés à Princeton, n'est-ce pas ? Puis vous êtes retournés à Harvard, puis à nouveau, retour à Princeton.

Oui, nous sommes arrivés à Princeton pour la première fois en 1962. On m'a donné un titre quelconque, j'étais le

« précepteur James Madison ». Au cours de mes quatre premières années à Princeton, j'ai bénéficié d'une année sabbatique. C'est ainsi que nous avons pu retourner en Angleterre.

Judy avait terminé ses cours de master et entamait sa thèse de doctorat sur le romancier anglais George Gissing ; elle y a travaillé à Princeton puis à Londres. Elle allait à la British Library pendant que j'écrivais. J'avais déjà transformé ma thèse en livre : Oxford n'en a pas voulu, je ne sais pas précisément pourquoi − un Américain écrivant sur les puritains anglais, comme vous le dites, aurait dû les intéresser. Peut-être parce que je n'étais pas un historien professionnel : un compte rendu paru dans une revue d'histoire disait en substance que « ce n'était pas un mauvais livre étant donné que l'auteur n'était pas un historien ». Harvard l'a pris. C'est devenu *La Révolution des saints*[48].

À Londres, j'ai rejoint la Nouvelle Gauche britannique. J'ai intégré un groupe de discussion avec Stuart Hall et Michael Rustin. Michael et sa femme, Margaret, sont devenus des amis très proches. Nous les voyons toujours régulièrement.

En quoi la Nouvelle Gauche britannique se distinguait-elle de la Nouvelle Gauche américaine ?

Même si leurs rapports étaient évidemment compliqués, la Nouvelle Gauche au Royaume-Uni bénéficiait de l'existence du Parti travailliste. Stuart [Hall] et Michael Rustin avaient tous deux quitté le comité de rédaction de la *New Left Review* l'année où j'étais en Angleterre (1964) pour participer à la création d'une nouvelle revue, *Views*, plus proche de la démocratie sociale, moins rigidement marxiste que la *NLR*[49]. Le fils d'une riche famille en était le fondateur et l'éditeur, mais les leaders intellectuels étaient Stuart et Michael. J'ai écrit plusieurs articles pour eux cette année-là, et j'ai participé aux comités de rédaction. Le romancier Clancy Sigal[50] écrivait pour la revue, il habitait en Angleterre à l'époque. Je m'en souviens car il voulait publier une critique de chaque article que nous acceptions.

C'est une manière intéressante de faire du travail éditorial. Pourquoi Rustin et Hall ont-ils quitté la NLR? Parce qu'ils pensaient que c'était trop internationaliste, trop marxiste, trop trotskiste?

C'était trop rigide pour eux. Ils avaient une sensibilité différente, plus, comment dire, relationnelle. Ils demeuraient sans doute marxistes mais, comme les fondateurs de *Dissent*, ils étaient hostiles à tout ce qui pouvait ressembler à du sectarisme. Ils voulaient vivre dans le «monde réel». Pour ma part, je n'aimais pas la *NLR* parce que ses éditeurs étaient très hostiles à Israël, mais je ne pense pas que c'était leur cas. Je crois qu'ils sont revenus un temps vers la *NLR*, puis ils en sont repartis pour monter une autre revue: *Soundings*[51]. Il y avait une relation trouble avec Perry Anderson[52], l'éditeur en chef et la figure de proue de la *NLR*.

Le même type de relation qu'il y avait entre le Dissent *de Irving Howe et la Nouvelle Gauche américaine ou SDS?*

Il y a peut-être une ressemblance en effet. La *NLR* n'était pas stalinienne, mais sa vision rappelait celle que Isaac Deutscher avait de l'Union soviétique. «Un socialisme déformé, mais malgré tout socialiste.»

Dissent était différent. Howe, vous avez raison de le rappeler, était trotskiste. Mais, à l'image de Stanley Plastrik[53] ou de Manny Geltman[54], la vie interne des sectes trotskistes lui avait fait perdre ses illusions. L'un des premiers papiers dans *Dissent* expliquait pourquoi le sectarisme était une mauvaise politique[55]. Il voulait s'adresser à un public plus large. Une ambition similaire a dû motiver les fondateurs de *Views*. La *NLR* est devenue une revue internationale très influente, mais Stuart et Michael avaient sans doute plus d'affinités avec la vision du radicalisme anglais défendue par E. P. Thompson[56].

Comment expliquez-vous que Stuart Hall, né en Jamaïque, sensible aux différences culturelles et à leurs expressions, soit aussi « anglais » et si peu internationaliste ?

Stuart était un euromarxiste, mais il écrivait presque exclusivement sur la culture et la politique anglaises dans une revue appelée *Marxism Today* ; une série d'analyses brillantes du thatchérisme dans *Marxism Today* a été republiée après sa mort[57]. Il était connu comme un analyste bienveillant de la culture populaire et comme un défenseur précoce de l'« hybridité ». Je ne crois pas que cela faisait partie des préoccupations politiques de Michael et Margaret Rustin, mais ils étaient très proches de lui, de Catherine et de leurs enfants. Michael est un bon social-démocrate – l'un des meilleurs peut-être.

Vous vous retrouvez donc lors de votre deuxième long séjour en Angleterre, alors que Judy est au milieu de son travail de thèse ?

C'est cela. J'ai écrit, en Angleterre, un livre à la demande d'un éditeur américain. Il voulait faire une histoire de la théorie politique en douze volumes. L'idée était très mauvaise, mais on était tous enthousiastes : six volumes d'histoire et six volumes de documents, des extraits de tous les grands livres. J'étais chargé de la période allant de Machiavel à Marx, mais seulement en Europe continentale ; un autre auteur devait s'occuper de la pensée politique britannique de Hobbes et Locke jusqu'à John Stuart Mill. Pendant mon séjour anglais j'ai donc rédigé ce livre assez particulier, qui n'a jamais été publié. On ne m'a pas demandé de rembourser mon à-valoir, et je me suis retrouvé avec ce manuscrit impubliable où l'on rencontrait Machiavel, mais pas Hobbes, ni Rousseau, ni Hume. Seule la partie britannique a été publiée, mais je crains qu'il ne se soit pas vendu beaucoup d'exemplaires. J'ai utilisé ce que j'avais écrit pour un cours sur la théorie politique continentale à Harvard, mais je n'ai jamais pris la peine de taper le manuscrit ou de l'adapter pour en faire un livre différent. Ce fut ma dernière contribution à l'histoire de la pensée politique car, de retour à Princeton, je me suis lié d'amitié avec un groupe de philosophes et j'ai commencé à écrire, tenté d'écrire plutôt, ce qu'on appelait alors la « théorie politique normative ».

Sans délaisser vos activités politiques...

C'est alors, en 1965 je crois, que nous avons organisé l'un des premiers *teach-in* contre la guerre du Vietnam. Nous n'étions pas nombreux. Certains membres de la faculté sont venus, ont parlé. D'autres expériences de ce type avaient eu lieu ailleurs, la première à Michigan il me semble. Notre *teach-in* était sans doute le troisième ou le quatrième, en tout cas, il se déroula très peu de temps après le début du mouvement. L'un de mes amis, John Schrecker[58], faisait partie des orateurs. Nous avons écrit un article ensemble dans *Dissent*, l'un des premiers contre la guerre ; il était basé sur les discours que nous avions prononcés lors des *teach-in*. Je crois que c'était ma première expérience d'écriture avec un coauteur[59].

Une des premières branches de *SDS* a été créée à Princeton par Jon Wiener[60] et certains de ses camarades du collège universitaire. Il est désormais responsable du Nation podcast. Il m'a interrogé sur mon *Foreign Policy for the Left* pour *The Nation* il y a quelques mois[61]. Notre amitié dure depuis 1965, cinquante-trois ans !

Vous avez dit un jour que vous étiez un « politologue américain qui se trouve être juif », vous êtes à la fois Dissentnik *et professeur, et vous avez fait, comme le dit Shlomo Avineri, une « demi aliyah[62] ». Qui êtes-vous exactement Michael Walzer ? Vous pourriez vous définir en trois mots ?*

Votre question me fait penser à ce que je disais à mes filles : en grandissant, vous allez devenir des femmes, des Juives, et des socialistes. Trois mots donc. Mais il faudrait peut-être que vous m'accordiez davantage de mots…

Je ne suis pas pleinement engagé dans le monde académique, mais je n'ai jamais été non plus un militant politique régulier. Je n'avais rien du « révolutionnaire professionnel » proverbial. Je suis un citoyen très américain[63], engagé dans la politique américaine, mais il est souvent plus facile pour moi de réfléchir d'abord à Israël. La question cruciale pour des gens comme moi, Juifs du XXe siècle, devrait quelquefois se poser ainsi : Qu'est-ce qui est bon pour Israël ? Et pourtant, lorsque je suis en Israël, on me dit : « Très bien, mais vous venez et vous ne restez pas », ce qui est vrai. Vous avez raison, il y a peut-être bien une constante ici. Oui. Je me vois comme un être engagé, déterminé, mais peut-être pleinement engagé nulle part. Si, auprès de mes petits-enfants.

De fait, dans un certain nombre de vos publications, vous mentionnez la vie de famille, l'importance de la famille, l'amour, la loyauté et l'allégeance, et vous utilisez souvent des métaphores familiales. Vous avez écrit quelque part que l'on ne peut pas être un militant à plein temps[64], entre autres parce que la vie privée compte, que là se trouve une source de moralité particulière.

Oui, ce sont des obligations particulières. Nous devrions en parler.

II.

L'engagement.
Droits civiques et mouvement anti-guerre

Votre engagement des débuts a sans doute nourri vos réflexions minutieuses et certains de vos livres importants sur le sens de l'engagement politique et la critique sociale, mais il a peut-être aussi façonné votre conception de la théorie politique et semé les graines de votre travail sur la justice et la guerre.

Vos premiers articles portent en effet sur le mouvement des droits civiques : « The Young : a Cup of Coffee and a Seat » [« Les jeunes : une tasse de café et un siège »] est publié en février 1960. Irving Howe et Lewis Coser vous avaient envoyé dans le Sud, en Caroline du Nord (à Greensboro, Durham, Raleigh, et Shaw, une université exclusivement noire), pour rendre compte des sit-in *« de comptoirs »* [lunch counter sit-ins] *et du piquetage des magasins locaux. C'est à l'Université de Shaw qu'Elia Baker a fondé le* SNCC (Student Nonviolent Coordinating Committee) *qui a joué un si grand rôle dans les politiques impulsées par le bas* [grassroot politics] *et a eu une influence profonde sur la Nouvelle Gauche, en particulier auprès des activistes dans les campus universitaires, dont une grande partie a rejoint* SDS (Students for a Democratic Society). *«Politics of Nonviolent Resistance» [«Les politiques de la résistance non violente»] est publié dans l'édition d'automne de 1960 de* Dissent.

En observant ce qui se passait dans le Sud, vous étiez optimiste sur les changements que ces politiques populaires, par le bas, allaient accomplir, vous pensiez même que l'on trouvait là la «preuve qu'il était possible de s'écarter de la politique conventionnelle». Dans un article de 1962 sur les «Jeunes radicaux» [«Young Radicals»], *vous ajoutiez que «la fausse sophistication et la lassitude des années 1950 avaient disparu, tandis que la soumission à l'histoire ou au parti, qui caractérisait les hommes des années 1930, n'avait pas refait surface*[1]*».*

Diriez-vous que quelque chose de comparable à la France s'est passé aux États-Unis? Un «esprit 68»? Et comment le définiriez-vous? Que serait un esprit typiquement soixante-huitard aux États-Unis? Car le mouvement qui a agité la France en mai 1968 diffère sensiblement de celui que les États-Unis ont connu, sur une période plus longue, entre les années 1950 et les années 1970. En Amérique, l'agitation politique et sociale a deux causes principales: d'une part, le mouvement pour les droits civiques engagé dans les années 1950 et clos, au moins provisoirement, par le Civil Rights Act *et les* Voting Acts *(1964, 1965, 1968); d'autre part, la guerre du Vietnam.*

1968 recouvre en effet des histoires nationales spécifiques à l'Allemagne, au Japon, à la France, aux États-Unis, des événements sans doute liés en partie et qui font pleinement sens ex post. *En France, Mai 1968 apparaît comme un moment typiquement et spécifiquement «français», comme le prolongement d'un cycle inauguré en 1789. Dans l'esprit public, la révolution ne peut être que française, et Mai 1968 est, pour les Français, une révolution. Un mouvement libertaire, de gauche sans doute, mais ni communiste ni socialiste. Un élan d'abord étudiant, parti des universités, progressivement élargi à la classe ouvrière. La France a alors connu les plus grandes grèves de son histoire.*

Il serait beaucoup plus facile de comparer la France et les États-Unis si le mouvement étudiant en France avait commencé à l'acmé de la guerre d'Algérie plutôt que dix ans plus tard. Aux États-Unis, 1968 commence en effet dans les années 1960, avec le mouvement des droits civiques et se poursuit, de manière bien plus violente, avec la lutte contre la guerre du Vietnam. Ces deux moments sont *politiques* avant tout, ils n'ont pas vraiment de dimension culturelle, et encore moins sexuelle. Ces révolutions viendront plus tard.

Il convient de mentionner que les pasteurs baptistes qui, avec les étudiants, étaient les leaders du mouvement des droits civiques, se sont aussi – du moins ceux qui étaient encore vivants dans les années 1980 et 1990 – fermement opposés à l'avortement et au mariage gay lorsque ces questions se sont posées. La cause des révérends noirs était la libération, mais seulement la libération liée à la possession des droits civiques, l'émancipation et l'*empowerment* des Noirs. Les étudiants ont sans doute tenté de généraliser le mouvement, ils ont imaginé une libération générale ; les pasteurs probablement pas.

Je me souviens des jeunes qui organisaient les *sit-in*. Je suis arrivé dans le Sud à temps pour les voir aux comptoirs, refusant de se lever : ils étaient tous très bien habillés, et c'étaient sans exception des hommes[2]. Tout cela était très différent, je crois, des événements français.

Le féminisme américain est en partie une réponse à la domination masculine, au leadership masculin du mouvement pour les droits civiques et du mouvement anti-guerre. Il s'est exprimé aux États-Unis dans les années 1970, ce n'est pas un mouvement politique des années 1960. Celles-ci sont dominées par la lutte des droits civiques pour les Noirs américains.

C'est une histoire très compliquée qui a débuté avec ces étudiants noirs bien habillés installés aux comptoirs des magasins dans le Sud, et qui s'est terminée avec le *Black Power* et le nationalisme noir. Les étudiants du début des années 1960 étaient heureux de leur nouvelle fierté ; on aurait pu s'attendre à de l'amertume étant donné leurs expériences de vie passées, mais cette amertume est venue plus tard, accompagnée par le nationalisme.

On pourrait raconter une histoire similaire à propos du mouvement anti-guerre : celui-ci commence par des protestations fougueuses contre l'intervention américaine au Vietnam et se termine par la tentative des maoïstes du *Progressive Labor* – et les bombes des *Weathermen*[3] – de « rapatrier la guerre ». Dans les deux cas, ce sont des récits d'une radicalisation progressive, d'abord contenue puis, plus tard, débordant les deux mouvements, pour les droits civiques et contre la guerre. L'histoire est, je crois, différente en France.

Une autre comparaison peut être faite avec le Japon, l'Allemagne[4] et l'Italie, trois pays où les révolutionnaires de gauche se sont montrés les plus violents, trois pays aussi qui, le rappel peut être utile, avaient fait l'expérience de régimes fascistes. Ces cas tranchent avec ceux de la France, des États-Unis ou encore de la Grande-Bretagne où la gauche, sans se réclamer explicitement de la non-violence, a été, de fait, non violente.

Dans un symposium organisé par Dissent *sur 1968[5], vous déclarez : «L'opposition à la guerre a, dans beaucoup de secteurs, changé la culture américaine pour le mieux. Mais elle n'a pas produit de politique durable; son héritage institutionnel est virtuellement nul. Elle a, au contraire, contribué à engager un tournant droitier de quarante ans.»*

Qu'en est-il de l'héritage institutionnel des années 1960 en France et aux États-Unis ? On sait que la Résistance a, en France, formé un personnel politique et laissé une marque, bien que contrariée, sur les institutions. Un grand nombre de résistants français sont devenus des hommes politiques après la guerre. Mai 1968 n'a rien produit de tel. En revanche, son héritage culturel est important et durable (le libertarisme, l'anticonservatisme, l'anti-establishment, un changement complet dans l'organisation du système d'éducation supérieure). Que dire de l'héritage politique et culturel des années 1960 aux États-Unis ?

Je pose cette question pour deux raisons. Vous citez d'une part la remarque visionnaire d'un des jeunes Noirs : «Nous ne voulons pas de fraternité… nous voulons juste une tasse de café et nous asseoir [...], si nous négocions, mes petits-enfants s'inquiéteront encore de cette tasse de café», et vous notez d'autre part que les étudiants noirs qui ont commencé les sit-in étaient très «sages», leur curiosité politique était «virtuellement nulle» : ainsi, ils ne s'intéressaient pas du tout aux campagnes présidentielles[6]. Leur politisation se limitait à ce qu'ils faisaient lors des sit-in. Ils étaient, en revanche, fortement influencés par les «pasteurs noirs» [Black reverends], *et la religion jouait un grand rôle.*

Oui, c'est vrai. Le mouvement pour les droits civiques a rapidement donné lieu à la création de deux organisations : la *Southern Christian Leadership Conference (SCLC)* [Congrès des dirigeants chrétiens du Sud] qui était composée de pasteurs baptistes, et le *Student Nonviolent Coordinating Committee (SNCC)* [Comité étudiant pour la non-violence] qui réunissait des jeunes. Les deux coopéraient mais aussi s'opposaient parfois.

L'une des caractéristiques intéressantes de la politique dans les années 1960 est en effet l'interaction, tantôt conflictuelle, tantôt pacifique, entre les jeunes et les vieux. Dans le mouvement des droits civiques, le rôle des pasteurs baptistes était très important : ils aidaient les étudiants en leur prodiguant des conseils d'adultes (et probablement aussi en calmant leurs parents). Ils les assistaient sans tenter de remplacer leurs leaders ou d'empiéter sur l'autonomie des jeunes.

Un parallèle peut être fait entre cette interaction particulière dans les années 1960 et ce qui se passe en 2018 : les lycéens qui, aux États-Unis, protestent contre la culture des armes ont aussi besoin du soutien des adultes mais, parmi ces derniers, beaucoup ne leur accordent pas d'autonomie, les considèrent comme des meneurs sans importance *[cheerleaders]* et sont avides de les remplacer. Les pasteurs noirs ne se sont pas comportés de cette manière, ils n'ont pas tenté de se substituer aux jeunes et de parler en leur nom. Le mouvement étudiant s'est construit à leur côté, mais il a conservé son indépendance. Il était en vérité formidable d'être jeune dans les années 1960, la jeunesse était dans l'air. Cela explique non seulement l'ambiance politique, mais aussi les transformations culturelles de cette époque.

Ainsi s'est faite l'entrée des «jeunes» en politique? Peut-être est-ce pour cela qu'ils étaient si heureux: ils faisaient quelque chose de significatif, pour eux et pour leur communauté. Ce qui m'a frappée dans l'article de février 2008 (mais vous le dites dans d'autres textes), c'est votre insistance sur la solidarité entre les Noirs à ce moment-là. Ils n'étaient ni individualistes ni «héroïques», ils étaient liés par une solidarité et un esprit collectif, un souci de l'action.

Oui, oui. Je n'ai pourtant jamais tout à fait compris la relation entre les jeunes et les révérends noirs. Ils allaient à l'église, leurs parents allaient à l'église. C'était une partie importante de leur identité. Mais il y avait aussi des tensions dont je ne comprenais pas entièrement la nature. Lors de ma deuxième visite dans le Sud, je suis allé à l'église, et j'ai écouté les sermons – le sermon baptiste noir est un genre particulier, c'est une œuvre d'art et une entreprise participative: les fidèles se joignent à l'officiant et se font l'écho de ses paroles. Ce sont des orateurs très très brillants. King [Martin Luther King] que nous avons tous entendu, n'était peut-être pas le meilleur d'entre eux. Abernathy[7] était très efficace.

Les étudiants, c'est l'idée que je m'en suis fait, étaient en effet fiers d'eux et heureux. À ce moment-là [en 1960], ils n'étaient pas amers. Je ne pourrais pas expliquer pourquoi, ils avaient pourtant toutes les raisons de l'être. La violence policière s'est manifestée plus tard; mais la violence structurelle, d'individus blancs, souvent en uniforme de policier, était d'une autre nature et elle menaçait tout autant les jeunes

Noirs. Dans l'article que vous évoquez, j'ai décrit mon arrivée à Greensboro et la première chose que j'ai faite : m'approcher d'un policier et lui demander : « Quel est le chemin pour telle église noire *[Negro church]* ? » Nous n'avions aucun sens du danger à l'époque, je n'avais pas peur, et les étudiants n'avaient pas peur du tout. Certains d'entre eux étaient plus âgés − c'étaient les vétérans de la guerre de Corée, des militants importants au début du mouvement pour les droits civiques, mais beaucoup n'étaient encore que des enfants.

Certains de mes amis au sein de *Dissent,* ceux qui m'avaient envoyé dans le Sud, pensaient que je reviendrais avec un compte rendu des révoltes des ouvriers et des paysans noirs, et ils ont été étonnés d'apprendre qu'il s'agissait d'étudiants et de pasteurs. La combinaison était très importante, elle s'est exprimée d'ailleurs aussi au sein du mouvement de soutien dans le Nord, celui qui s'était créé en réponse aux *sit-in* du Sud.

Beaucoup de nordistes sont allés dans le Sud dans ces années-là, la plupart d'entre eux jeunes, et, parmi ces jeunes, il y avait un pourcentage élevé de Juifs. Il y a eu alors un beau moment de coopération politique entre les Juifs et les Noirs avant que les Noirs ne demandent aux Juifs et aux autres Blancs de partir. Il ne suffisait pas de dire aux jeunes Noirs : « Vous savez, nous avons été esclaves en Égypte », pour les convaincre que nous les comprenions, que nous savions ce qui se passait, ou ce qui devrait se passer dans le Mississippi.

Malgré la surprise de vos amis nordistes, le soutien dans le Nord était important (les chaînes Woolworth à Boston étaient le théâtre des mêmes événements que dans le Sud : sit-in aux comptoirs, piquetage) et la participation était particulièrement forte parmi les Juifs. À Brandeis vous étiez militant, vous avez écrit pour Justice, *vous avez été membre de* SPEAC (Student Political Educational and Action Committee) *et d'*EPIC (Emergency Public Integration Committee) *et vous luttiez déjà pour les droits civiques.*

Les Juifs et les Noirs n'avaient-ils pas les mêmes intérêts objectifs, l'admission dans les universités prestigieuses par exemple ? N'avaient-ils pas aussi le même ennemi, le Ku Klux Klan en particulier qui procédait à des lynchages et des meurtres de Noirs dans le Sud et qui a, plus d'une fois, violemment interrompu des rassemblements communautaires et profané des synagogues. Parmi les morts du Freedom Summer *en 1964, il y avait deux travailleurs sociaux juifs, Andrew Goodman et Michael Schwerner, assassinés par le Klan, et il y a eu cette arrestation collective de rabbins après un pray-in à Monson*[8].

*Vous avez noté la participation des étudiants juifs au mouvement. La moitié des avocats qui défendaient les Noirs dans le Sud étaient des Juifs. La solidarité était très étendue : l'*American Jewish Committee, *l'*American Jewish Congress *et l'*Anti-Defamation League, *toutes ces organisations ont soutenu le mouvement. Abraham Heschel du* Jewish Theological Seminar *a marché avec Martin Luther King, et celui-ci a adressé sa fameuse lettre de prison « Letter from St. Augustine Jail » à un rabbin, le rav Dresner.*

Pourtant, lorsque « les nationalistes noirs ont pris le pouvoir », vous dites que les « Juifs ont été priés de partir » et vous pensez que c'était juste, « parce que c'était leur mouvement »[9]. *En même temps, tout au long de la décennie, ainsi lors de la grève des écoles new-yorkaises en 1968, il y a eu des manœuvres pour dresser les Juifs contre les Noirs, et réciproquement. D'où venaient ces expressions ? De l'intérieur ? Dans quels termes vous a-t-on demandé de quitter le mouvement noir ?*

À Brandeis, il n'y avait pas beaucoup d'étudiants noirs dans les années 1950, et pas davantage de non-Juifs. Nous étions gauchistes, nous avons rejoint le mouvement dès qu'il s'est formé, cela nous a semblé naturel. Pour répondre à votre question, mon expérience n'a jamais été celle d'une confrontation violente, on m'a demandé de partir de manière très respectueuse. D'autres n'ont pas eu cette chance. Dans la controverse new-yorkaise à laquelle vous faites allusion, il y avait beaucoup de colère des deux côtés.

Avec le recul, je ne pense pas que les jeunes gens juifs qui se sont rendus dans le Sud projetaient de reprendre le mouvement d'une quelconque manière. Nous avons été, je crois, très prudents. Nous savions que le leadership devait venir des Noirs du Sud, nous voulions simplement les soutenir : le mouvement de soutien nordiste dans lequel je militais était exactement sur cette ligne. Nous plantions des piquets de grève dans les grandes chaînes de magasins du Nord ; de leur côté, les étudiants faisaient des *sit-in* dans les mêmes chaînes du Sud. C'étaient eux qui imposaient le rythme ; on les suivait en accompagnant leur travail politique.

Lorsque je suis revenu de mon enquête dans le Sud, j'ai monté avec Harvey Pressman[10], un camarade de Brandeis, le *Emergency Public Integration Committee (EPIC)*, l'une des branches du mouvement de soutien nordiste. Nous étions en contact avec nos homologues d'autres universités et d'autres villes. Nous avons organisé la grève des magasins Woolworth à Boston et dans ses environs (les jeunes Noirs faisaient de même dans les filiales du Sud), où il y avait de nombreuses universités. C'est Harvey qui organisait le mouvement, je n'avais pas ce talent, mais je parlais. J'ai visité d'innombrables campus afin de recruter des étudiants pour les piquets de grève. Au faîte de notre militantisme, nous avions des piquets devant quarante magasins, tenus généralement par des étudiants, quelques Noirs, originaires en majorité du quartier de Roxbury à Boston. J'ai prononcé, une fois, un discours dans une église de Roxbury – j'ai essayé d'imiter les sermons baptistes que j'avais entendus dans le Sud. Les fidèles ont accompagné mon élan, par gentillesse sans doute, mais quelque chose n'allait pas. Je ne le referai plus.

J'ai conservé une feuille avec la liste des noms de grévistes, c'était le tableau de service de ma femme Judy : elle était responsable du piquet de Central Square à Cambridge pendant que j'étais dans le centre-ville de Boston. Il a fallu négocier chaque piquet avec la police ; nous avions heureusement trouvé un avocat qui nous aidait bénévolement.

Les manifestations dans le Nord étaient donc avant tout blanches. Mais d'où venaient les Noirs ? Et qu'est-il resté de cette expérience commune ?

Il y avait des étudiants, de Brandeis, de Harvard, peut-être aussi de Northeastern. Mais à l'époque, le pourcentage d'étudiants noirs dans les universités était très faible. Peut-être deux ou trois pour cent dans les universités où nous essayions de recruter des manifestants. En revanche, ceux qui participaient aux piquets en ville, à Boston, n'étaient pas des étudiants.

Les relations entre les deux groupes étaient bonnes mais elles n'ont pas ouvert sur une alliance durable. Les manifestants noirs ont dû penser que nous étions des gens bien mais, en fin de compte, pas tout à fait dignes de confiance. Ils se méfiaient de notre capacité à inscrire le mouvement dans la durée. Dans le Sud, ils nous ont fait comprendre que cela devait rester leur bataille.

Peut-être ont-ils pensé qu'ils travaillaient pour les leurs, et vous pour le principe, quelque chose comme ça ?

Exactement. Il faut dire que nous étions très juifs, avec une culture de gauche. Donc, pour le principe, ou par idéologie, est la bonne analyse. De fait, nous pensions que les droits civiques faisaient partie d'un combat plus large. Le contingent de Brandeis et les étudiants juifs de Harvard étaient les mieux représentés.

Il me semble pourtant que les démarches se conjuguaient plutôt bien, pour un temps du moins, puisque vous défendiez des intérêts communs.

Oui, elles se conjuguaient bien, nous le pensions en tout cas. Les révérends noirs en particulier ont très bien accueilli les étudiants juifs, ainsi que les rabbins conservateurs et réformés qui faisaient le voyage dans le Sud. Il y avait entre eux une véritable alliance. Les étudiants que j'ai rencontrés dans le Sud voulaient éditer un livre sur leur expérience, ils m'ont proposé d'écrire un chapitre sur le mouvement de soutien nordiste. Je l'ai rédigé et le leur ai envoyé. Quelques mois plus tard, j'ai reçu une très gentille lettre disant : «Nous pensons que le livre devrait être un ouvrage entièrement noir[11].»

Vous avez donc été pendant cette période un activiste...

Oui, nous étions des activistes, disons de la gauche modérée. Nous ne harcelions pas les gens qui tentaient d'entrer dans les magasins que nous piquetions – c'est un accord que nous avions passé avec la police. On a eu quelques ennuis avec les trotskistes locaux qui voulaient prendre le contrôle du mouvement et imposer leurs conditions, mais nous étions bien plus forts qu'eux. À un certain moment, tout cela s'est arrêté ; les « trots » sont retournés à leur existence sectaire, les nationalistes noirs ont pris le pouvoir, et nous avons rejoint le mouvement anti-guerre. Le passage d'une lutte à l'autre, des droits civiques à la lutte contre la guerre du Vietnam, semblait tout à fait naturel.

Au début des années 1960, le terme « negro » était toujours d'usage officiel n'est-ce pas ? Comment le changement de vocabulaire s'est-il opéré ?

Les nationalistes noirs ont d'abord préféré « Noir » à *African-American* : *Black is beautiful.* Le caractère noir *[blackness]* est devenu central en quelques années, après 1960, mais je ne pourrais le dater avec précision, je ne m'en souviens plus. Je sais que, peu de temps après la publication de mes articles, le mot *negro* détonnait déjà.

Des événements spécifiques ont-ils conduit au nationalisme noir ? Les racines sont vraisemblablement à chercher au XIXᵉ siècle, mais les événements marquants se produisent dans les années 1950 : la décision Brown v. Board of Education (1954) de la Cour suprême, le meurtre d'Emmett Till (1955), le boycott des bus en Alabama (1955-1956), les événements de Little Rock (1957), etc.

Les organisations noires étaient nombreuses dans les années 1960, mais elles n'avaient pas nécessairement d'agenda commun. Certaines étaient favorables à une riposte armée dans les régions suprématistes; d'autres (le SNCC *et* CORE) *ont organisé les* Freedom Rides *en 1960 et 1961 et ont marché «contre la peur» en 1966. La* Black Pride *a ensuite pris de plus en plus d'importance – souvenez-vous de l'image inoubliable des Jeux olympiques d'été en 1968.* Malcom X *et les* Black Panthers *enfin étaient favorables à l'autodéfense armée.*

Je crois que la dérive vers le nationalisme noir est due en partie au fait que les résultats des mobilisations se faisaient attendre. Le succès ne vient jamais instantanément, les jeunes gens sont impatients, et les révérends noirs ont peut-être trop fait confiance au changement graduel et à la politique de non-violence. Les activistes avaient entre vingt et trente ans, ils étaient révoltés et ils voulaient décrocher leur médaille de militants. C'est une caractéristique générale des politiques de gauche lorsque les réformes se font trop attendre : les leaders autodésignés tentent de se surpasser dans leur activisme. On observe le même type de phénomène dans la vie religieuse lorsque les prêtres ou les rabbins se veulent plus stricts, plus observants que leurs prédécesseurs.

Nous, nous pensions que le nationalisme noir, même s'il était compréhensible dans le contexte américain, était une erreur politique : pour se faire entendre, les minorités doivent s'engager dans des politiques de coalition, les Juifs ont appris cela il y a longtemps. Vous ne pouvez pas être isolés lorsque vous représentez dix, ou deux pour cent de la population. Vous avez besoin d'alliés et vous devez élaborer des politiques qui favorisent les alliances. C'est ce qu'a refusé le nationalisme noir, et c'est cela qui l'a conduit, je crois, à une impasse.

En même temps, lorsque vous observiez les *Black Panthers* en Californie, vous pouviez constater la fierté de ces jeunes militants noirs qui se tenaient très droits et qui portaient une arme à chaque occasion (les jeunes, quelques années plus tôt, n'avaient pas besoin d'armes pour être fiers). Le nationalisme noir n'était pas une politique utile, mais il avait sa logique à l'intérieur de la communauté.

Au sein des mouvements noirs, mais aussi au-delà, dans le mouvement contre la guerre par exemple, la bataille idéologique portait sur l'usage de la violence. J'aimerais connaître votre avis sur cette question car vous avez écrit sur la violence. La branche NAACP (National Association for the Advancement of Colored People) *de Monroe, présidée par Robert F. Williams, avait décidé très tôt, en opposition à l'engagement pacifique des dirigeants de la* NAACP, *de répondre à la violence par la violence. Williams a même été suspendu du mouvement mais il a eu droit à la une du* New York Times *en 1959; il a été soutenu par W. E. B. Dubois et on lui doit un livre intitulé* Negroes with Guns *[Négros avec armes] paru en 1962[12]. Mais le discours de Malcom X, « The Ballot or the Bullet» [«Le droit de vote ou la balle»] de 1964, signe la fin de la politique de non-violence. En 1968 enfin, à Chicago, le Comité national de mobilisation pour mettre fin à la guerre au Vietnam* (National Mobilization Committee to End the War in Vietnam) *s'est dit favorable à «toutes les tactiques» de lutte, violentes et non violentes.*

D'un côté on peut comprendre le choix de se défendre par la violence: les Noirs continuaient d'être victimes d'attaques brutales, il régnait un racisme institutionnalisé, le Ku Klux Klan existait toujours. Mais, d'un autre côté, il y avait aussi une résistance à la violence. Une véritable formation à la non-violence a été mise en place dans plusieurs mouvements : James Bevel, l'instigateur de la Croisade des enfants [Children's Cruisade], *éduquait les enfants à la non-violence et à la participation non violente dans les manifestations.*

Vous avez écrit plusieurs textes sur la résistante non violente, sur Gandhi en particulier, mais aussi sur la «non-coopération[13]*». La résistance, en tant que soutien collectif à la loi et aux droits, est, dans vos termes, «défensive et limitée». Au Moyen Âge, elle nécessitait un corpus constitué de lois et de droits, et l'existence de groupes capables d'actions coopératives et disciplinées, vous les appelez les «magistrats inférieurs». Dans la modernité politique, la désobéissance civile collective est, en revanche, toujours selon vos termes, une «politique pour citoyens et amateurs»*[14]*. Dans* Guerres justes et injustes, *il y a un chapitre sur la non-violence où vous affirmez que celle-ci ne peut être effective que si toutes les parties en présence se sont préalablement accordées sur sa valeur politique*[15]*. Quelle était alors votre réaction à la violence et, en général, quelle était la position des* Dissentniks ?

Nous n'étions pas des pacifistes chrétiens, nous n'étions pas pacifistes du tout. Nous venions d'une vieille tradition de gauche qui avait toujours ménagé un temps et un lieu pour la violence. Mais, dans la situation des années 1960, la non-violence avait beaucoup plus de sens.

La politique de non-violence faisait appel à la conscience américaine, et cela a marché jusqu'à un certain point. Elle a produit quelques succès. La dérive vers la violence tient partiellement au fait que les effets de la mobilisation étaient, comme je l'ai dit, trop peu visibles, trop partiels, tandis que l'objectif de la lutte se voulait très ambitieux.

Le contrôle des armes n'était pas une priorité dans les communautés noires ou dans la politique des Noirs en général. La plupart des pasteurs baptistes avaient eux-mêmes des armes ; et, dans le Sud, beaucoup de Noirs portaient des armes pour se défendre contre les milices blanches, elles-mêmes souvent secondées par la police locale. Et je pense que beaucoup de militants ou d'activistes noirs ont, aujourd'hui encore, peu de sympathie pour le mouvement en faveur du contrôle des armes. Ils ont eu une expérience différente, par exemple, de celle des lycéens tués à Parkland ou des autres tueries dans les lycées. Mais vous avez bien sûr raison : dans les années 1960, la réponse de la police à toute forme de militantisme noir était souvent brutale, ce qui rendait la politique de non-violence difficile à soutenir (elle aurait demandé une discipline religieuse ou idéologique) ; porter une arme apparaissait comme un geste courageux mais aussi réaliste. Pourtant, là aussi, c'était une erreur, puisque la police, quels que soient les prétextes d'un affrontement, était sûre de l'emporter.

La même dérive s'est produite dans le mouvement anti-guerre : pacifique à ses débuts, il a abouti à des violences, gestuelles et réelles, du fait de l'impatience, de l'escalade au Vietnam et des provocations de la police. Il y a eu un conflit entre les militants, entre les jeunes et les vieux, et une dérive violente appuyée sur des citations de Lénine puis, plus tard, de Mao. L'impatience et la frustration étaient encore plus évidentes dans le mouvement anti-guerre que dans la lutte pour les droits civiques : la guerre s'éternisait, et l'engagement américain devenait de plus en plus insoutenable.

Après My Lai[16], tout le monde savait que la guerre était un désastre moral, et tout le monde constatait qu'elle ne s'arrêtait pas. Des jeunes qui ont rejoint les *Weathermen* ont été tués par les bombes qu'ils fabriquaient ou qu'ils utilisaient. Ce qu'ils faisaient n'était pas le fruit d'une idéologie élaborée, mais plutôt d'une sorte de désespoir moral.

Nous n'étions pas tous désespérés, mais nous étions tous très sérieux. Notre engagement dans les combats pour les droits civiques et contre la guerre était total, et cela explique sans doute la manière dont nous le menions. À la différence de ce qui s'est passé à Paris en 1968, il y avait chez nous très peu d'humour.

Les deux mouvements, pour les droits civiques et contre la guerre, se sont-ils rencontrés ou l'un a-t-il pris simplement le relais de l'autre ?

Il y a bien eu un moment où les deux mouvements – non violent noir et non violent contre la guerre – ont convergé : lorsque Martin Luther King a prononcé son très important discours contre la guerre : «A Time to Break Silence» [«Le temps est venu de rompre le silence»][17].

Il est venu un bref moment à Cambridge, Massachussetts, et s'est joint au projet local du *Vietnam Summer*. Il y avait eu beaucoup d'efforts pour mobiliser la population contre la guerre dans les différentes communes. J'étais le coprésident du *Cambridge Neighborhood Committee on Vietnam* [comité de quartier] ; nous frappions aux portes, militant à la manière de *SDS*. Nous avons invité King à Cambridge et lui avons demandé de se joindre à nous dans notre porte-à-porte, et nous avons filmé l'événement.

Il se trouve qu'il a frappé à notre porte, ma femme a ouvert, notre fille d'un an dans les bras. Les deux mouvements se sont donc spectaculairement mais joliment rencontrés. La plupart des pasteurs baptistes n'ont cependant pas suivi King. En dehors de sa personne qui faisait le lien, les deux mouvements sont restés distincts.

Avez-vous gardé des photos de cette époque, de Martin Luther King devant votre porte par exemple ?

Nous avons fait des photos, mais je ne sais pas où nous les avons mises. J'ai pourtant commencé à rassembler des documents. L'Institute for Advanced Studies a une collection d'archives, et je suis censé leur laisser tous mes documents. J'ai parcouru mes dossiers des années 1960 et j'ai trouvé pas mal de choses sur *EPIC (Emergency Public Integration Committee)*, mais pas autant que je l'espérais sur le *Cambridge Committee on Vietnam*.

Des activistes de toutes sortes ont participé à ces différents mouvements (juifs, chrétiens, musulmans, hippies et yippies[18], Black Power et Black Panthers, organisations étudiantes gauchistes, etc.) ? Qu'avaient-ils en commun ? Y avait-il des liens entre les membres de Dissent et les hippies ou les yippies par exemple ? Des Dissentniks ont-ils participé au Summer of Love ?

Je crois que personne, parmi ceux qui étaient mobilisés dans le *Vietnam Summer*, n'a participé à un autre «*Summer*». Nous n'étions pas des *yippies*, et je ne pense pas que nous voyions les *yippies* comme des camarades dignes de confiance, bien qu'une partie d'entre eux ait probablement participé à nos marches.

Même s'ils sont distincts, les événements de Chicago et de Paris ont lieu à peu près dans le même temps. 1968 à Chicago a été un moment important pour tous les militants. Diriez-vous qu'il y a eu, là-bas, une rencontre des différentes frustrations accumulées durant la décennie précédente ? Vous-même, étiez-vous à Chicago en 1968 ?

Non, mais Tom Hayden[19], l'un des leaders de *SDS* y était. Il avait écrit un article pour *Dissent* quelques années auparavant. Il était le patron du *Newark Community Union Project*, un projet de *SDS* basé à Newark, dans le New Jersey. J'habitais alors à Princeton où Tom venait de temps à autre pour se reposer. Je l'ai donc suivi à l'un des meetings du *NCUP*.

Dans une organisation comme celle-ci, il était très important que les leaders soient issus des gens du même milieu et aient un ancrage local, ce qui signifiait concrètement que Tom Hayden devait rester au fond de la salle, car la rencontre devait être animée par les membres locaux de *SDS*. Il se trouve que les participants avaient tous le cou tordu, tant ils se retournaient pour guetter un signe de la part de Tom leur indiquant la manière de procéder. J'ai tenté de le raisonner : « Si tu es un leader, tu dois être devant, tu dois prendre tes responsabilités, tu ne peux pas t'asseoir au fond de la salle et prétendre que tu n'es qu'un spectateur. » Mais c'était là son style de leadership, et nous étions tous convaincus qu'il était important d'impliquer les membres locaux. Ainsi ma coprésidente dans le *Cambridge Neighborhood Committee*, la regrettée Carolyn Carr Grace, était-elle originaire de la ville. Elle était monteuse de cinéma, mais elle n'était pas une universitaire, et c'était capital ; elle était aussi une jeune mère, ce qui était encore mieux. Elle a fait des études de droit par la suite et est devenue une excellente avocate des droits civiques, sans doute grâce à son expérience dans le mouvement du Cambridge Neighborhood Committee. Mais, à l'origine, elle était notre relais dans la communauté locale – bien meilleure que moi dans son interaction avec les locaux.

Sur la route de Chicago, Tom s'est arrêté à Cambridge et nous a demandé de l'aider. Il nous a décrit ses plans : la stratégie de *SDS*, les manifestations qu'il envisageait à Chicago, la réaction des forces de l'ordre qu'elles allaient engendrer. Nous avons refusé de participer à cette entreprise. Tom Hayden s'est alors engagé dans une forme particulière d'activisme anti-guerre, violente. Mes amis et moi-même avons préféré une autre voie.

J'ai alors voyagé avec Eugene McCarthy qui, en 1968, était, selon moi, le candidat aux présidentielles le mieux placé pour mettre fin à la guerre. Mais McCarthy a été écarté par Robert Kennedy qui, comme vous le savez, a ensuite été assassiné. Humphrey l'a remplacé, mais il a perdu cette élection de 1968 en partie parce que trop de membres de la gauche extrême n'ont pas voté pour lui, ce qui était insensé[20].

Au cours de la même période, plusieurs faits méritent d'être notés. Le Illinois Institute for Technology a acheté les terres adjacentes à son campus en privant, de fait, les quartiers noirs pauvres de ce territoire ; les étudiants noirs de Northwestern ont demandé que des dortoirs leur soient réservés – une stratégie de ségrégation qui, dans le contexte, pouvait apparaître défendable ; ils ont aussi réclamé des professeurs noirs, des assistants noirs et un cursus spécifiquement noir bien que le nombre d'étudiants noirs dans les universités de l'Illinois et de Chicago ne dépassât pas alors les 5 %.

Revendiquer des cycles d'études noires, des départements d'histoire, de sociologie et de science politique propres aux Noirs américains était en effet une des modalités de militantisme sur les campus. L'autre modalité, très importante, était la résistance aux *ROTC (Reserve Officers Training Corps)*, autrement dit à la participation des universités aux études ou à la formation militaires. Nous avons essayé de mettre fin à toutes les formes de contrat entre les universités et le Pentagone. C'était là l'une des principales activités politiques sur les campus ; mais, sur cette question aussi, il y avait des désaccords profonds entre militants.

Beaucoup d'entre nous étaient opposés à la création de départements d'études noires. Nous pensions que cela conduirait à exclure ces études des autres départements : on pouvait craindre en effet que les historiens, les sociologues et les politologues renoncent, dans cette hypothèse, à des matières enseignées dans les départements d'études noires. Le risque était de confiner les étudiants noirs dans des ghettos au sein même des universités. C'est exactement ce que voulaient les militants noirs, paradoxalement soutenus par un grand nombre de professeurs conservateurs favorables à la création d'un ghetto universitaire préservant l'intégrité de leurs disciplines.

L'absence de mouvements interraciaux dans la mobilisation pour les droits civiques est remarquable. Les quelques tentatives timides d'étudiants noirs n'ont jamais abouti.

En effet. Mais, à ses débuts, le mouvement pour les droits civiques était bien un mouvement interracial. Nous en avions en tout cas l'illusion. Les Blancs, libéraux et de gauche, ont soutenu l'émancipation des Noirs, ils ont même souvent voté pour des hommes ou des femmes politiques noirs. Mais les « politiques de l'identité » ont pris le dessus dans la vie politique américaine et ont conduit à des mouvements séparés : les Noirs, les hispaniques, les femmes, les gays. Il n'y a pas eu de solidarité entre ces différentes formes de lutte pour la reconnaissance.

« *Black Lives Matter* », par exemple, est une expression fondamentale de la colère légitime des Noirs, liée notamment au comportement de la police. Mais les hispaniques ne sont pas mieux traités et il n'y a pas, que je sache, de « *Hispanic Lives Matter* », et pas d'effort coordonné pour la création d'une coalition des groupes ethniques pour une réforme de la police. C'est un problème typique de la vie politique américaine, et un signe de plus de notre faiblesse.

Avec le recul, comment lisez-vous aujourd'hui l'article que vous avez cosigné avec Irving Howe « Were We Wrong About Vietnam ? » [« Avons-nous eu tort à propos du Vietnam ? »][21]. Bien que la guerre ait «fait du tort» à Dissent qui «semblait davantage préoccupé par les gens arborant un drapeau du Viêt-cong dans une manifestation de masse contre la guerre que des dégâts véritablement infligés par les armes et les bombes américaines»[22], vous insistez sur le fait que le « Vietnam n'était sans doute pas le meilleur lieu pour s'opposer au communisme » qui avait déjà gagné la bataille des cœurs et des esprits : les communistes étaient devenus les représentants authentiques du nationalisme vietnamien. La guerre du Vietnam était à la fois une guerre coloniale, une guerre civile et le champ de bataille de la guerre froide. Dissent a-t-il alors manqué l'occasion de parler au plus grand nombre ?

Nous n'étions pas vraiment visibles au sein du mouvement général. Les gens que l'on voyait se trouvaient dans toutes les grandes manifestations et arboraient en effet un drapeau du Viêt-cong. Notre ligne politique, l'opposition à la guerre mais aussi au Viêt-cong, n'attirait pas les foules. Pourtant, nous avons marché dans les mêmes manifestations.

C'était un temps où ma vie politique se résumait à monter dans le bus, aller à Washington, descendre du bus, attraper une affiche, marcher autour du Pentagone, reprendre le bus pour rentrer. Et, malgré toute cette activité, j'arrivais à écrire.

Et aujourd'hui, qu'attendez-vous du militantisme politique ?

La révolution culturelle dont nous n'avons pas encore vraiment parlé, et qui a produit de réels changements dans la vie politique américaine, fait partie des succès de l'après-1968. Je pense au mouvement féministe qui, bien qu'inachevé encore, est le mouvement révolutionnaire le plus important du XXe siècle. Par ailleurs, la lutte pour les droits civiques a permis l'élection de maires noirs dans un certain nombre de villes, pour la plupart des villes difficiles, en déclin économique et aux ressources fiscales insuffisantes. Il est certain qu'il y a aujourd'hui plus de Noirs dans tous les corps de métiers, au gouvernement notamment, mais, pour les plus pauvres, rien n'a vraiment changé. Ni le mouvement anti-guerre, ni *SDS* n'ont obtenu des changements notables, à mon sens parce que ces formations manquaient de véritables leaders, un peu comme *Occupy* en 2011. *Occupy* n'a pas eu de suites politiques durables, vraisemblablement parce que ses leaders ont refusé de jouer leur rôle, insistant même sur leur statut de non-leaders. De manière remarquable, dans un de leurs meetings à New York, quelqu'un s'est levé et a dit : « Nous devrions commencer à recruter plus de monde. » Un autre assistant a rétorqué : « "Recrutement ?" C'est une idée fasciste ! »

Avec ce genre de stratégie vous avez peu de chance de vous imposer, encore moins de soutenir un mouvement, et de fait, notre situation n'est aujourd'hui pas bonne. Mais il y a des signes d'espoir : la marche des femmes et la marche en faveur du contrôle des armes étaient des événements impressionnants, et l'on ressent les frémissements d'une mobilisation électorale en vue des *midterms*[23].

Vous avez participé vous-même à la marche des femmes en tant que « grand-père d'une vilaine femme » [Grandfather of nasty woman][24].

Oui, j'ai manifesté avec ma petite-fille. Trump avait appelé Hillary une « vilaine femme ». Ma petite-fille portait une pancarte « vilaine femme » ; moi, je défilais avec une pancarte « grand-père d'une vilaine femme ». Un journaliste nous a photographiés. Les marches sont un bon signe, mais il reste à savoir si ceux qui y participent, les jeunes en particulier, vont s'inscrire sur les listes électorales et voter.

Les jeunes, entre dix-huit et vingt-neuf ans, votent moins que toutes les autres classes d'âge aux États-Unis, beaucoup moins. C'était le problème de Bernie Sanders : dans ses meetings, il y avait énormément de participants, mais beaucoup d'entre eux ne se sont jamais inscrits sur les listes et n'ont pas voté. Cela doit changer : je demande souvent à mes petits-enfants qui sont lycéens de s'assurer que ceux qui ont dix-huit ans s'inscrivent et votent, d'autant plus que les républicains tentent de faire baisser la taille de l'électorat et d'empêcher les gens – les pauvres en particulier – de voter. Les démocrates quant à eux doivent trouver des candidats convaincants ; il y a beaucoup de bons candidats, peut-être même trop dans certains districts où ils se font concurrence, avec le risque que les perdants ne se mobilisent pas pour leurs collègues. C'est le vieux problème de la gauche, et le parti doit faire des choix intelligents. Il y a des districts «rouges» (fortement républicains) qui ne peuvent être gagnés que par un démocrate «raisonnablement de droite» ; et il y en a d'autres où il vaut mieux présenter un candidat comme Bernie Sanders.

Quelle était l'influence des intellectuels dans les années 1960 sur les mouvements dont nous avons parlé ?

Tous les mouvements de gauche ont une référence intellectuelle ; il y a toujours eu et il y aura toujours des débats idéologiques et des citations de grands théoriciens, mais le mouvement des droits civiques et le mouvement anti-guerre n'étaient pas des mouvements intellectuels.

Vous n'avez pas utilisé le terme de «démocratie participative», habituellement associé au vocabulaire de la Nouvelle Gauche américaine.

J'ai écrit un jour un article intitulé «Two Cheers for Participatory Democracy[25]» [«Deux vivats pour la démocratie participative»]. Je plaide pour la maximisation de l'engagement politique des citoyens dans les démocraties, mais la démocratie participative peut aussi être l'idéologie des activistes. Mon expérience au sein du *Cambridge Neighborhood Committee* sur le Vietnam m'a enseigné que, parmi les étudiants militants, ceux qui étaient prêts à consacrer vingt-quatre heures sur vingt-quatre à leur militantisme étaient aussi ceux qui avaient tendance à dominer les autres, alors que les gens dont nous voulions obtenir le soutien avaient des familles, des enfants et des métiers et ne pouvaient pas accorder un temps aussi long à la politique. Il faut par conséquent construire une démocratie participative qui permette aux gens de s'impliquer politiquement tout en préservant leur vie familiale et professionnelle. Mais il est vrai que, dans les années 1960, nous n'en étions pas assez conscients.

Quelle est, selon vous, la ligne de clivage entre la gauche des «politiques de l'identité» et la gauche socialiste traditionnelle? Diriez-vous que la première, sensible à l'immigration, au multiculturalisme, à la sexualité dans ses diverses formes, a perdu les classes laborieuses?

Nous nous demandons tous si l'effort principal du Parti démocrate et des gens de gauche au sein du parti devrait être la reconquête de la classe ouvrière, des démocrates reaganiens, et des ouvriers blancs. Je parle avant tout des hommes, car nous savons qu'une partie sans doute significative des femmes voteront démocrate. Mais nous ne pouvons abandonner la position traditionnelle de la gauche vis-à-vis de l'immigration, du féminisme ou des droits des gays. Je ne le ferai pas. Je pense, en revanche, qu'il faut donner des gages économiques forts aux travailleurs désabusés tout en maintenant nos positions de gauche sur les libertés civiles et les droits civiques. La stratégie de [Hillary] Clinton était fondée sur l'hypothèse qu'une participation forte des Noirs, des hispaniques, des femmes et des actifs de la classe moyenne supérieure (qui constituent désormais la base sociale de la gauche américaine) assurerait la victoire des démocrates. C'est peut-être vrai, mais cela ne veut pas dire que nous pouvons nous passer d'un programme économique fort, la gauche doit absolument le faire.

Peut-on parler d'une nouvelle base sociale du Parti démocrate ? Regardez ce qui se passe à Princeton, New Jersey, l'une des communes les plus riches des États-Unis : la proportion des votes pour Hillary était de huit contre un. À l'opposé, à Johnstown, Pennsylvanie, la ville où j'ai grandi et où les aciéries ont fermé il y a longtemps déjà, le ratio des votes pour Trump était de deux contre un. Si vous ajoutez aux électeurs de Princeton et de villes analogues – qui soutiennent désormais largement les démocrates, bien qu'ils ne soient pas gauchistes – les électeurs des communautés ethniques et les femmes militantes, vous obtenez une majorité. Dans ce genre de situation, si les gens vont effectivement voter, vous pouvez gagner une élection. Je continue cependant de penser que nous devons avancer les meilleures propositions économiques possibles dans des lieux comme Johnstown.

Il semble qu'il soit devenu très difficile d'être sincèrement patriote à gauche, que ce soit aux États-Unis, ou en Europe. Pensez-vous tout de même qu'il serait juste de dire que l'idée d'égalité est bien américaine, et celle d'inégalité anti-américaine ? Et qu'être favorable à l'immigration dans un pays comme les États-Unis est malgré tout une position typiquement américaine ?

Oui, je pense que vous avez raison. Durant la période du Front populaire, aux États-Unis dans les années 1930, le Parti communiste s'était saisi du thème du patriotisme. Entre les années 1930 et le pacte germano-soviétique, les communistes étaient de grands patriotes, le communisme était même un mouvement ardemment patriotique. Je me souviens de *The Ballad for the Americans* [La Ballade pour les Américains] de Paul Robeson – c'est une cantate magnifique, avec de nombreux épisodes consacrés à l'histoire américaine. Culturellement, le Front populaire a été un succès, ses organisateurs étaient très malins, même si certains communistes les considéraient avec cynisme. La notion d'«idiots utiles» vient de cette période : elle désigne les gens qui rejoignaient les organisations frontistes sans savoir qui les dirigeait. Politiquement, l'impact du Parti communiste a été de courte durée (comme en témoigne la campagne de Wallace en 1948) ; mais, culturellement, il a eu une influence non négligeable. Nous n'avons rien produit de tel en 1968. Il y a eu des frémissements, des débuts de changement dans de nombreux domaines culturels et sociaux – les mœurs sexuelles et la musique pop par exemple –, pas dans la culture politique.

Les intellectuels américains, les militants anti-guerre de Dissent, *se sont-ils exprimés sur la guerre d'Algérie ? Je sais que vous connaissez bien cette histoire, vous avez écrit sur l'Algérie et sur la position des intellectuels français, Sartre, Camus, Beauvoir notamment, dans la* Critique sociale au xxᵉ siècle[26].

La gauche américaine était évidemment favorable au FLN. *Dissent* ne l'était pas, d'une part à cause des attaques terroristes, d'autre part du fait de la sympathie que nous avions pour le Mouvement National Algérien de Messali Hadj, un mouvement qui, je crois, avait pour origine une secte trotskiste et était opposé au terrorisme du FLN. Les animateurs de *Dissent* connaissaient Hadj, il a même écrit un ou deux articles dans le magazine[27]. Le MNA était fortement représenté parmi les ouvriers algériens en France, moins en Algérie ; il a été décimé par le FLN. *Dissent* était favorable à l'indépendance algérienne mais critique vis-à-vis du FLN[28]. C'est une position analogue que nous avons ensuite défendue sur la guerre du Vietnam.

Tout ceci fait partie de ma socialisation politique. Il était facile pour moi de prendre le parti de Camus contre Sartre et de condamner, comme je l'ai fait dans *Guerres justes et injustes*, ce que Sartre avait écrit dans sa préface aux *Damnés de la terre* de Fanon[29]. Il y avait certes des gauchistes aux États-Unis qui soutenaient le FLN et justifiaient d'une manière ou d'une autre les bombes dans les cafés et les autres formes de violence, ce n'était pas le cas de *Dissent*. Nous n'étions pas sur les mêmes positions que *Les Temps Modernes*. De manière générale, nous entretenions d'ailleurs peu de relations avec les Français. À notre connaissance, il n'y avait pas, en France, un mouvement étudiant opposé à la guerre, comparable en tout cas à celui que nous avons eu ensuite aux États-Unis.

Vous avez pris parti pour Camus. Non seulement pour des raisons théoriques – il était, comme vous, engagé dans un certain type de critique sociale – mais aussi parce qu'il avait, selon vous, quelque chose à dire sur l'amitié et la loyauté. Vous avez posé une question intéressante : Comment se fait-il que Camus n'ait jamais imaginé une solution à deux États pour mettre fin à la guerre d'Algérie ? Ce n'était pourtant pas vraiment une hypothèse envisagée à l'époque : n'est-ce pas une manière de penser très israélienne ?

Oui. Oui, il n'y a jamais eu de proposition de partition, et j'imagine que les populations étaient trop mélangées pour faire cela.

J'aimais beaucoup, peut-être surtout, ce que Camus a dit de sa mère[30]. Il a introduit une sorte d'humanité dans le discours de gauche souvent excessivement correct. Les positions idéologiquement « correctes » ne m'ont jamais plu.

III.

Dissent

Au début des années 1950, les Républicains étaient majoritaires à la Chambre des représentants et au Sénat, et McCarthy poursuivait les communistes. Le nombre d'adhérents au Parti communiste avait déjà fortement diminué ; la Ligue socialiste était, de son côté, en mauvaise posture, et la gauche antistalinienne mal organisée. Quel était, à ce moment-là, le climat intellectuel en Amérique ? Et pour quelles raisons deux jeunes intellectuels, Irving Howe et Lewis Coser, ont-ils choisi cette forme d'engagement politique ? Ils voulaient « réaffirmer les valeurs libertariennes de l'idéal socialiste[1] », et ils ont fondé un magazine.

Il faut que je remonte un peu en arrière. Irving Howe, mon « mentor » à Brandeis, m'a « invité » à écrire dans *Dissent* (personne n'était payé). Je ne me souviens pas comment nous sommes devenus si proches. Il m'a invité à la fête qu'il donnait chez lui pour le premier anniversaire de *Dissent Magazine*. C'était l'édition d'hiver 1954. Je me réclamais de la gauche Front populaire, et j'ai été aussitôt converti à l'antistalinisme.

Irving a fondé *Dissent* avec Lewis Coser qui enseignait aussi à Brandeis. J'avais suivi un séminaire de Coser sur le marxisme, étudié la littérature avec Howe, et j'étais très séduit par leurs idées, celles d'Irving en particulier. Je vous l'ai déjà dit, lorsque, à la fin de ma deuxième année à Brandeis, je suis revenu chez moi, j'ai annoncé à mes parents que je voulais être un intellectuel. Un intellectuel de gauche, évidemment.

Dès les années 1950, nous avions créé nos propres organisations politiques – l'une d'entre elles annonçait d'ailleurs le rôle que *SDS* a joué plus tard – et nous soutenions activement la décision de la Cour suprême qui a conduit à la déségrégation des écoles[2].

Dissent Magazine est donc une aventure qui commence sous le patronage de Howe et Coser ; une poignée d'entre nous, étudiants, sommes devenus très rapidement des *Dissentniks*, gauchistes et farouchement antistaliniens. Cette position, qui est toujours la mienne, a posé des problèmes lorsque la guerre du Vietnam a éclaté.

Avant notre départ en Angleterre en septembre 1956, j'ai fait des recherches sur l'histoire du Parti communiste américain pour Howe et Coser. J'ai lu tous les numéros du *Daily Worker*[3] des années 1920 aux années 1940 en passant par la période du Front populaire. J'ai pris des notes sur tout, même sur les bandes dessinées ; il en est sorti mon tout premier article pour *Dissent*. C'est durant cet été qu'a été publié le rapport Khrouchtchev[4] qui a provoqué la grande crise au sein du Parti communiste américain. Ma lecture du *Daily Worker* me permettait de suivre cette crise de près et d'écrire sur des événements qui ont marqué le début de la désintégration du Parti.

En Angleterre, nous lisions les romans des « Angry Young Men[5] », nous avons assisté à l'une de leurs représentations,

Look back in Anger[6]. J'ai donc rédigé un article pour *Dissent* sur ce groupe de jeunes hommes en colère et un autre texte pour un magazine littéraire anglais consacré à John Wain[7]. J'y faisais une imitation d'Irving Howe. Je voulais être à la fois un intellectuel politique et un homme de lettres, mais je n'en avais pas vraiment le talent. J'ai cependant écrit dans *Dissent* une critique littéraire sur John Sallinger[8], qui était en fait assez bonne.

J'ai ainsi collaboré à *Dissent* tout en poursuivant mes études doctorales. Je pense que ma relation avec le magazine et le New Left Club m'a aidé à supporter ma vie de thésard. Je pouvais me dire que je n'avais qu'un pied à l'université. En février 1960, Irving Howe m'a appelé et m'a dit : «Quelque chose d'important se passe en Caroline du Nord, j'aimerais que tu y ailles.» J'étais en train de rédiger ma thèse, je n'avais plus de cours à valider, je pouvais donc partir sur-le-champ.

Comment décririez-vous les fondateurs de Dissent *? Et le climat de l'époque ?*

Irving et Lew étaient jeunes lorsqu'ils ont lancé le magazine, mais ils étaient, depuis leur adolescence, engagés en politique. Ils étaient las des sectes gauchistes, ils espéraient s'adresser à un lectorat plus large, plus en phase avec la politique américaine. N'oubliez pas que le New York gauchiste des années 1930 et 1940 était une sorte de banlieue de Moscou. La guerre froide offrait l'occasion de dessiner les contours d'une position politique nouvelle. Le magazine exprimait une double dissidence : de la gauche stalinienne d'abord, qui était encore très présente à la fois politiquement et intellectuellement, malgré la baisse d'adhérents du Parti communiste ; d'un libéralisme faible et complaisant ensuite. Irving appelait les années 1950 l'«âge du conformisme», et c'était une description adéquate (sauf en ce qui concerne Brandeis où nous étions déjà passés à un nouveau mode de militantisme). Le maccarthysme était effrayant, mais beaucoup de libéraux ont choisi de ne pas céder à la peur et de s'éloigner du communisme qui, selon Irving et Lew, représentait une vision dépassée de la gauche. Ils étaient en quête d'une politique de gauche à la fois pragmatique et fidèle à l'idée d'égalitarisme radical[9].

Dissent *a été créé par un groupe de Juifs européens : Irving Howe et Lewis Coser, aidés par d'autres personnalités comme Stanley Plastrik, Manny Geltman ou Bernie Rosenberg. Vous-même avez rejoint les* Dissentniks *peu de temps après la création de la publication, vers la fin des années 1950.* Dissent *était-il, est-il, un magazine juif ? On pourrait penser que l'identité des fondateurs est d'un intérêt secondaire, ou considérer au contraire qu'elle a eu un impact décisif sur la ligne éditoriale. Si la seconde hypothèse est la bonne, comment décririez-vous ce regard spécifiquement juif sur l'actualité politique et sociale ?*

Un grand nombre de Juifs sécularisés ont simplement substitué une orthodoxie à une autre : ceux qui avaient espéré trouver le salut au sein du Parti communiste étaient devenus aussi sûrs de leur vérité idéologique et aussi dogmatiques que les rabbins qu'ils avaient abandonnés. Ils restaient ainsi en quelque manière dépendants de leurs attaches, à la différence des fondateurs de *Dissent* qui ont su s'émanciper de la religion et de toutes les variantes possibles de l'orthodoxie marxiste.

Dans quelle mesure ces derniers étaient-ils toujours juifs ? Je dirais qu'ils étaient juifs dans leur style avant tout, leur façon de présenter leurs arguments, leur aptitude à soutenir un utopisme sceptique. Irving adorait cette vieille blague sur un homme qui, assis à la lisière du *shtetl*[10], est chargé d'attendre le Messie et d'alerter les villageois de son arrivée. « Mais en quoi consiste ce travail ? » lui demande-t-on. « Eh bien », répond l'homme, « ce n'est pas très bien payé, mais c'est un emploi stable ». Cette ironie juive a irrigué et façonné le magazine au cours de ces années où la plupart des éditeurs et des auteurs étaient juifs et se reconnaissaient dans *Dissent*.

L'émancipation a tout de même buté sur quelques limites. La crise, puis la guerre de 1967, ont provoqué un choc émotionnel chez de nombreux Juifs au sein du magazine, car leur internationalisme était aussi un antinationalisme (le mien ne l'est pas) et, par conséquent, un antisionisme, en toute logique incompatible avec l'internationalisme ou le cosmopolitisme prôné par la gauche.

Mais ils ont brusquement réalisé qu'ils ne voulaient pas que l'expérience sioniste prenne fin et, à leur grande surprise, ils ont découvert que ce « non-vouloir » était en réalité un engagement passionné[11].

Oui, *Dissent* a été façonné par l'ironie juive et par un engagement juif, mais ces deux caractéristiques se sont aujourd'hui un peu éventées. À l'avenir, *Dissent* ressemblera probablement aux autres magazines de gauche.

Comment fonctionnait le comité de rédaction ? Qui décidait de quoi, des articles retenus, de ceux qui ne l'étaient pas, des réponses adressées aux auteurs malheureux, etc. ?

Au début, chaque membre du comité de rédaction recevait les articles accompagnés d'une feuille de papier sur laquelle il devait rédiger son commentaire. Irving lisait l'ensemble des commentaires et prenait la décision finale. Lorsque le comité de rédaction s'est élargi, il ne sollicitait l'avis que de certains d'entre nous. C'est aussi lui qui s'occupait des auteurs dont les textes avaient été rejetés ou sévèrement réécrits, et il était étonnamment diplomate. C'était un éditeur tellement brillant que la plupart des auteurs étaient enchantés de s'approprier le texte réécrit par ses soins. Il m'a appris le métier, mais je n'ai jamais été aussi rapide et aussi bon que lui.

Entre le milieu et la fin des années 1950, vous avez publié les papiers de nombreux auteurs célèbres, « The White Negro[12] » de Norman Mailer par exemple qui a fait grand bruit.

L'article a eu un immense succès, et nous avons vendu beaucoup de numéros. Des gens de gauche en ont pourtant voulu à Irving d'avoir publié ce texte, peut-être parce qu'il n'était pas politiquement correct. Irving Howe a également publié l'article de Hannah Arendt contre l'intégration des Noirs dans les écoles[13].

Il la connaissait personnellement, mais nous l'avons publié par attachement à la liberté d'expression et goût du débat.

Je ne partageais pas son analyse des écoles publiques, mais son idée de réfléchir à une catégorie entre le privé et le politique était bonne. Nous nous posions tous des questions sur la justification de la coercition étatique dans la sphère sociale, mais sa définition du « social » était trop large : le

« social » ne devrait pas autoriser la ségrégation scolaire volontaire. De même, on ne devrait pas autoriser les commerçants à refuser de servir des couples homosexuels – le cas s'est présenté récemment aux États-Unis[14]. L'argument d'Arendt a été récupéré (sans mention de son nom) par l'extrême droite.

Dans le controversé « Little Rock », elle écrit que, pour réaliser l'égalité politique, les lois du mariage (autoriser les mariages interraciaux) sont bien plus importantes que la déségrégation dans les écoles : « Nos batailles politiques ne devraient pas se dérouler dans les cours d'école, dit-elle, et nous ne devrions pas demander à nos enfants d'être des héros. »

Elle, qui avait si soigneusement distingué entre l'antisémitisme social et l'antisémitisme politique, ajoute que le gouvernement « ne devrait pas prendre des mesures contre la discrimination sociale car il ne peut agir qu'au nom de l'égalité – un principe qui n'appartient pas à la sphère sociale ». Selon elle, « l'État a un droit incontestable d'exiger les conditions minimales à la formation du citoyen, et, au-delà, de prescrire l'enseignement de sujets et de métiers désirables et nécessaires à la nation en général. Or ceci engage seulement le contenu de l'éducation d'un enfant, non le contexte associatif et la vie sociale en général ». Arendt termine par une distinction entre la sphère privée (caractérisée par l'exclusivité), la sphère sociale (caractérisée par la similitude) et la sphère politique (caractérisée par l'égalité). En bref, les écoles sont des institutions sociales, et non politiques. On pourrait reprendre ici la formule de Strauss : la cure peut être pire que la maladie, car lorsqu'on essaie de guérir la discrimination «privée», on détruit l'État libéral «public»[15].

Les écoles publiques ne sont ni privées ni « sociales », elles sont le lieu où nous fabriquons des citoyens, des individus qui vont voter aux élections. Arendt pensait que le contrôle familial sur l'éducation des enfants ne regarde pas l'État. Mais les enfants n'appartiennent pas exclusivement à leurs parents, et certainement pas lorsqu'ils sont appelés à devenir des hommes et des femmes responsables dans une société multiraciale et multi-ethnique.

Dans les écoles privées ou confessionnelles, il n'y avait pas de déségrégation. Dans les écoles privées, vous pouviez mener des politiques de ségrégation, à condition de ne pas solliciter de fonds publics – même si de l'argent public y était investi (pour aider les élèves handicapés par exemple), je n'ai rien à redire à cela. Mais il est certainement légitime que l'État demande que l'on enseigne certains cours dans les écoles privées, qu'elles soient confessionnelles ou non, sur l'histoire et la politique des États-Unis par exemple, en profondeur et plus qu'en passant.

Comparons les écoles et les maisons de retraite. La mère de Judy a fini sa vie dans une maison de retraite juive. Ses filles ont tenté de la maintenir à la maison, mais c'était impossible. Nous avons été surpris d'apprendre que la maison de retraite juive que nous avions choisie était financée à hauteur de 60 % par l'argent public. Je me suis dit que c'était légitime, mais je ne dirais pas la même chose des écoles confessionnelles car je n'aimerais pas que l'État se mêle de la formation religieuse des enfants. Les gens âgés sont déjà formés, pourrait-on dire, et l'État doit par conséquent accommoder leurs préférences religieuses. Je ne suis donc pas opposé au fait que l'argent public soit investi dans des maisons de retraite catholiques, protestantes ou juives.

J'introduirais cependant des distinctions dans ce qu'Arendt appelle la « catégorie sociale ». Je suis sûr que le *country club* de Johnstown est désormais intégré : il a d'abord accepté les Juifs très riches, puis il a accueilli tout le monde. Mais je n'aurais pas apprécié une intervention coercitive de l'État dans ce domaine.

C'est exactement l'argument d'Arendt : les clubs ou associations devraient pouvoir sélectionner leurs membres sans qu'interfère l'État. Elle se compare d'ailleurs elle-même aux Noirs, une comparaison que nombre de lecteurs n'ont pas trouvée pertinente. Elle se demande aussi s'il est juste de faire partager par les enfants les combats des adultes. Mais l'État a bien le devoir de former les citoyens, n'est-ce pas ? C'est le rôle des écoles publiques et cela conduit, en principe du moins, au respect de la diversité. Il ne s'agit pas de l'éducation religieuse des enfants, mais de leur formation à la tolérance et à la citoyenneté.

Oui, nous avons sans doute eu tort de mettre à l'époque les enfants en danger. Les luttes pertinentes concernaient les adultes, le logement par exemple, pas les enfants.

Et oui, je partage votre avis, l'État a le devoir de former des citoyens. On peut demander à une école confessionnelle juive d'enseigner la citoyenneté, l'histoire de la démocratie, l'histoire des États-Unis. Et, s'il arrive que l'on encourage les étudiants à ne pas prendre au sérieux les cours de nature séculière dans les écoles, l'État peut au moins insister sur la réussite aux examens dans ces matières.

Et nous devrions, lorsque les écoles fonctionnent grâce à l'argent public, exiger que leur cursus favorise l'égalité des chances.

Oui, et encore une fois, même dans les écoles privées, si les enfants votent aux élections, nous pouvons exiger qu'on leur enseigne ce qu'ils devraient savoir pour voter intelligemment.

À Dissent, dans les années 1960, vous étiez celui qui était au plus près des préoccupations des campus [campus mood][16]. Ce que vous dites de votre militantisme au sein du Cambridge Neighborhood Committee et dans le mouvement contre la guerre du Vietnam dans une ville nordiste permet de comprendre la stratification sociale dans la mobilisation contre la guerre. L'un de vos camarades d'Harvard a étudié le référendum à Cambridge et a constaté que 40 % des votants étaient opposés à la guerre. En 1968, selon les sondages, au moment de l'élection de Nixon, 50 % des Américains se prononçaient contre la guerre tandis que 35 % la soutenaient malgré tout.

En France, les étudiants et les ouvriers ont fait alliance sur des questions de politique intérieure. Cela n'a pas été vrai aux États-Unis, à cause de la guerre précisément. Grâce au travail du *Neighborhood Committee*, nous avons en effet organisé un référendum sur la guerre dans la ville de Cambridge. On pensait que la population était à l'image de la ville, Cambridge, qui devait sponsoriser et soutenir une journée officielle d'opposition à la guerre. Pourtant, seulement 40 % des voix ont défendu cette option. Un doctorant en sociologie d'Harvard a analysé le vote de Cambridge, et ses conclusions, pour nous gauchistes, étaient plutôt dures à avaler : plus vous payiez des impôts, plus grandes étaient vos chances de voter contre la guerre.

Nous avons perdu tous les quartiers ouvriers de la ville de Cambridge, et nous avons gagné Harvard Square et ses environs. La situation était claire : les étudiants qui faisaient du porte-à-porte étaient exemptés du service militaire parce qu'ils étaient étudiants ; ils sonnaient aux portes des familles dont les enfants étaient au Vietnam. Les différences de classe étaient tellement flagrantes ! C'est à ce moment que le Parti démocrate et la gauche ont perdu un nombre significatif d'ouvriers blancs. C'est alors que nous avons compris que nous avions échoué à convaincre ceux qui auraient dû être nos électeurs, que nous n'avions pas su leur parler. On nous accusait d'être de mauvais patriotes sous prétexte que nous ne soutenions pas les troupes ; attaquer le manque de patriotisme de la gauche est devenu la rhétorique classique des républicains. Le thème a refait surface pendant la campagne de Trump, mais son origine remonte à la guerre du Vietnam. Pour ceux d'entre nous qui avaient été élevés dans l'idéologie de la lutte des classes, ce fut une surprise.

Est-ce lié au fait que le mouvement contre la guerre acceptait tous les soutiens, d'où qu'ils viennent, et que Dissent, *déchiré en interne, se retrouvait dans une position inconfortable ? Parmi vos soutiens beaucoup ne souhaitaient pas se faire d'ennemis à gauche, et vous avez fini par vous faire des ennemis à droite et à gauche. Vous étiez opposés à la fois à l'intervention américaine et à la victoire des communistes, mais vous n'aviez pas de « happy end » à offrir. En pleine guerre froide, votre position intermédiaire était difficile à expliquer et, vous le dites, vos arguments étaient « trop complexes pour être entendus*[17] *».*

En effet, le mouvement contre la guerre n'était pas uni : une partie voulait peser sur les élections – certains d'entre nous participaient à la campagne d'Eugene McCarthy en 1967-1968 –, une autre voulait organiser la résistance à la conscription ; une partie voulait arborer des drapeaux du Viêt-cong dans toutes les manifestations, une autre s'y opposait. De fait, la position des *Dissentniks* était inconfortable, en particulier celle de mes camarades plus âgés issus des mouvements trotskistes. Ils connaissaient littéralement les noms de tous les trotskistes vietnamiens assassinés par les communistes, et ils avaient du mal à appeler à un retrait immédiat et unilatéral des Américains.

Quand ont-ils finalement appelé au retrait ? Après l'offensive de Tet[18] *?*

Oui, mes amis avaient déjà appelé au retrait, mais d'autres nous ont suivis après Tet. Nous avons vraiment essayé de tenir une position, qui était la mienne depuis le début, puis qui devint celle de *Dissent* en général. La guerre était devenue un crime plus grand que celui que les communistes risquaient de commettre une fois au pouvoir. Nous devions nous opposer à la participation américaine à la guerre sans devenir complices du Viêt-cong, et cela nous obligeait à quelques subtiles explications.

Alors que je parcourais le pays en 1967 et prononçais des discours contre la guerre j'ai dû, dans le même temps, défendre l'attaque israélienne contre l'Égypte. On m'a dit que je n'étais pas cohérent. J'ai dû expliquer que les guerres peuvent être justes ou injustes. Être contre *cette* guerre, celle du Vietnam, ne nous obligeait pas à condamner *toutes* les guerres. Alors a débuté la réflexion qui m'a conduit à la publication de *Guerres justes et injustes*. La guerre américaine contre le Vietnam était injuste, celle que menait Israël contre l'Égypte était juste. C'est à la compréhension de cette distinction entre juste et injuste que le reste du livre est consacré. Mais à gauche, dans les années 1967-1968, il était très difficile de l'expliquer de manière convaincante.

Que reste-t-il des intellectuels new-yorkais des années 1950 et 1960 ? Qui sont vos camarades aujourd'hui ?

Howe et Coser étaient mes mentors, et je continue d'entretenir des relations amicales avec les intellectuels de gauche qui pensent dans leur sillon : Paul Berman, Mark Levinson, Maxine Phillips, Susie Linfield, Mitchell Cohen, Michael Kazin, Jo Ann Mort, Joanne Barkan et quelques autres. Il y a une nouvelle génération de New-Yorkais de gauche, qui ne partage pas notre mémoire, et avec laquelle je parle occasionnellement. Je cherche une continuité, mais ils choisiront leur propre voie.

À quel point le Dissent *d'aujourd'hui est-il différent de celui des années 1950 et 1960 ? La plupart des membres du comité sont des libéraux, des libéraux sociaux, des sociaux-démocrates au sens européen. Comment expliquer cette évolution ? Un des historiens de la revue a écrit que « le but de* Dissent *n'était pas de transcender le marxisme ou le libéralisme, mais de s'inspirer des deux traditions en les appelant à se hisser à la hauteur de leurs idéaux fondamentaux*[19] ».

Le magazine a évolué, mais je suis sans doute trop proche pour pouvoir dire selon quelles lignes exactes. Une certaine forme de théorisation marxiste a été importante au début mais a pour ainsi dire disparu de nos colonnes. Notre engagement en faveur de ce que Michael Harrington appelait l'« aile gauche du possible » a conduit à une implication plus forte dans la politique américaine à partir d'un point de vue que l'on pourrait en effet appeler « social-démocrate ». Mais les membres de *Dissent* se définiraient toujours comme socialistes démocratiques : la notion, qui a refait surface ces dernières années grâce à la campagne de Bernie Sanders, évoque une politique plus radicale, transformatrice, du moins dans son aspiration.

Nous avons été assez cohérents dans notre engagement en faveur du mouvement des travailleurs, nous avons déploré son déclin et nous espérons son renouvellement. Nous sommes aussi résolument internationalistes et nous écrivons régulièrement sur la politique des autres pays. Lorsque j'étais directeur, j'insistais sur une publication régulière de « disputes » mettant en scène nos désaccords, en particulier sur la politique étrangère, et quelquefois de manière très virulente, polémique. Je crois que nos plus jeunes contributeurs n'aiment pas ce genre d'exercice, mais j'y suis, pour ma part, toujours très attaché. Le principe auquel je tiens le plus s'énonce ainsi : s'opposer à toutes les formes de politique autoritaire, même lorsqu'elles se disent de gauche, comme c'est régulièrement le cas en Amérique latine.

Le féminisme – et la présence des femmes au sein du comité de rédaction – apparaît assez tardivement dans Dissent, *peut-être même plus tard que dans le monde universitaire, ce qui n'est pas le cas dans d'autres publications du même genre.*

Ses fondateurs étaient insensibles à la «question de la femme». Ils pensaient peut-être que le socialisme engendrerait automatiquement une égalité des genres, ce qui rendait inutile tout militantisme particulier. Après la mort d'Irving, lorsque Mitchell Cohen et moi-même sommes devenus directeurs, nous nous sommes attachés en priorité à intégrer plus de femmes. Mais nous étions en retard, et je ne suis pas sûr que l'on ait jamais formulé un féminisme propre à *Dissent* : cela aurait pourtant été une bonne chose si l'on considère les dérives de certaines conceptualisations du féminisme universitaire.

De manière générale, cela pose la question du radicalisme de Dissent. *Nous avons mentionné la relation entre le magazine et* SDS *lorsque nous avons parlé de 1968.* Dissent *était alors bien moins «radical» que* SDS *et rechignait à appeler à la révolution pour hâter le changement social. Comment l'expliquez-vous ? Est-ce lié à l'arrivée d'une nouvelle générations au sein du comité ? Il est vrai que les fondateurs connaissaient les dangers de l'autoritarisme, du sectarisme et du stalinisme... Pensaient-ils que la gauche était autoritaire à sa manière ? Que le tiers-mondisme de la Nouvelle Gauche avait abandonné les principes fondateurs de la gauche[20] ?*

La confrontation avec *SDS* et les jeunes radicaux des années 1960 correspond certainement à un affrontement entre deux générations : celle dont les membres avaient été éprouvés par les guerres staliniennes (ou qui, comme moi, avaient été à l'école des vétérans) et celle qui n'avait aucune mémoire des guerres et était réceptive – nous ne l'étions pas – aux visions tiers-mondistes de l'autoritarisme politique. Au sein de cette seconde génération, beaucoup sont revenus en effet vers nous, fatigués de leurs sectes, convaincus qu'ils n'avaient pas choisi les bons camarades. Mais on peut penser que ce genre de clivage se reproduira avec chaque nouvelle génération.

L'incorporation de vieux et de jeunes membres de la gauche dans l'université américaine a transformé *Dissent* de plusieurs manières. Les papiers qu'écrivaient ces nouveaux professeurs demandaient plus de travail d'édition, et beaucoup d'entre eux, inquiets de leur carrière, étaient moins prêts à écrire, donnaient moins souvent des articles à un magazine comme *Dissent*. Une partie d'entre eux ont défendu une sorte de radicalisme universitaire, postmoderne et ésotérique, farouchement gauchiste, qu'un public de gauche, au-delà du cercle universitaire, ne pouvait pas comprendre. Je crois que nous ne sommes pas allés assez loin dans notre critique des « nouveaux styles de gauche », mais je doute qu'ils aient eu un impact significatif sur la politique américaine en général.

Votre jugement sur la politique américaine a souvent été et reste sévère. Mais, depuis le 11 Septembre, c'est aussi à la gauche que vous vous adressez. Je pense à certains de vos écrits : « Can There Be a Decent Left ? » [« Peut-il y avoir une gauche décente ? »], ou « A Foreign Policy for the Left » [« Une politique étrangère pour la gauche »], devenu le livre au titre éponyme publié en 2018. Vous avez constamment visé la gauche. Quand et pourquoi votre inquiétude s'est-elle transformée en colère? Parce qu'une certaine gauche défend un nouvel autoritarisme moral? À cause de son anti-américanisme? De son hypocrisie?

Certains jeunes (des membres de ma génération aussi) ont critiqué notre tentative de «gendarmer» la gauche. J'essaie pourtant de n'être qu'un critique occasionnel. La gauche a ses pathologies, et nous devrions en parler, éviter le déni et l'évitement. Oui, je suis parfois en colère, pas seulement contre l'autoritarisme moral (et politique) de certains pans de la gauche, contre cet anti-américanisme profondément enraciné, mais aussi contre l'hostilité à l'égard d'Israël qui charrie toutes les vieilles lunes de l'antisémitisme.

Dans sa longue histoire, Dissent *a vécu des moments stimulants et a connu des passages difficiles. Diriez-vous que la revue a eu sa période héroïque et qu'elle se trouve aujourd'hui dans l'âge de la maturité?*

Il y a, comme toujours, dans ce retour aux origines, une part de mythe, mais c'est assurément dans ses premières années, alors qu'il réfléchissait à une nouvelle politique de gauche, que *Dissent* a connu son âge d'or. Il y a aussi les héroïques années 1960: nous avons fait des erreurs, mais nous avons gardé le cap là où tant d'autres le perdaient. Plus tard, sous ma direction, l'équipe a travaillé dur, avec la volonté de continuer et de résister. Nous pensions qu'il nous fallait maintenir la tradition d'une gauche indépendante, anti-autoritaire, dans l'attente d'une prochaine période de soulèvement. J'ai l'impression qu'une consistance, une certaine opiniâtreté caractérisait alors les *Dissentniks*. Celle-ci s'est un peu usée, mais nous avons intégré une nouvelle génération, différente de la nôtre, qui aura le magazine en héritage.

Dissent, malgré tout, n'est pas seulement une revue militante, elle a aussi un caractère universitaire, par son contenu et par certains de ses contributeurs. Vous avez dit qu'il suffisait d'ajouter vingt-cinq notes de bas de page à un article de la revue pour en faire un article universitaire.

C'est ce que l'on pouvait penser de certains de mes articles. Mais, à l'inverse, d'autres contributions ont d'abord été écrites pour un public universitaire.

Diriez-vous que Dissent *était au cœur de votre vie et de votre carrière ou qu'il constituait une sorte de monde parallèle ? Qu'il a joué un rôle dans l'élaboration de votre pensée universitaire ? Que vous avez conjugué deux métiers, deux vocations, ou que les deux forment ensemble un seul et même travail ?*

Je ne crois pas que le travail politique et le travail universitaire évoluent sur des rails parallèles, ils se croisent et interagissent à de multiples intersections. *Dissent* m'a d'abord obligé à réfléchir à des problèmes immédiatement contemporains, puis à les commenter sur un mode plus universitaire. L'article qui est à l'origine de *Sphères de justice* s'appelle « In Defense of Equality[21] », et il a d'abord été publié dans *Dissent* – c'est un article polémique que je n'aurais pas soumis à une revue scientifique sans un certain nombre de notes de bas de page et un peu d'autocensure. Écrire pour *Dissent* et rédiger disons *Sphères de justice* prennent place dans la même entreprise générale.

Vous n'êtes donc pas seulement un universitaire…

Non, et je m'imagine assez bien comme éditeur d'une revue théorique, partisane, dans un pays doté d'un parti social-démocrate fort *(rires)*.

Mes années de doctorat ont été sauvées par ma participation à *Dissent*. Mes devoirs obtenaient de bonnes notes, mais j'étais malheureux à l'université et heureux à *Dissent*. C'était vraiment salvateur de pouvoir me dire que j'avais un pied en dehors de l'université.

IV.

Réflexions sur la guerre

Guerres justes et injustes (GJI) *est devenu un classique,
un livre incontournable pour qui travaille sur la guerre. C'est
à la fois un livre d'histoire – par les très nombreux exemples
de situations de combat que vous analysez – et de philosophie politique et morale, puisque vous y déployez, en rappelant ses origines, le paradigme de la guerre juste. Vous
réfléchissez, bien que les notions puissent paraître paradoxales, à la «moralité de la guerre» et à la responsabilité
morale des États, des armées et des combattants. Vous rap-
pelez les règles classiques du combat – ne pas tuer de civils,
traiter les combattants en égaux –, mais vous vous intéressez
également à un grand nombre d'exemples où l'enchevêtre-
ment des violences (ethniques, civiles, politiques) appelle
des décisions complexes.*

*Vous soutenez des thèses fortes, notamment sur le statut
des civils, sur la justesse de l'intervention humanitaire, sur la
légitimité des changements de régime par le recours à la force,
sur la norme de l'entrée en guerre ou le droit de faire la guerre
(ius ad bellum), la conduite à tenir pendant la guerre (ius in*

bello), *et les meilleures politiques à adopter après la guerre* (ius post bellum) *sur lesquelles j'aimerais vous interroger.*

Mais commençons par le début : vous écrivez GJI *qui devient immédiatement un best-seller.*

J'ai été surpris de ce succès. Quelques mois après la publication du livre, l'éditeur a reçu une lettre de West Point[1] qui voulait «adopter» le livre et a demandé à Basic Books de réaliser très vite une édition de poche. Mon éditeur l'a fait.

Autrement dit, le livre est devenu un manuel de l'Académie militaire.

L'Académie en a fait une lecture obligatoire pour les cadets de deuxième année. Ma surprise fut grande, et plus grande encore lorsque West Point m'a convié à une rencontre avec les officiers chargés de l'enseignement de mon livre.

Les cours regroupaient de quinze à vingt cadets, il y avait donc beaucoup de jeunes officiers enseignants. À mon grand étonnement, tous ceux que j'ai rencontrés étaient des vétérans de la guerre du Vietnam. En dehors des jeunes professeurs qui rejoignent le corps enseignant, les officiers sont généralement recrutés pour leur deuxième ou troisième tour de service pour une période de trois ans. J'avais donc pour interlocuteurs des gens qui avaient servi au Vietnam et avaient manifestement été secoués par la guerre. Certains adhéraient à ce que j'avais écrit sur cette guerre, d'autres non, mais tous étaient d'avis que les cadets devaient lire mon livre.

Pendant que je leur parlais, je me suis rendu compte que les officiers d'une armée régulière – cela est peut-être aussi vrai en Israël – sont très différents de ce que les gauchistes imaginent. De fait, ils sont souvent hostiles aux hommes politiques de droite qui les envoient faire des guerres auxquelles ils ne croient pas. Je pense à ce jour où je me rendis en voiture à West Point. J'avais à mes côtés, à l'arrière, un officier chargé de m'accompagner. Il m'a interrogé sur les revues auxquelles je collaborais et m'a dit qu'il venait d'interrompre son abonnement à la *New Republic* parce qu'elle soutenait la guerre. Cela a été une grande révélation pour moi.

Je suis allé régulièrement à West Point et j'ai poursuivi mes conversations avec eux. Tantôt pour rencontrer les enseignants, tantôt pour faire moi-même cours aux cadets, quelquefois aussi simplement pour visiter une ou plusieurs classes. C'était très différent de l'université : lorsque j'arrivais dans une salle de cours, un étudiant se levait au premier rang en bondissant et proclamait : « Tous présents, *sir* ! » *[« All present and accounted for, sir ! »]*.

Vos discussions avec les officiers et les cadets de West Point ont-elles influencé vos écrits ultérieurs, en particulier les pré- et postfaces successives que vous avez écrites pour les différentes éditions de Guerres justes et injustes *?*

Cela a surtout influencé la manière dont j'appréhendais l'armée américaine, et cela m'a incité à être encore plus exigeant dans mon argumentation. Il y avait là des hommes et des femmes qui allaient peut-être être marqués par mon raisonnement, dans leurs jugements mais aussi dans leurs actions.

Vous élaborez ce que vous avez appelé un «paradigme légaliste[2] », c'est-à-dire un code de conduite élaboré au cours de l'histoire qui gouverne l'interaction entre les États au sein de la société internationale.

Pour résumer succinctement si vous le permettez, vous présentez ce paradigme au chapitre 4 de Guerres justes et injustes («L'ordre et la loi dans la société internationale»), en faisant l'analogie avec la politique intérieure: les États ont, dans le système international, des droits et des devoirs analogues à ceux des individus dans une société. Parmi ces droits figurent l'intégrité territoriale et la souveraineté politique. Or un acte d'agression menace de détruire non seulement le système international, mais aussi le droit des États qui est lui-même dérivé du droit des individus. Ainsi seuls les actes d'agression justifient-ils la guerre. Dans les chapitre 5 («Anticipations») – comme l'anticipation israélienne dans la guerre des Six Jours – et 6 («Interventions») – comme les interventions humanitaires, par exemple –, vous qualifiez et vous réévaluez le paradigme légaliste sans véritablement introduire des exceptions, mais en assouplissant la norme dans des situations et des contextes spécifiques.

Certains de vos lecteurs ont critiqué vos réévaluations successives, d'autres les trouvent utiles et moralement justifiables, en particulier votre conceptualisation du ius ad vim[3], c'est-à-dire l'usage de la force avant le recours à la guerre. C'est une précision importante car elle limite les velléités belliqueuses et permet de mettre en place des politiques où la guerre n'est pas la continuation de la politique par d'autres moyens comme le disait Clausewitz.

Pensez-vous, avec le recul, que nous devrions changer le droit de la guerre tel qu'il existe aujourd'hui, ou diriez-vous que les bornes que vous esquissez dans votre livre permettent de conserver le paradigme légaliste quitte à en relâcher les contraintes au cas par cas, selon le contexte ? C'est ce que vous semblez suggérer.

Les règles fondamentales d'une société d'États, la conception classique des États en guerre, la notion de souveraineté des États, l'idée des frontières et la définition que j'en propose, tout cela doit être maintenu.

La manière de traiter les acteurs non étatiques pose un problème particulier ; il n'est pas nouveau mais il surgit plus souvent aujourd'hui. J'ai tenté de le saisir autrefois dans mon chapitre sur la guerre de guérilla[4]. Il faut en effet décider comment il convient de traiter ces acteurs. Comme des États ? Les textes sur le droit de la guerre en débattaient déjà au XIXe siècle mais, à l'âge des talibans, de l'État islamique, du Hamas et du Hezbollah, nous devons nous ressaisir de cette question.

Je pense avant tout, peut-être de manière trop prudente, que l'on peut résoudre de nouvelles questions avec les vieilles théories, et cela s'applique autant au *ius in bello* qu'au *ius ad bellum*, bien que la guerre asymétrique rende ces questions plus difficiles. Mais, pour ma part, je résisterais au changement des règles. Nous devrions faire des guerres asymétriques un sujet spécifique. Dans ces conflits, les armées technologiques comme celles des États-Unis ou d'Israël ne gagnent pas toujours, malgré leurs bombes « intelligentes », leurs drones et tout le reste. Elles tuent davantage, mais elles ne gagnent pas, en partie justement *parce qu'elles* tuent davantage. Ces guerres-là sont tout autant des guerres politiques que militaires.

Mais, oui, pour répondre à votre question, dans les préfaces au livre, et dans les différentes conférences que j'ai prononcées à ce sujet, j'ai tenté de m'en tenir à la structure de l'argument initial : il n'est pas nécessaire de changer les règles.

Pourtant vous avez assoupli certaines d'entre elles. Vous n'avez modifié ni la structure fondamentale de votre argument ni la différence analytique entre ius ad bellum *et* ius in bello, *mais, ici et là, vous avez amendé votre théorie en tenant compte des situations nouvelles, le terrorisme et la guerre asymétrique notamment. Dans ce contexte, ma question porte sur l'intervention humanitaire, les civils et l'immunité des non-combattants. Commençons par les civils.*

Vous avez réagi, avec Avishai Margalit[5], à un article publié par Asa Kasher et Amos Yadlin[6] dans lequel les auteurs affirment que, dans les guerres asymétriques, la sécurité de «nos» soldats devrait avoir la préséance sur celle de «leurs» civils. Pour Margalit et vous-même, en revanche, un soldat est un soldat, et les civils demeurent civils, quel que soit leur camp : «ils» doivent être protégés comme s'il s'agissait de «nos» civils (les otages dans votre exemple), et nous devons, en toute circonstance, porter secours à chaque civil ou otage et traiter chaque civil ou otage d'où qu'ils viennent, de la même manière que nous traiterions nos propres otages[7].

Vous contestez l'idée selon laquelle un «combattant est un civil en uniforme», et vous poursuivez : «En tant que soldat, vous devez prendre des risques supplémentaires dans le but de limiter la portée de la guerre[8].»

Cela correspond à votre idée selon laquelle il ne faut pas individualiser les soldats. La guerre est une «entreprise collective», les soldats sont des membres d'armées ou d'États avant d'être des individualités. Ils n'ont pas de responsabilité individuelle, même lorsqu'ils combattent dans des guerres injustes, nous en avons déjà parlé. Un soldat n'est pas appelé à juger des décisions de ses leaders, mais une fois engagé – in bello – il doit respecter le code légal et éthique du soldat versus civil.

On peut pourtant faire valoir la responsabilité individuelle des soldats après les faits : il est arrivé que des soldats – c'est le cas des collaborateurs néerlandais – soient condamnés[9].

Oui, l'armée est bien un collectif. Mais les soldats sur le champ de bataille ne sont pas seulement les membres de ce collectif, ce sont aussi des individus que l'on juge sur leurs performances au combat, le soutien qu'ils apportent à leurs camarades ou les risques qu'ils prennent pour éviter de blesser des civils. Le crime des collaborateurs néerlandais était politique, pas militaire, mais ils ont bien été jugés en tant qu'individus.

Voici ce que vous écrivez dans « War Fair » [« Guerre équitable »] : « [...] Le fait déterminant est l'usage de civils palestiniens comme boucliers. Les philosophes professionnels ont longuement écrit sur les "boucliers innocents" puisque ces hommes et ces femmes, radicalement exploités (bien que parfois, peut-être, volontaires ou dociles), représentent un dilemme qui met à l'épreuve les compétences dialectiques des philosophes. On ne demande pas aux soldats israéliens d'avoir de telles compétences. Mais, d'un côté, on attend d'eux qu'ils fassent tout ce qui est en leur pouvoir pour prévenir la mort de civils et, de l'autre, qu'ils combattent un ennemi qui se cache derrière des civils. Donc, pour citer une phrase célèbre de Trotski, ils ne s'intéressent peut-être pas à la dialectique, mais la dialectique s'intéresse à eux[10]. »

Dans la situation actuelle d'instabilité permanente, de quasi-guerre entre Israël et le Hamas, ou lors d'attaques sur les postes-frontières par des civils qui agissent comme des semi-combattants, comment l'État doit-il se comporter ? Comment l'armée doit-elle réagir ?

Reprenons par le début. Dans *Guerres justes et injustes* je commence par le siège de Jérusalem et les guerres du Péloponnèse. La Seconde Guerre mondiale est cependant celle à laquelle je réfléchis le plus, celle que j'utilise le plus souvent dans mes exemples. La politique des bombardements alliés durant la Deuxième Guerre ressemblait grossièrement à ceci : les Britanniques survolaient l'Allemagne de nuit et bombardaient les villes, en prenant effectivement les quartiers d'habitation pour cible (dans la mesure où ils arrivaient à viser). Les Américains survolaient le pays dans la journée, parfois à basse altitude, et tentaient de frapper les usines. Tous deux cependant, il faut le porter à leur crédit, étaient bien plus prudents lorsqu'ils bombardaient des cibles dans la France occupée où ils tentaient d'éviter de faire des victimes civiles, on comprend pourquoi.

Voici l'exemple célèbre d'une usine d'eau lourde située en plein centre-ville de Vemork, une ville norvégienne[11]. On s'est interrogé, à Londres, sur l'opportunité de bombarder l'usine, en concertation avec le − et peut-être sous pression du − gouvernement norvégien en exil ; les Britanniques ont décidé d'envoyer des commandos pour éviter des dommages collatéraux. Le premier raid a échoué, et le commando a déploré des pertes importantes, la deuxième tentative a été, en revanche, une réussite. Mais, lorsque les Allemands ont reconstruit l'usine, les Britanniques ont fini par la bombarder et ils ont tué des civils habitant dans le secteur. Or ils étaient clairement mus par une préoccupation particulière pour les civils alliés par opposition aux civils ennemis. Les Allemands représentaient les civils ennemis, et les alliés étaient prêts à prendre de plus grands risques pour les civils norvégiens ou français. Je peux le comprendre, mais je pense néanmoins que nous devons, en principe, insister sur le fait que les innocents sont des innocents, et qu'ils devraient tous être traités comme nous traiterions nos concitoyens. Nous devons tenir ce principe en toute occasion : les soldats sont appelés à accepter des risques pour eux-mêmes afin de minimiser ceux qu'ils imposent aux civils, quels que soient les civils. Nous devons bien sûr tenter d'évaluer le niveau approprié de risques selon les situations. Il est peut-être envisageable que nos soldats acceptent davantage de s'exposer pour éviter que leurs civils ne soient blessés ; ce serait une sorte de prise de risque surérogatoire. La règle générale devrait cependant être l'égalité.

C'est un principe de prudence [due care] ?

Non, cela va au-delà du principe de prudence. Le principe de prudence devrait toujours nous guider[12], mais ce dont je parle va au-delà de la prudence. « Surérogatoire » est le terme philosophique. Je peux comprendre pourquoi les soldats accepteraient de prendre de plus grands risques pour empêcher que leurs propres civils souffrent, mais le standard devrait être le même pour tout le monde. Et je le pense toujours. Avishai [Margalit] a insisté sur cet argument, même si beaucoup de nos lecteurs et amis philosophes ont manifesté leur désaccord. Je pense quant à moi que c'est là le bon argument.

Ainsi la bonne question dans les guerres asymétriques porte-t-elle sur les risques que nous demandons à nos soldats de prendre pour minimiser ceux qu'ils imposent aux civils, avec ou sans leur consentement[13]. Il est évident que nous ne pouvons pas savoir si ces femmes et ces hommes endossent la stratégie de ceux qui les utilisent.

Est-ce une norme pratique ou une norme morale ?

Je partage votre analyse : nous devrions toujours faire ce qui est en notre pouvoir pour minimiser les risques que nous faisons courir aux civils, en particulier lorsque nous intervenons pour prévenir des massacres. La question de savoir si nous devons d'abord tout faire pour nos propres soldats est une autre question. La critique portait sur ce point. On peut sans doute affirmer qu'il y a une différence – pour reprendre l'une des expériences de pensée de Peter Singer – entre sauver son propre enfant et celui d'un étranger[14]. Nous sauverions tous nos propres enfants d'abord, et je pense que c'est moralement défendable. Peut-on faire une analogie entre l'enfant – notre enfant – et le soldat, notre soldat ?

Une bonne partie de vos réflexions est empirique et contextuelle. La norme est clairement affirmée, mais elle peut être assouplie, par exemple dans les cas d'urgence suprême, n'est-ce pas[15] ? Votre évaluation de l'urgence suprême repose sur un raisonnement empirique, alors que la distinction entre le soldat et le civil est un argument normatif.

Je pense en effet que vous et moi avons le droit de sauver d'abord notre propre enfant, mais nous n'avons pas le droit de nous en tenir là. Il est peut-être possible de sauver aussi l'autre enfant. De la même manière, si deux groupes de civils, les nôtres et les étrangers, étaient en danger, nous aurions le droit de nous occuper d'abord des nôtres, en acceptant les risques inhérents à leur protection. Mais qui dit priorité ne dit pas exclusivité ; l'autre groupe de civils vient en effet en second lieu, mais lorsque c'est leur tour, nous devrions agir de la même manière que pour les nôtres et les protéger.

La doctrine de l'urgence suprême est peut-être la partie la plus contestée du livre, pour les philosophes kantiens en particulier. Pour moi, c'est un exemple d'«utilitarisme de la situation extrême». Oui, la situation d'urgence extrême exige une qualification empirique, mais qui repose tout de même sur un argument moral puisqu'il s'agit de défendre des valeurs, fût-ce au détriment d'autres valeurs.

Dans un texte intéressant sur les « absolus moraux », Jeremy Waldron discute de la « déontologie du seuil » [threshold deontology], le seuil qui est contenu en quelque sorte dans votre thèse de l'urgence suprême. Nous devons « traiter certaines règles morales – portant sur la torture par exemple – comme des presque absolus, mais en indiquant une disposition à les abandonner lorsque les conséquences néfastes s'amoncellent et franchissent un certain seuil[16] ». Il critique l'hypothèse de la bombe à retardement [ticking bomb hypothetical], à mon sens précisément parce qu'on ne peut pas passer d'une situation empirique à une norme morale sans prendre en compte le contexte ou le cadre général, méta-éthique pourrait-on dire, de la moralité. Waldron mentionne Robert Nozick, Joseph Raz et vous-même dans les termes suivants : « Le déontologue du seuil s'agrippe à son principe jusqu'à un certain point, mais il est absous de la critique d'une totale insensibilité au monde parce qu'il est prêt à changer de côté dans la confrontation lorsque les enjeux deviennent trop importants – c'est-à-dire lorsqu'ils dépassent le seuil de la morale défendue par sa version de la déontologie[17].»

La plupart des critiques du seuil disent que le scénario de la bombe à retardement n'existe jamais vraiment tel qu'il est mis en scène par ses défenseurs sur le terrain, mais cela ne semble pas juste; dans ce pays (Israël), ces situations existent.

Des officiers des renseignements m'ont rapporté que ces situations existent en effet. Waldron a donné une lecture sur les «mains sales» et l'argument de l'urgence suprême dans une conférence à West Point[18], où il m'a généreusement identifié à celui qui est à juste titre préoccupé de ces situations de seuil.

Alan Dershowitz est d'avis que nous devrions légiférer sur la torture. Il écrit notamment que «nous avons besoin de nouvelles lois, fondées sur les principes de l'ancien droit de la guerre et des droits humains – la protection des civils –, mais adaptées aux nouvelles menaces qui pèsent sur les victimes civiles du terrorisme», et il ajoute, à propos de la politique américaine contemporaine: «La gauche dure insiste sur le fait qu'on ne devrait en rien modifier les vieilles lois; la droite dure affirme au contraire que les vieilles lois sont totalement inaptes à réguler les nouvelles menaces et que les gouvernements démocratiques devraient être entièrement libres de faire ce qu'il faut pour combattre le terrorisme sans se préoccuper de lois anachroniques. Les deux extrêmes sont également dangereux.»

Êtes-vous de son avis ? Qu'il faudrait légaliser la torture sous certaines conditions ? Dershowitz affirme que, dans les guerres asymétriques, les distinctions entre soldats, combattants et civils sont troubles, et que le terrorisme ne peut être combattu « avec les vieilles règles » de la guerre juste ; qu'il existe un « trou noir » dans le droit sur l'interrogation préventive ou préemptive, en d'autres termes la torture[19].

Dershowitz ne serait-il pas paradoxalement du côté de ceux que vous approuvez, de ceux qui « ne font pas semblant[20] », dans la mesure où il prend acte de la réalité empirique de la torture au lieu de faire comme si elle n'existait pas, ou de laisser penser que rien ne peut changer sa pratique ? Il affirme que tout acte d'État, y compris les interrogatoires de suspects et la torture, devrait être soumis à des contraintes légales[21].

Non, là encore, je continue de défendre la position que j'ai adoptée dans mon texte sur les « mains sales[22] ». Dans certaines universités, ce texte fait partie des lectures obligatoires en première année de philosophie pour son incohérence philosophique, puisque je défends que quelquefois (rarement en fait), il est juste ou bon de faire ce qui est injuste ou mal.

Je crois que la torture est – nous devrions vraiment insister sur ceci – toujours un mal. Mais, s'il y a véritablement une bombe dans une école et si un type sait où elle se trouve, alors il faut faire ce qu'il faut faire pour le savoir.

Pour autant vous ne renoncez pas aux principes, et il est important que ceux qui torturent ou qui autorisent la torture, sachent que ce qu'ils font est mal. Vous devez parfois faire une chose qui est *toujours* mauvaise. Tous ceux qui, dans la vie politique et morale, ont une sensibilité devraient en être conscients. S'ils l'étaient, cela réduirait grandement l'usage de la torture. Et, dans l'hypothèse où la torture est utilisée malgré tout, il faut être au clair sur la signification morale de l'acte de torturer. Songez à l'usage de la confession chez les catholiques, ou à d'autres formes de repentance, ou encore à des exemples plus politiques. Les Britanniques par exemple ont érigé un mémorial à la gloire des pilotes de la Fighter Command à Westminster Abbey, mais ils n'ont pas fait de même pour ceux de la Bomber Command qui avaient ciblé les villes allemandes. L'Air Marshal Harris[23], à l'époque chef du Bomber Command, en a été profondément blessé, il a même quitté l'Angleterre pour retourner dans son pays natal, l'Afrique du Sud. Finalement, les Anglais ont aussi dressé un mémorial pour les pilotes du Bomber Command, mais cette réparation n'est intervenue que cinquante ans après les faits.

« Dirty Hands » [« Les mains sales »] – le titre est de Sartre[24] – est une réflexion sur la moralité politique, sur les individus qui doivent prendre des décisions difficiles dans des situations de transgression de la morale ordinaire[25]. Vous avez écrit ce texte en 1973, et vous n'avez manifestement pas changé d'avis sur l'utilitarisme[26] : « Déroger aux règles ne veut pas dire parler ou agir comme si celles-ci avaient été mises de côté, révoquées ou annulées. Elles demeurent au contraire ; même si ce que nous avons fait était la meilleure chose à faire dans les circonstances données ; nous le ressentons, et ce sentiment est en soi l'une des caractéristiques de notre vie morale. »

L'homme ou la femme politique morale se caractérise par sa capacité de prendre des décisions moralement douteuses pour de bonnes raisons ; c'est sans doute pour cela que votre texte est donné aux étudiants comme illustration de l'incohérence philosophique. Voici ce que vous écrivez encore dans «The Problem of Dirty Hands»: «Lorsqu'il [le leader nouvellement élu] ordonne la torture d'un prisonnier, il commet un crime moral et il accepte d'en porter le fardeau moral. Il est désormais coupable. Son aptitude à reconnaître et à assumer sa culpabilité (et peut-être à faire repentance) est la preuve, et sans doute la seule preuve qu'il puisse nous donner, qu'il n'est pas trop bon pour faire de la politique et qu'il est pourtant assez bon. Voici l'homme politique moral: nous le reconnaissons à ses mains sales. Si c'était un homme moral et rien de plus, ses mains ne seraient pas sales; si c'était un homme politique et rien de plus, il laisserait croire qu'elles sont propres[27].»

En somme il faut être une personne morale très optimiste pour épouser votre thèse: la norme doit être absolue, mais on peut l'assouplir à condition de savoir que l'on enfreint la norme et que l'on agit mal. Votre anthropologie est positive et généreuse, mais elle exige une grande confiance dans la capacité des individus à reconnaître leurs torts moraux d'une part, et à ne pas prendre plaisir aux «interrogations soutenues» d'autre part.

Je crois que c'est ce que craint précisément Dershowitz: son anthropologie est pessimiste. Il sait que nous torturons, en dépit des normes légales et morales, et c'est pour cela qu'il pense que nous ne devrions pas autoriser la torture par avance tout en la pardonnant ex-post. C'est pour cela qu'il souhaite que la pratique des interrogatoires brutaux soit encadrée par le droit.

«Techniques d'interrogatoires avancées» [*enhanced interrogation*] est bien le terme. Je crains que ces interrogatoires ne se multiplient si vous suivez les recommandations de

Dershowitz. Les juges qui doivent accorder les permissions agiront exactement de la même manière que pour toutes les actions policières, les descentes de police chez les particuliers par exemple : ils signeront les autorisations que la police demande sans vraiment réfléchir.

Si quelqu'un, dans une position d'autorité, demande une permission, vous pouvez être à peu près sûr qu'elle sera accordée. Je n'imagine pas les juges dire « non » à l'une de nos agences de sécurité. Mieux vaut donc enseigner que la torture est quelque chose que nous ne faisons pas même si l'on sait que, comme le pense la doctrine de l'urgence suprême, nous ferons ce qu'il faut faire si la bombe existe réellement. Nous ne pouvons pas vouloir que l'urgence suprême devienne une excuse pour l'usage continu d'une force immorale.

J'ai deux questions à ce propos. Y a-t-il, premièrement, une recette pour prendre les bonnes décisions dans une situation extrême ? Votre philosophie s'adosse à une colonne vertébrale très solide et identifiable : les commandements fondamentaux, ne pas tuer, ne pas blesser, ne pas exploiter. Mais, vous le dites vous-même, dans les situations difficiles, telles que l'urgence suprême, les bonnes décisions dépendent du contexte. Ne pensez-vous pas, deuxièmement, que nous avons besoin d'une norme méta-éthique, supérieure, d'une règle de conduite à laquelle nous pourrions toujours avoir recours pour éviter les exceptions ? Je ne pense pas à un commandement absolu, mais à quelque chose de suffisamment robuste pour éviter les dilemmes dont on parle ici.

Vous avez, par exemple, commenté la décision de Churchill de bombarder les villes allemandes (il a aussi sacrifié Coventry) et les décisions américaines de bombarder

Hiroshima et Nagasaki : vous dites qu'il vaut mieux sauver des vies aujourd'hui plutôt qu'espérer en sauver à l'avenir, car l'incertitude est trop grande. Or ces événements ne font pas à proprement parler partie des situations d'urgence extrême.

Cela me conduit à vous interroger sur votre dialogue avec Jeff McMahan qui porte notamment sur ces questions difficiles[28].

Oui, je pense que McMahan a gagné la bataille parmi les philosophes, et je suis à peu près sûr que je l'ai emporté auprès des différents corps de l'armée qui nous ont lus tous deux.

Il y a, au cœur de votre débat, la distinction analytique que vous maintenez entre ad bellum *et* in bello, *le droit de faire la guerre et les règles qui gouvernent la conduite de la guerre.*

Le débat fondamental porte sur ce que j'appelle l'« égalité morale des soldats sur le champ de bataille[29] », et cela suppose en effet que nous maintenions la distinction entre *ad bellum* et *in bello*. Mon idée est que, sur le champ de bataille, les soldats ont un droit égal à combattre et qu'ils sont également liés par les règles du combat, quelle que soit la justice ou l'injustice de la guerre qu'ils mènent.

Si vous procédez par analogie avec le système interne des États, c'est une idée contre-intuitive. Prenons l'exemple d'un cambriolage dans une banque : le cambrioleur et le gardien ne sont pas des égaux moraux. Si les deux sont armés, le gardien, pour se défendre lui-même ou pour défendre la banque, a plus le droit de se servir de son arme que le cambrioleur[30]. Mais, dans les guerres, le type de combat mené est différent de ceux que l'on observe dans les situations domestiques, et les soldats qui, selon notre jugement, mènent une guerre injuste (même si on leur a dit le contraire) ont les mêmes droits et les mêmes obligations sur le champ de bataille. Ils sont similaires et ils doivent pouvoir se dire qu'ils se ressemblent : ce sont de pauvres gens qui préféreraient être ailleurs.

Tout cela est assez bien documenté dans la littérature et correspond à la perception ordinaire, et c'est pourquoi nous ne punissons pas les soldats qui ont combattu dans une guerre injuste une fois la guerre terminée. Si nous punissons, nous punissons les leaders politiques ou les chefs militaires qui ont déclenché la guerre injuste. Les soldats sont renvoyés chez eux et peuvent reprendre leur vie civile comme s'ils n'avaient rien fait de mal. Ce qui est encore plus convaincant pour étayer mon propos est la manière dont on considère les prisonniers : leur traitement ne dépend pas de la justice ou de l'injustice de la guerre, il est identique pour tous les prisonniers. Une fois désarmés, on doit les traiter avec « bienveillance jusqu'à la fin de la guerre ». C'est une règle sur laquelle tout le monde s'accorde, Jeff McMahan aussi, je pense.

Que voudrait dire par exemple l'idée suivante : les Finlandais, confrontés aux Russes qui avaient (injustement) envahi leur pays en 1939, avaient le droit de tirer sur les soldats russes mais, à l'inverse, ces derniers étaient des assassins lorsqu'ils utilisaient leurs armes ? On ne peut, à mon sens, les traiter comme des assassins.

À mon avis, Jeff pense que la doctrine de l'inégalité morale découragerait les gens à s'engager dans des guerres injustes. Or il s'agit de jeunes gens de dix-huit ans à qui leurs représentants politiques, leurs curés, leurs pasteurs ou leurs rabbins, et peut-être même leurs parents ont dit qu'ils devaient faire cette guerre. Leur engagement ne correspondait pas aux règles de la responsabilité individuelle que posent les États, mais ils ont été obligés d'y aller quand même. Les règles qui ont cours dans un espace de paix ne sont tout simplement pas les mêmes que dans les zones de guerre[31]. Cette différence a été reconnue il y a longtemps, au moins depuis la naissance du droit international, jusqu'à ce que les philosophes d'aujourd'hui décident que cette distinction est caduque.

Est-ce la raison pour laquelle vous dites, dans votre réponse avec Margalit à Kasher et Yadlin dont nous avons parlé plus haut, qu'un soldat n'est pas un « citoyen en uniforme »? Que le soldat appartient à un genre moral différent de celui d'un citoyen en uniforme?

« La théorie de Jeff McMahan sur la guerre serait juste si la guerre était une activité pacifique[32]. » C'est la phrase la plus polémique que j'ai jamais écrite. Elle a été pas mal citée, et Jeff, m'a-t-on dit, n'a pas vraiment aimé.

Dans le scénario de Jeff McMahan, il s'agit du ius ad bellum puisque les combattants d'une guerre injuste sont aussi des combattants injustes. Les soldats ne décident pas de la guerre, ils ne décident pas du déclenchement de la guerre, juste ou injuste. Selon vous, les soldats devraient être considérés comme égaux et traités de manière égale pendant et après la guerre, que celle-ci soit juste ou injuste, c'est cela le ius in bello et le ius post bellum.

Ils ne sont pas responsables de la guerre, ce sont les représentants politiques qui décident d'entrer en guerre. Dans les démocraties constitutionnelles, ceux-ci sont élus, ils sont comptables de leurs décisions et de leurs actes, mais ils font quelquefois de graves erreurs : le Vietnam ou la seconde guerre d'Irak par exemple. Qu'en pensez-vous ?

Bien. Réfléchissons à la décision d'engager une guerre : elle peut être justifiée pour arrêter un massacre par exemple, mais elle peut aussi être criminelle, constituer un acte d'agression. Ce sont des problèmes liés au *ius ad bellum* et ils sont très importants. La responsabilité, le mérite ou le blâme reviennent en effet à ceux qui prennent la décision, quel que soit le régime politique dont on parle. Les décisions d'aller en guerre sont donc en effet imputables aux leaders politiques ou, dans certains États, aux chefs militaires ou aux principaux agents de gouvernement, mais certainement pas aux citoyens ordinaires.

Il y aurait beaucoup à dire sur la prise de décision démocratique dans ces circonstances : il est certain que celle-ci est beaucoup moins bien assurée dans le domaine des affaires étrangères ou des politiques étrangères que dans la politique interne[33]. Il se trouve que, même dans les régimes démocratiques robustes, la décision d'engager une guerre est avant tout le fait des leaders politiques qui ont fait campagne sans parler de politique étrangère et qui sont souvent élus pour des raisons purement domestiques. Ils ont été élus parce que les électeurs soutenaient leurs politiques fiscales ou sociales et, une fois au pouvoir, ils doivent prendre la décision grave de combattre ou non.

Il faudrait insister sur leur obligation de faire ratifier leurs décisions par le Congrès, comme Roosevelt l'a fait après Pearl Harbor. Mais le Congrès n'est que rarement consulté, et je pense que cela est dû, en partie, au fait que les représentants ne *veulent* pas être consultés. Ils ne veulent pas être responsables de ce type de décisions. Pour cette raison, l'Amérique s'est, depuis 1945, engagée dans un certain nombre de guerres, a utilisé le *ius ad vim*, mais aucune de ces décisions n'a fait l'objet de discussions sérieuses. Il n'y a jamais eu de délibérations prolongées et en profondeur au Congrès.

Il y a pourtant toujours une possibilité de rattrapage : vous pouvez réélire ou non vos représentants, et ils sont donc, d'une certaine manière, comptables, comme il se doit en démocratie. On peut dire que Lyndon Johnson a dû renoncer au second mandat auquel il aspirait à cause de la guerre du Vietnam[34].

La guerre d'aujourd'hui ne se fait plus tout à fait comme à l'époque de la guerre du Vietnam. La technologie, pour le meilleur et pour le pire, a fait de grands progrès. Qu'elle soit capable de sauver davantage de vies est une vraie question.

Quelle est votre opinion sur les nouvelles technologies de guerre, les drones par exemple ? En dehors du fait qu'elles ne sont accessibles qu'aux États riches, vous semblez penser que les assassinats ciblés au moyen de drones sont «politiquement plus faciles», mais que cette facilité devrait nous inquiéter[35] – cette question est aussi soulevée dans votre débat avec McMahan[36]. Vous avez écrit aussi que, dans certaines situations, les combats au sol pourraient faire moins de victimes collatérales. Il semblerait pourtant que, avec le recours aux drones, le combat au sol devient paradoxalement plus dangereux et plus coûteux. Pourriez-vous résumer votre analyse des drones et l'inscrire dans le contexte des guerres contemporaines ?

J'ai écrit un article sur les drones dans *Daedalus*[37]. Une utilisation raisonnable de drones peut en effet minimiser le nombre de blessés et de victimes civils. Une sorte de critique esthétique de la guerre des drones consiste à dire qu'il n'est pas acceptable que quelqu'un, assis dans une cabine au Nevada, protégé de toute forme de risque, puisse assassiner des gens au Pakistan ou en Afghanistan. Je peux comprendre cet argument et cette forme de sensibilité. Mais le problème n'est pas simple. D'une part, le but de la guerre n'a pas toujours été de minimiser les risques que nous imposons à nos soldats. Et, d'autre part, si la guerre par drones, accomplie de manière raisonnable, aspire bien à réduire le nombre de victimes, elle n'en est pas moins hautement risquée. Le gars dans sa cabine au Nevada ne risque rien, mais la précision des attaques qu'il dirige est en vérité dépendante de ses informateurs au sol. Et, on le sait, on ne peut pas toujours se fier aux renseignements donnés par les «locaux»: vous avez besoin de gens au sol, d'agents, d'espions, mais les informations qu'ils vous transmettent expriment généralement les préoccupations des locaux, non les vôtres. Faute d'observateurs fiables, on a tué des gens dont on pensait qu'ils participaient à une réunion de talibans alors qu'ils fêtaient un mariage.

Vous avancez là un argument empirique : les drones ne sont pas toujours fiables parce que les individus eux-mêmes ne le sont pas.

Oui, mais cet argument est aussi moral : si vous vous êtes engagé à réduire le nombre de victimes civiles, vous devez accepter les risques liés à la collecte d'informations, même si cette activité est dangereuse. Mais, si vous pouvez rassembler des informations et si vous utilisez le drone comme il doit l'être, c'est-à-dire comme une arme de grande précision, vous pouvez minimiser les victimes civiles.

Il y a des usages moraux et immoraux des drones. À l'initiative d'un consortium d'universités américaines, Stanford et NYU[38], des entretiens ont été menés avec des villageois qui vivent littéralement sous les drones. Les rédacteurs du rapport notent que ces villageois sont terrorisés : ils sont sans cesse exposés aux bourdonnements des drones et anticipent les explosions. D'autres observateurs soulignent ainsi que le drone n'est une arme efficace que si les gens ne l'entendent pas. La personne ciblée par le drone et qui sait qu'elle constitue une cible, restera tout simplement à l'intérieur. Autrement dit, pour être efficace, la guerre à l'aide des drones exige qu'ils volent suffisamment haut pour que personne ne les entende. Si le drone sert en revanche à terroriser les villageois et les pousser à ne pas abriter des cibles potentielles, c'est un usage peut-être efficace mais immoral de l'arme.

De nombreux travaux soulignent le traumatisme des villageois mais aussi de ceux qui appuient sur la gâchette, qu'ils soient au Nevada ou ailleurs. Ces derniers apparaissent aussi traumatisés que les combattants au sol. Nous sommes loin de la comparaison entre l'usage des drones et le jeu vidéo.

La critique initiale de l'usage des drones affirmait en effet que c'était comme dans un jeu vidéo. Mais cet argument n'est pas juste : des gens qui guident des drones pendant des périodes prolongées sont apparemment exposés à de vrais traumatismes. C'est, selon moi, un signe d'humanité des soldats qui sont aux manettes.

Le sentiment de culpabilité qu'ils éprouvent s'exprime en particulier vis-à-vis des victimes collatérales, des membres des familles ou des concitoyens frappés en même temps que la cible. Par ailleurs les opérateurs ont du mal à admettre qu'ils n'ont pas combattu au sol, qu'ils ont contribué, à distance, à quelque chose de discutable, sans se mettre personnellement en danger.

Si je comprends bien votre pensée, les assassinats ciblés à l'aide de drones, comme cela a été fait au Yémen[39], sont néanmoins défendables s'ils sont faits « correctement[40] », selon votre expression. Pourriez-vous expliciter votre pensée ?

Oui, cela doit être fait correctement. Voici ce que j'ai écrit à ce propos : « Grâce aux drones, il est possible de s'en prendre à des ennemis qui se cachent dans les pays dont les gouvernements n'ont probablement ni le désir ni la possibilité de les réprimer ou de les maîtriser. C'est une guerre sans front où l'usage de troupes au sol, même lorsqu'il s'agit de commandos, est difficile, quelquefois impossible – on a donc déclaré que les drones constituaient "la seule modalité de rétorsion" *[the only game in town]*. Mais nous devrions être très prudents et réfléchir avant d'assouplir les règles du ciblage et de transformer les drones en une arme comme toutes les autres. Leur précision constitue leur avantage politique et moral, mais ils doivent être utilisés exclusivement contre des individus dont nous avons rigoureusement déterminé le danger et sur lesquels nous sommes parfaitement renseignés. Utiliser les drones comme une forme améliorée de l'artillerie ou comme des "bombes intelligentes" n'est ni politiquement ni moralement sage. »

Et, pour le dire autrement : il est évidemment utile, dans les guerres asymétriques, de posséder une arme d'une telle précision. Il se trouve que, dans ce genre de guerres, il existe de bonnes raisons prudentielles et morales pour minimiser les dommages collatéraux et prendre des risques pour les éviter[41]. Si vous combattez, comme les Américains en Afghanistan, pour «les cœurs et les esprits» *[for hearts and minds]*, les raisons prudentielles sont encore plus grandes[42]. J'imagine qu'Israël ne fait pas la guerre pour les cœurs et les esprits au Liban ou à Gaza, mais Israël se bat politiquement pour s'assurer le soutien le plus large de la communauté internationale ou, du moins, pour éviter une condamnation globale qui l'affaiblirait. Il y a donc des raisons prudentielles, moins fortes qu'en Afghanistan sans doute, mais néanmoins importantes pour minimiser les risques de dommages. Je pense que l'IDF (le sigle de l'armée israélienne) en est consciente[43], tout comme les officiers américains le sont.

Oui, ils en sont conscients et ils ont développé des règles très contraignantes. Les assassinats ciblés en Israël ont été «légalisés» sous des conditions très strictes par une décision de la Cour suprême en 2004. Quelle est votre opinion sur cette décision qui porte la signature d'Aharon Barak[44] ?

Si la cible est légitime, je ne vois pas ce qui poserait problème dans les assassinats ciblés. Nous pouvons, et nous devons bien sûr, débattre de ce qui constitue une cible légitime. En revanche, je n'accepte pas l'idée d'une équivalence entre assassinats ciblés et assassinats «extrajudiciaires[45]».

Tous les assassinats en temps de guerre sont extrajudiciaires, mais la cible doit être défendable : autrement dit, il doit s'agir d'un individu qui peut, de manière plausible, être décrit comme un ennemi actif et dangereux. Un ennemi légitime.

Je peux vous raconter une histoire ? Elle a peut-être un intérêt pour la comparaison entre Israël et les États-Unis. Lors d'une visite au United States Army War College en Pennsylvanie[46], j'ai donné une conférence sur la guerre du Liban, pas celle de 1982, celle de 2006. Il y avait là des colonels qui rentraient d'Afghanistan où ils avaient mis en place les nouvelles règles de combat que le général McChrystal[47] avait annoncées en 2011. L'un d'entre eux m'a décrit la situation suivante : des soldats américains se font tirer dessus depuis un petit immeuble d'habitation dans une ville afghane. Que faire ? Voici la réponse du colonel : « Autrefois, on aurait simplement commandé un bombardement sur l'immeuble. Mais nous ne faisons plus cela maintenant, car nous ne savons pas qui se trouve dans l'immeuble. Tout ce que nous savons c'est qu'il y a des talibans sur le toit. Comment doit réagir le lieutenant ou le capitaine au sol ? Il doit décider s'il doit envoyer des soldats sur le toit d'un immeuble adjacent qui pourraient tirer directement sur les méchants ; il peut envoyer une sentinelle dans l'immeuble pour vérifier s'il y a des familles qui y vivent ou qui s'y cachent. Si l'immeuble est vide, il peut avoir recours à un bombardement ou convoquer l'artillerie mais, si l'immeuble est habité, il ne le fera pas. Si le lieutenant pense que ces alternatives sont trop risquées pour ses soldats, il doit simplement ordonner un retrait. Même si cela contrevient au vieil adage américain de "ne jamais abandonner le champ de bataille à l'ennemi", il ordonne le retrait. »

Puis le colonel me regarde – je venais de prononcer ma conférence sur Israël et le Liban[48] – et me dit : « Nous attraperons les méchants une autre fois, puisque nous n'avons pas à nous préoccuper de la perspective d'un cessez-le-feu. » Et c'est ce que fait Israël chaque fois. Je me suis dit que c'était là l'expression d'un sentiment extraordinaire de sympathie pour le problème israélien. Je l'ai constaté souvent : les soldats américains estiment qu'Israël fait une guerre similaire à la leur, que l'armée israélienne rencontre le même type de problèmes. Et c'est vrai : les deux armées se comportent de la même manière, parfois bien, parfois moins bien.

Il y a cependant une différence. Si les Américains, en Afghanistan, peuvent penser qu'ils attraperont les méchants une autre fois, Israël n'a pas toujours cette option. Ce sont là les dilemmes de la guerre asymétrique. Sous l'égide du général McChrystal, les Américains ont décidé qu'il était plus important d'éviter des morts parmi les civils que de gagner *cette* bataille spécifique, à *ce* moment spécifique. Et le lieutenant au sol a décidé que l'envoi d'une sentinelle était trop risqué et qu'il était préférable de se retirer.

Je pense que les Israéliens rencontrent ce genre de dilemmes tout le temps. Parfois je parle aux petits-enfants de mes amis en Israël, parfois ceux-ci me rapportent leurs conversations avec leurs petits-enfants qui ont combattu à Gaza ou au Liban. Ils m'ont parlé par exemple du temps où les soldats israéliens cherchaient les entrées des tunnels de Gaza, à des endroits que le Hamas pouvait avoir piégés.

Une unité israélienne est prise au piège, l'unité est en danger. Que fait le lieutenant ? Les jeunes gens me disent qu'il panique parfois et fait appel à une frappe aérienne – peut-être avant que cela ne soit nécessaire. Ses hommes sont sauvés, mais les civils dans le secteur sont tués. À d'autres occasions – s'il est suffisamment malin et s'il reste calme –, il parvient à se sortir du piège. La même chose vaut pour les troupes américaines en Afghanistan : l'unité se comporte parfois bien, parfois mal. Et tout cela dépend de la décision d'une jeune personne.

Dans une telle situation, c'est une demande très exigeante, quel que soit l'âge.

Oui, oui. On peut bien sûr préparer les soldats à une telle situation mais on ne peut pas prévoir ce qui se passera et il est très difficile d'en juger *ex post*.

Dans «Regime Change and Just War», vous affirmez que la guerre d'Irak de 2003 n'était ni une réponse à une agression ni une intervention humanitaire, mais une tentative de changement de régime direct[49].

Ma définition de l'agression dans *GJI* m'a incité à écrire un article dans lequel je dis que la seconde guerre d'Irak était injuste, mais qu'elle ne constituait pas un acte d'agression.

Qu'est-ce qu'une agression, et quel est le problème posé par un tel acte ? Clausewitz a dit en substance : « Nous arrivons dans un autre pays en proclamant la paix. Nous serions heureux s'ils pouvaient simplement accepter nos termes, mais ce sont eux qui décident de se battre[50]. » Cette citation, que j'ai lue ou entendue il y a longtemps et que je n'ai jamais pu retrouver, m'a conduit à penser que le crime d'agression consiste à forcer les citoyens d'un autre pays à se battre pour défendre leur territoire, leur souveraineté, leur communauté. L'invasion de l'Irak a été saluée par les Kurdes et par les Chi'ites, qui représentent respectivement 20 % et 60 % de la population (ce dernier groupe ne souhaitait cependant pas l'occupation)[51]. L'armée irakienne a simplement fondu. Nous n'avons pas forcé les Irakiens à se battre – la définition de l'agression n'est pas adéquate dans le cas d'espèce –, et pourtant la guerre était, à mon sens, une guerre injuste.

Entre autres, parce que nous avons envahi le pays, destitué un dictateur, changé le régime sans aucune idée de ce qui allait arriver après, avec un savoir très fruste sur le pays que nous envahissions et sur les forces sociales en présence. Nous n'avons pas non plus arrêté un massacre – nous avions déjà protégé les Kurdes d'un possible massacre, utilisant le *ius ad vim*. Cette guerre n'était pas nécessaire, nous avons risqué des vies sans raison. Et pourtant, ce n'était pas une agression. Un bon nombre de mes amis, mais aussi des gens de gauche, ont soutenu la guerre, pensant que l'Irak était l'un des régimes les plus vicieux et les plus brutaux.

Mitchell Cohen, par exemple, parmi les éditorialistes de Dissent.

Oui, ainsi que Paul Berman. Même si la gauche les juge sévèrement aujourd'hui, je pense qu'il n'était pas si fou de vouloir renverser un tel régime. Il y avait des arguments de gauche en faveur de la guerre, il se trouve simplement que ce ne n'étaient pas les bons et que la guerre était injuste. On ne peut pas se balader dans le monde en renversant des régimes dont on pense qu'ils sont brutaux ou vicieux.

Je me souviens d'un débat à New York University avec Kanan Makiya, quelques semaines avant la guerre. Makiya est un exilé irakien, un ancien trotskiste, je crois, qui a émigré en Europe, puis aux États-Unis dans les années 1970 ou 1980. Il enseigne maintenant à Brandeis et il a écrit un livre brillant intitulé *The Republic of Fear* [La République de la peur][52], une étude du régime de Saddam. Il a soutenu la guerre et je pense qu'il a fortement influencé Mitchell Cohen et Paul Berman. Il a dit qu'il soutiendrait l'invasion même si les chances d'instaurer un régime démocratique en Irak étaient faibles. Le seuil qu'il fixait – il parlait de 10 % de chances – était, selon moi, trop bas[53]. Si vous lâchez les chiens de guerre en sachant qu'il y aura des morts, les paris doivent être beaucoup plus élevés.

La guerre en Irak n'était donc pas un crime d'agression selon la théorie de la guerre juste. Je voudrais revenir à la question du changement de régime, clairement liée à celle de l'occupation[54]. Dans votre charge contre la « transformation culturelle », c'est-à-dire l'intervention dans la structure culturelle profonde d'un pays, vous dites que le « principe classique de la non-intervention repose sur le fait que le régime d'un pays reflète l'histoire, la culture et la politique de ce pays »[55]. Vous êtes opposé aux changements de régime contraints et directs, sauf dans le cas de l'Allemagne où la reconstruction politique a été accompagnée après la guerre d'une restauration de la démocratie, nécessaire à l'imposition de la paix.

N'est-ce pas un peu contradictoire ? D'un côté, nous ne voulons pas que les dictateurs oppriment et exploitent leurs peuples – et il est incontestable que certaines traditions culturelles sont oppressives (à l'égard des femmes en particulier) – et, de l'autre, nous devons renoncer à intervenir pour un changement de régime direct [direct regime change][56]. Pourriez-vous préciser ce qui relève de la culture et ce qui relève du politique ?

Si nous nous battons pour arrêter un massacre, et si le massacre est perpétré par le régime, nous devons changer le régime, mais ce qui légitime l'intervention est alors l'arrêt du massacre[57]. Si nous nous battons contre l'oppression plus ordinaire, celle des femmes par exemple, nous pouvons recourir à de multiples formes de résistance avant de nous résoudre à la guerre. Il s'agit donc plus d'une question de faits que de la distinction entre culture et politique.

Nous pouvons nous opposer à l'oppression en soutenant ceux que j'appelle les «camarades à l'étranger» – les dissidents, les organisations dissidentes – et apporter une assistance morale et matérielle aux mouvements de protestation, aux campagnes en faveur de la liberté de la presse, aux revendications en faveur d'élections, etc. On pense parfois que l'envoi de l'armée dans un pays étranger sera plus efficace et plus rapide, mais cet espoir se réalise rarement.

Dans le cas irakien, vous recommandiez des mesures «avant de recourir à la guerre» [short of war], l'endiguement ou le confinement par exemple: «Nous pouvons recourir à la force de manière limitée pour obtenir un nouveau régime (et, s'il est nouveau, autant qu'il soit démocratique)[58].*» Cette recommandation est liée à une notion que vous discutez dans «World Government and the Politics of Pretending»: la «politique avant le recours à la force» ou «sans la force» [politics short of force]*[59].

L'usage de mesures avant de recourir à la guerre devient à mon avis pertinent lorsque la politique avant le recours à la force a échoué.

C'est une notion sur laquelle nous avons trop peu d'écrits. Je voudrais y revenir un jour. L'exemple classique est le système de sanctions contre le régime de Saddam après la première guerre du Golfe (1991). Il comprenait des inspections, une zone d'exclusion aérienne *[no fly zone]*, et l'embargo, habituellement considéré comme un acte de guerre. Nous avons imposé la zone d'exclusion aérienne par la voie d'installations anti-aériennes et en bombardant les radars irakiens, là aussi des actes usuellement considérés comme des actes de guerre dans le droit international.

Nous devions pouvoir survoler l'Irak pour empêcher les avions irakiens de voler et, par conséquent, maintenir la zone d'exclusion aérienne et, pour cette raison, nous avons eu recours à la force. Cette situation est très différente de celle qui s'est produite en mars 2003. Avant de recourir à la guerre, nous avons accompli, en 1991, des actes *[short of war]* qui exigent une forme d'évaluation. Quel est leur but ? Quelle réponse apporter à un acte d'agression ? Il fallait, ici, contraindre un régime que l'administration américaine avait décidé de ne pas renverser.

Ne pas conquérir le pays en question, traduire ses leaders devant la justice, faire la paix, imposer et appliquer un certain nombre de contraintes destinées à prévenir de futures agressions : ces principes définissent l'usage de la force « avant de recourir à la guerre » *[short of war]*, une notion qui devrait devenir un concept en théorie politique.

L'Irak est un bon exemple de régime imposé internationalement. Malheureusement, nous n'avons pas été capables d'administrer l'embargo, nous l'avons imposé avec cruauté, de sorte que la population civile irakienne a enduré des souffrances inutiles. Le secrétaire d'État à la Défense américain, Colin Powell, a alors parlé de « sanctions intelligentes » *[smart sanctions]*. Mais une sanction intelligente aurait consisté à cibler l'achat et l'importation d'armes ou d'objets que les Irakiens pouvaient transformer en armes. Beaucoup plus agressif, l'embargo a affecté la population civile de manière inutile. En revanche, la zone d'exclusion aérienne a été un grand succès.

En particulier pour les Kurdes. Comme vous l'avez écrit, l'autonomie kurde a été obtenue par le ius ad vim : *une version du changement de régime «indirect», même si la force sans la guerre ne permet pas la démocratisation forcée*[60].

Oui, l'autonomie des Kurdes a été obtenue de cette manière et elle les a protégés. Je pensais à l'époque que c'était bien ainsi et que cela rendait la guerre de 2003 inutile. Nous devrions à l'avenir réfléchir à la force sans la guerre *[force short of war]*, une forme de réponse internationale ou régionale, de l'OTAN par exemple, à des régimes agressifs. Les juristes internationaux devraient reconnaître qu'il y a des usages de la force qui ne correspondent pas à la guerre.

V.

Coopération et multilatéralisme.
Nations, États, souveraineté

Il semble y avoir une évolution dans vos travaux. Vous êtes identifié comme un statiste par vos lecteurs et vos critiques[1]. Vous vous êtes souvent prononcé pour la légitimité des États en général, car les peuples sans État dites-vous, aspirent à un État souverain : il représente la seule entité capable de les protéger, de leur conférer des droits, et de leur donner une existence sur la scène internationale. J'aimerais donc vous interroger sur le rôle que vous conférez à l'État.

Dans « The Politics of Difference », vous écrivez que « le slogan décisif de cette bataille (pour l'État) est "l'autodétermination". Celle-ci implique, selon vous, le besoin d'un bout de territoire ou, a minima, un ensemble d'institutions indépendantes et, par conséquent, un degré de décentralisation, de dévolution, d'autonomie, et de partage de la souveraineté.

Tracer les bonnes frontières, non seulement au sens géographique mais aussi en termes fonctionnels, est extrêmement difficile, mais c'est aussi nécessaire si différents groupes souhaitent exercer un contrôle significatif sur leurs vies tout en se sentant en sécurité[2] ».

On voit que l'existence d'un État demeure un élément important pour la protection des citoyens, mais vos derniers écrits sur le multilatéralisme et la coopération internationale semblent marquer un infléchissement en faveur de la post-souveraineté, ou une modération de la souveraineté pour répondre aux aspirations nationalistes d'un certain nombre de leaders. En bref, vos recommandations de politique étrangère se concentrent aujourd'hui moins sur les États. Dans Arguing About War, vous mentionnez même un «réseau de plus en plus dense de relations sociales qui brouillent les frontières des États[3]».

Pourriez-vous préciser cette articulation entre la légitimité des États d'une part et la nécessité d'assouplir la souveraineté unique de ceux-ci d'autre part?

J'ai toujours défendu l'idée que tout le monde a besoin d'un État[4], ou de l'équivalent fonctionnel d'un État. Plus que cela, tout le monde a besoin d'un État qui fonctionne, capable d'assurer la protection physique de ses citoyens, leur bien-être, leur éducation − toutes choses que fait l'État et qu'aucune autre institution ne peut faire aujourd'hui de manière efficace à sa place. Quand tout le monde aura un État, un État fonctionnel, nous pourrons parler de la transformation des frontières pour en faire des lignes moins contraignantes, nous pourrons travailler sur une coopération transfrontalière, nous pourrons enfin espérer créer des unions politiques à l'image de l'Union européenne.

En même temps, l'Union européenne a été rendue possible par le tracé définitif des frontières après la Seconde Guerre mondiale, surtout en Europe centrale et orientale. On savait qu'on n'allait pas redessiner ces frontières, et c'est la certitude de leur stabilité qui a rendu le dialogue et la coopération transnationale possibles.

Mon statisme a des implications politiques immédiates. Je crois par exemple fortement à un État palestinien aux côtés de l'État d'Israël : les Palestiniens ont, comme les Juifs et les Kurdes, besoin d'un État. Cette étape accomplie, j'espère cependant qu'il y aura de nombreux moyens de franchir les frontières entre les deux États. Pour que la coopération soit possible, cela impliquera que, comme dans l'Union européenne, les parties acceptent une certaine limitation de souveraineté. La construction de l'État est donc bien la priorité. Je me souviens de la crise économique asiatique dans les années 1990 : il y avait des discussions sur la manière dont deux États, Singapour et la Malaisie, je crois, avaient réagi efficacement et avec force pour mettre leurs citoyens à l'abri de la crise. On en avait conclu que l'action des États, même dans une économie globalisée, pouvait encore être efficace. Comme je l'ai répété à l'envi, l'État peut beaucoup, c'est l'agent fondamental en matière d'éducation, de *welfare* et de soulagement des inégalités.

Ne seriez-vous pas d'accord avec moi pour dire que la grammaire wilsonnienne de l'autodétermination – un peuple, une culture, un État –, c'est ainsi que Wilson imaginait les divisions territoriales à l'issue de la Première Guerre mondiale, a eu des effets secondaires néfastes ? Nous avons le goût des cartes bien dessinées, des États-nations bordés de frontières clairement délimitées, mais cela a provoqué beaucoup de malheur, le nettoyage ethnique au sein même des États ainsi créés par exemple.

Je vois là une des explications de votre formule sur le sionisme : à la fois un « statisme universel » et un « nationalisme séculier »[5] ?

Oui, oui, oui !

Est-il vraiment nécessaire de passer par l'État ? On peut imaginer d'autres entités qui protégeraient les gens vulnérables et pourraient assurer une semblable protection des droits (éducation, bien-être, etc.).

Oui, la version alternative est aujourd'hui une forme d'autonomie, tantôt étendue, tantôt limitée. Si je vivais en Écosse ou en Catalogne, je plaiderais pour l'autonomie plutôt que pour l'indépendance, en partie pour des raisons de justice. La Catalogne est la province la plus riche d'Espagne, la sécession aurait un impact défavorable pour les Espagnols les moins fortunés. Il me semble que nous devrions tenir compte de ce genre de considérations après tant d'années de coopération économique par-delà les frontières des autonomies.

On pourrait dire que l'autonomie est un moyen terme entre une province et un État, une forme de souveraineté limitée. Je plaiderais également pour des expérimentations fédérales. Prenons le Canada dont le régime correspond à ce que Charles Taylor appelle un « fédéralisme asymétrique » parce que l'une des provinces, le Québec, bénéficie, pour des raisons historiques, de privilèges que n'ont pas d'autres provinces. C'est une manière d'accommoder le pluralisme. Peut-être l'Espagne a-t-elle besoin d'un système asymétrique d'autonomie provinciale. L'État n'est donc pas la seule institution possible. Ce qui est sûr, en revanche, c'est que nous avons besoin d'institutions capables de faire ce que fait l'État.

Et ceux qui n'ont pas ces institutions, les Palestiniens ou les Kurdes par exemple, en souffrent.

Oui, ils en souffrent. Mais si l'État est le premier pas – et la création d'un État, nous le savons, est le résultat de compromis politiques –, cela pose deux questions : celle du gouvernement et celle de l'appartenance. Négocier la création d'un État exige des gouvernants astucieux (et, dans une certaine mesure, l'approbation et/ou la coopération internationales), un territoire qui n'est pas contesté, et un consentement sur les frontières de l'appartenance. Qui seront les nouveaux membres ? Idéalement, l'autodétermination devrait être le résultat de la décision autonome des citoyens ou des peuples qui s'identifient au projet de création de l'État. Pour reprendre votre exemple, celui de la Palestine, il semble y avoir trois problèmes : un leadership divisé, une loi du retour que les Palestiniens demandent mais que les Israéliens refusent[6], une discontinuité territoriale.

Je partage votre avis. Ce sont des questions générales et difficiles, mais qui doivent probablement recevoir des réponses différentes selon les contextes spécifiques. Les mouvements politiques qui aspirent à l'autodétermination commencent généralement par définir leur identité collective au cours de leur lutte. Si le mouvement est divisé, les chances d'aboutir à la création d'un État sont minces. Elles le sont en ce moment pour les Palestiniens (et pas seulement à cause de leurs leaders).

L'État-nation et la souveraineté suscitent aujourd'hui la méfiance dans la littérature, en particulier à gauche : l'agenda de nos collègues semble dominé par un désir d'effacement des frontières, et donc par une remise en cause de la souveraineté des États. Une partie grandissante de la littérature savante parle en effet de l'obsolescence de l'État-nation ou même de l'injustice de l'État-nation classique que l'on associe au « nationalisme méthodologique », à l'hostilité envers les migrants, à l'absence de pluralisme et au rejet des formes de cosmopolitisme et d'ouverture des frontières.

Ce type de réflexion a déjà commencé dans les années 1980. Les auteurs auxquels vous répondez dans « The Moral Standing of States » [« Le statut moral des États »], publié en 1980, sont des « cosmopolitiques » avant l'heure, Charles Beitz en particulier[7]. Ils lisent GJI comme une défense et une illustration du statisme, bien que vous fondiez votre analyse sur une théorie du droit des individus. Ils sont déconcertés par trois aspects de votre travail : d'abord le rôle des communautés (ils questionnent la légitimité de l'association entre États et communautés, ce que vous appelez l'« adéquation » [fit] ou l'« intégrité communautaire » [communal integrity] entre la communauté et sa forme politique, l'État[8]) ; votre insistance ensuite sur la souveraineté de l'État qui accompagne votre paradigme légaliste (selon eux, la souveraineté peut conduire à la violation de droits individuels) ; enfin, paradoxalement, votre attachement à la politique[9].

Quelle est aujourd'hui votre position sur ces questions ? Les peuples ont besoin d'États pour protéger leurs droits, mais de nouveaux États sont difficiles à intégrer dans la grammaire territoriale internationale, et beaucoup de nos collègues contestent activement la légitimité des États-nations coupables de nationalisme et d'exclusion. Vous avez écrit quelque part que ce scepticisme vis-à-vis des États, aux États-Unis en

particulier, est en quelque manière lié à la «furie idéologique»
que suscite l'État d'Israël[10].

L'hostilité à l'égard d'Israël – pas à l'occupation ou à la
politique de l'actuel gouvernement de droite extrême, mais
à l'égard de son existence même – est une pathologie de
gauche[11]. Elle contribue sans doute à expliquer le rejet idéologique des États et des frontières, mais il y a évidemment des
explications plus générales.

Oui, l'État est une communauté exclusive au sens suivant :
il a des obligations spéciales vis-à-vis de ses citoyens. Et ce
sont précisément ces obligations qui favorisent la création
d'États-providence : on ne peut imaginer un État-providence
sans frontières et sans certaines restrictions migratoires. Mais
un État libéral peut néanmoins agir généreusement en rece-
vant des réfugiés et en acceptant de naturaliser les étrangers.
Il peut également conduire une politique étrangère destinée
à réduire les inégalités globales, par le commerce équitable
et l'aide au développement. Or le meilleur endroit pour se
mobiliser en faveur de telles politiques reste l'État. Seul cet
espace politique a permis à la gauche de remporter des victoires politiques.

Les obligations spéciales vis-à-vis de nos concitoyens n'ex-
cluent pas les obligations générales vis-à-vis d'autres citoyens,
d'autres États. Des philosophes libéraux et des idéologues de
gauche rejettent toute forme de responsabilité limitée à telle
communauté ou à tel peuple. Mais j'ai du mal à imaginer ce
que serait un monde sans ce genre de responsabilité limitée.
Il me semble que l'on peut parfaitement être en même temps
un statiste et un internationaliste. Que chacun ait un État est
en vérité une revendication internationaliste.

L'attitude « par défaut » de la gauche[12] est un classique de la gauche internationaliste. Elle correspond aussi à un commandement biblique : soyez vertueux chez vous, soyez la « lumière qui éclaire les nations » et vous serez récompensés pour votre droiture.

C'est en effet une attitude classique de la gauche, mais ce n'est pas la mienne. Je veux dire : il est bon d'avoir une bonne politique intérieure. Je pense souvent que l'origine de la gauche se trouve dans les écrits des prophètes bibliques, ou du moins dans les textes de certains de nos prophètes préférés (beaucoup de leurs textes n'ont aucune résonance sur la gauche). Leur doctrine, dont on trouve une formulation explicite dans Jérémie, s'énonce comme suit : tout ce que vous avez à faire est de cesser de broyer les pauvres, de créer une société juste, d'arrêter d'adorer les idoles, de traiter la veuve et l'orphelin comme il se doit, de vous souvenir que vous avez été esclaves en Égypte ; si vous faites tout cela, vous serez en sécurité dans votre pays pour toujours[13]. L'idée est de dire que, pour être la « lumière qui éclaire les nations », il est nécessaire de rester chez soi et de briller. C'est une posture classique de la gauche et c'était celle de Bernie Sanders. « L'Amérique devrait être un exemple, disait-il en substance, je n'ai pas à parler de l'usage de la force à l'étranger, je ne veux pas parler de cela. Si nous créons une société juste, nous servirons le monde entier. »

Votre introduction au Democratiya Project[14] *traduit votre espoir, exprimé ailleurs, d'une politique internationaliste. Elle développe aussi une critique du « vieil internationalisme de gauche » et une analyse de la Nouvelle Gauche internationaliste autodéclarée qui se concentre sur l'anti-américanisme et défend les opprimés, quelles que soient leur origine et leur appartenance politique*[15]. *Elle rassemble un certain nombre de vos positions, publiées entre autres dans* «*What is Left Internationalism?*», *et plus généralement les articles qui composent* A Foreign Policy for the Left.

Nous avons parlé de brigades internationales qui pourraient compenser les failles des organisations internationales et contribuer à des politiques globales plus équitables. Pouvez-vous préciser ce que vous appelez le «*choix des camarades*» *que vous associez à la solidarité internationale des gens de gauche*[16]?

Le «choix des camarades» est une notion que je reprends à l'auteur italien Ignazio Silone qui a écrit naguère dans *Dissent* et qui est un héros pour les *Dissentniks*. Pour moi, l'internationalisme nous oblige à soutenir les camarades à l'étranger, les gens de gauche dans les autres pays qui ont besoin de notre aide politique, morale, et quelquefois financière. Nous devons choisir ces camarades avec circonspection. Qui sont-ils? Ce sont des hommes et des femmes qui partagent notre goût de la démocratie et de l'égalité: c'est une exigence fondamentale du socialisme véritable. Ceux qui se déclarent de gauche mais qui approuvent ou excusent les régimes autoritaires et les politiques terroristes, ceux-là ne sont pas nos camarades. Beaucoup de gauchistes disent que nous «n'avons pas d'ennemis sur notre gauche». Mais c'est faux, nous devrions en avoir au contraire, car la gauche a ses propres pathologies comme nous avons pu le constater dans la longue histoire apologétique de Staline et du soutien aux dictateurs du Tiers monde. L'internationalisme socialiste doit être l'internationalisme des socialistes.

Vous permettez que je fasse une demi-digression en rapport avec la question que je vous posais plus haut sur l'articulation entre politique et culture ?

Dans « The Left and Religion[17] *», vous contestez deux explications communes – qui ne viennent pas seulement de la gauche – de l'idéologie religieuse et du fanatisme. L'explication « sociologique » ou matérialiste : le fanatisme est la conséquence de la pauvreté, de l'oppression et de l'impérialisme (occidental). Et l'explication idéologique ou « culturaliste » : le relativisme culturel que l'on considère comme une qualité intellectuelle mais qui empêche la gauche de réfléchir à l'islamisme. L'islamophobie est politiquement incorrecte et moralement répréhensible. Or la tâche est très difficile, même pour les* insiders *comme Kamel Daoud*[18]*, que l'on peut considérer comme un lanceur d'alerte. Parce qu'il avait mentionné le profond sexisme contenu dans la culture arabe, un groupe d'intellectuels français l'a accusé de recycler des « clichés orientalistes*[19] *».*

La gauche a en effet du mal à condamner l'islamisme. Elle « comprend » l'opposition islamiste à l'aliénation occidentale : le fondamentalisme est, soit la réponse à la globalisation capitaliste (Žižek), soit le signe d'une résistance à l'Occident, postmoderne, et, en premier lieu, à l'Amérique et à sa doublure, Israël. Et elle est prompte à condamner les crimes de l'Occident (en Irak, au Pakistan, en Afghanistan) qui sont, selon elle, au fondement de la violence islamiste.

Vous plaidez pour un jugement sélectif – ce que vous appelez la « politique de la distinction » – et pour une « guerre idéologique » contre l'islamisme au nom du pluralisme, de la liberté, de la démocratie et de l'égalité des sexes. Votre chapitre se termine pourtant sur une note pessimiste : « La brigade internationale des intellectuels de gauche n'a toujours pas pris forme. »

Mais en attendant cette expression, quelle peut être la réponse politique la plus urgente à la menace spécifique de l'islamisme ?

Il faut d'abord reconnaître et discuter avec franchise les textes de l'islam ; ils peuvent, comme les textes de n'importe quelle autre religion, être interprétés comme une justification de la violence contre les hérétiques et les infidèles. Aux fanatiques islamistes qui s'engagent dans une telle lecture de la violence, il faut opposer une réponse ferme et critique, une réponse intellectuelle. Il faut ensuite évaluer quand il est utile et défendable de répondre par la force. On doit naturellement préférer les réponses politiques aux réponses militaires, mais il arrive – ainsi contre l'État islamique en Irak et en Syrie – qu'une réponse militaire soit justifiée, les gens de gauche devraient en convenir. Enfin, nous devons nous opposer au fanatisme religieux sans devenir des ennemis des hommes et des femmes qui pratiquent leur religion et, surtout aujourd'hui, sans devenir des ennemis de l'islam. Il est donc particulièrement important de soutenir les religieux musulmans, les musulmans séculiers, ceux qui ne pratiquent pas, tous les musulmans qui critiquent les fanatiques et défendent le libéralisme, la démocratie et l'égalité de genre, et qui le font de l'intérieur de la communauté des musulmans. Ce sont eux nos camarades.

Revenons à ce que vous disiez, à savoir que la possession d'un État est une revendication internationaliste.
Pour que vous soyez entendu, il faudrait justement un effort multilatéral.

Oui. Songez aux zones d'exclusion aérienne en Irak dont nous avons parlé. Elles ont été mises en place de manière multilatérale : les Britanniques y ont participé, les Français aussi pendant un temps, même si, *in fine*, ce fut avant tout une opération américaine. Cela n'a pas permis la création d'un État kurde, mais une autonomie importante pour le peuple kurde.

Cela fait précisément partie du problème. Comme vous le dites dans «Regime Change and Just War», «si l'endiguement avait été un projet international, le pouvoir américain aurait lui-même été endigué». Le fait que les États-Unis agissent sans consulter leurs partenaires a conduit à des réactions très critiques, de la part de la gauche en particulier.

Vous avez raison, je crois en effet en une division du travail globale, dans le domaine des interventions humanitaires ou dans celui de l'usage de la force sans recours à la guerre[20]. C'est pour cela que j'ai dit et redit que les Européens devraient consacrer un budget plus important à la préparation militaire afin d'être moins dépendants des États-Unis et de pouvoir faire face, seuls, à des événements comme la guerre dans l'ex-Yougoslavie. Ce genre de guerres devrait être l'affaire des Européens, non celle des États-Unis.

Dans votre dernier livre, A Foreign Policy for the Left, vous insistez, comme vous le faites de plus en plus dans vos travaux récents, sur la valeur des alliances, des accords multilatéraux, et de forces régionales coordonnées, mieux organisées que l'Union européenne actuellement. Pourtant, dans votre article de 1995, «The Politics of Rescue», vous plaidiez pour une «concurrence entre autorisation multilatérale et initiatives individuelles [par les États] : la première pour faire justice à la légitimité morale, les secondes pour faire justice à l'efficacité politique[21] ». Vous comparez la prise de décision coordonnée à la théorie de la volonté générale de Rousseau, dont vous dites qu'elle est vouée à l'échec sur la scène internationale. Et aujourd'hui, vous appelez à une pratique plus robuste du multilatéralisme.

Nous retrouvons ici la question des liens entre arguments normatifs et arguments empiriques dont nous avons déjà parlé. Vous dites que nous avons, en principe, les instruments pour encourager et gérer la coopération et les alliances (l'ONU, le Conseil de sécurité, le FMI), mais qu'ils ne fonctionnent pas parce qu'un grand nombre de lois ne peuvent tout simplement pas être appliquées. Il n'y a pas de société civile ou politique globale qui élirait ou révoquerait des gouvernants globaux, et les membres du Conseil de sécurité raisonnent en termes d'intérêts nationaux. « Les leaders politiques d'États suffisamment forts pour intervenir dans des crises humanitaires peuvent refuser de le faire, se tourner vers l'ONU et échapper à la responsabilité des désastres [provoqués par leur inaction]. Prétendre que l'ONU peut effectivement agir est un moyen effectif de fermer les yeux et de tourner le dos[22]. »

C'est exactement ainsi que j'ai analysé certaines interventions. Nous ne possédons pas les institutions, ou nous n'avons pas la volonté d'utiliser les institutions que nous possédons, pour créer un régime global, international, d'application des lois. Prenons l'exemple du Rwanda : un massacre. Puisque l'ONU n'a pas pu ou n'a pas voulu intervenir, le massacre aurait dû être stoppé par n'importe qui, n'importe quel État ou coalition d'États qui avait la possibilité de le faire. Je ne crois pas qu'on puisse s'opposer à l'unilatéralisme dans des situations telles que celle-ci. Mais j'ai également fait valoir que lorsque vous intervenez dans un pays comme le Rwanda, où le régime est en train de massacrer une partie de la population et doit être renversé, vous savez que vous allez être en charge de la reconstruction politique du pays – c'est là le moment où il faut conclure des alliances multilatérales. Donc, l'unilatéralisme d'abord, la quête de soutiens multilatéraux ensuite, ce qui peut vouloir dire aussi une régulation multilatérale du projet de reconstruction qui ne serait alors pas entre les mains d'un seul pays.

Vous revenez à ce que vous avez dit autrefois, dans « The Politics of Rescue » : la différence entre la curatelle [trusteeship] « où le pouvoir intervenant gouverne de fait le pays qu'il a "secouru" [rescued], agit pour le compte de ses habitants et cherche à établir un système politique stable plus ou moins consensuel », et le protectorat « où les intervenants font accéder un groupe local ou une coalition de groupes locaux au pouvoir, mais ne le(s) soutiennent que défensivement pour s'assurer que le régime renversé ne reviendra pas aux affaires et que les droits des minorités seront respectés[23] », et vous proposez une « solution utopique et politiquement incorrecte » : que certains pays doivent être non indépendants et non souverains, et que les zones de guerre qui produisent des centaines de milliers de réfugiés deviennent des protectorats internationaux[24]. Vous le croyez toujours ? Et quels pays pourraient être placés sous curatelle internationale ?

L'idée reste utopique et politiquement incorrecte car les curatelles et les protectorats ont traditionnellement servi de couvertures pour des formes de gouvernement néocoloniales. Bien compris, ils pourraient pourtant permettre de contrôler au lieu d'agir comme des couvertures. Imaginons qu'il y ait eu une intervention au Rwanda, dirigée disons par la France, pour arrêter le génocide. Le gouvernement rwandais, responsable du génocide, aurait été renversé. Que faire ensuite? L'une des possibilités pour l'ONU aurait été d'établir un protectorat français, européen ou même onusien, confiant le maintien de la paix, de la reconstruction du pays, de l'établissement d'un régime politique légitime local aux protecteurs avant de se retirer. Le protectorat aurait été autorisé et contrôlé par une agence possédant une légitimité et des ressources internationales qui aurait pu garantir le retrait éventuel. Un certain nombre d'États défaillants *[failed states]* auraient bénéficié d'un tel système. Pour moi, c'est un exemple de l'internationalisme en action. Mais cela demande une organisation internationale qui possède plus de légitimité et une plus grande autorité que l'ONU.

On dira donc que vous êtes statiste parce que vous pensez que l'État est à ce jour l'entité la plus à même de protéger les individus et de les rendre moins vulnérables.

Mais je reviens à l'un de vos derniers écrits, « World Government and the Politics of Pretending » [« Le gouvernement du monde et la politique des faux-semblants »]. Dans ce plaidoyer pour le multilatéralisme et la coopération internationale, vous dites que l'existence des États et des nations empêche le fonctionnement de ces institutions internationales ou multilatérales.

Nous aurions besoin d'une société civile globale qui pourrait donner une légitimité aux institutions internationales, créer une responsabilité et une prise de parole internationales, mais nous n'avons (encore) rien qui ressemble à une telle société.

Nous sommes ainsi dépendants d'acteurs étatiques ou de fonctionnaires internationaux, et ce n'est pas suffisant.

Mais si ! Il existe une société civile globale balbutiante : *Human Rights Watch, Amnesty International,* Médecins sans frontières… Pour moi, ce sont des organisations analogues aux Brigades internationales espagnoles.

Nous autres, libéraux de gauche, les honnêtes gens du monde occidental, ne pouvons plus recruter des personnes pour aller se battre dans des pays lointains. Au début du soulèvement syrien et de la guerre civile, il y a eu des discussions sur la création de brigades internationales. J'ai fait des recherches sur Internet et je me suis rendu compte que des centaines d'articles défendaient la même idée. L'un d'eux, signé d'un auteur britannique, disait : « Eh bien, la vérité c'est que des gens comme moi préféreraient courir un marathon pour récolter des fonds plutôt que de prendre les armes et de partir en Syrie. » C'est cela le problème.

L'État islamique est une brigade internationale, il arrive à faire ce que nous sommes incapables de faire. Nos brigades, nos brigadiers internationaux, sont des gens qui travaillent pour *Human Rights Watch*, Médecins sans frontières ou des groupes de ce genre. Pour aller en Syrie, il faut qu'ils affichent leur neutralité. *Human Rights Watch* documente les atrocités, mais ne peut pas les prévenir, et pourtant il accomplit une tâche importante qui implique des risques pour son personnel. On ne peut pas aller plus loin pour l'instant. Ce serait bien s'il y avait davantage d'associations comme celles-ci, mais c'est un début. Vous voyez, c'est à cela que pourrait ressembler une société civile internationale. Ces organisations recrutent dans tous les pays, même si elles ne récoltent de l'argent que dans une minorité d'entre eux.

En un sens, ces organisations ne forment-elles pas une société parallèle ? Elles sont évidemment très utiles, quelquefois indispensables, mais elles sont autodésignées et elles n'ont pas à rendre de comptes politiques. Elles ne représentent pas la société civile globale, ou plutôt, elles n'en représentent qu'une petite partie.

Oui, nous aurions besoin d'autres organisations qui représentent des intérêts partisans et politiques. Certains syndicats américains se désignent comme internationaux, mais ils ne le sont pas. Cela étant dit, on peut imaginer des syndicats qui agissent internationalement, des partis politiques qui recrutent internationalement. L'Union européenne en est, dans une certaine mesure, l'illustration. Les partis de droite et les partis de gauche ont formé des coalitions transfrontalières qui collaborent au sein du Parlement européen. Il y a par ailleurs des organisations comme l'OMC qui régulent, de manière semi-coercitive, les activités économiques transnationales. Formées après la Seconde Guerre mondiale, elles devaient être différentes de ce qu'elles sont devenues. L'OIT, par exemple devait seconder les organisations comme l'OMC et posséder autant de pouvoir, mais elle ne s'est jamais hissée à ce statut et, dans l'ère de l'économie libérale, elle n'a guère d'impact. Ces organisations sont cependant les prodromes d'une forme de gouvernement global. Mais c'est vrai, la souveraineté étatique contraint leur autonomie d'action. C'est particulièrement évident avec des gens comme Trump qui sont opposés à toute forme de régulation ou de coopération internationales.

Pensez-vous que nous devrions changer le règlement de l'ONU sur le rôle et l'étendue des pouvoirs du Conseil de sécurité ? Qu'il faudrait élire davantage de membres ?

Il ne peut pas y avoir de gouvernance globale sans un consensus beaucoup plus large des leaders politiques de tous bords, une inquiétude partagée pour le monde en général et pas seulement pour les intérêts de leur propre pays. Dans les réunions du Conseil de sécurité, il est rare que les représentants se préoccupent de l'état du monde. On l'a vu lors des débats sur le génocide au Rwanda : les Américains ont alors refusé de le définir comme un génocide parce qu'ils ne voulaient pas investir de ressources pour l'arrêter.

Au sein des États, les représentants sont aussi préoccupés par leurs propres intérêts, mais ils pensent, malgré tout, au bien-être de leur pays. Ils savent ce dont il a besoin, ce qu'il peut ou non accepter, par exemple dans le domaine des dommages faits à l'environnement ou de la croissance des inégalités. Mais, sur la scène internationale, on est loin du compte. C'est ce que j'ai appelé «la politique des faux-semblants[25]», ce que nous faisons quand nous prétendons que nous sommes bien plus avancés que nous ne le sommes. Pour le vérifier, j'utilise souvent l'exemple de ce qui s'est passé après les événements du 11 Septembre [9/11]. Un grand nombre de globalistes américains disaient alors : «Il faut aller devant l'ONU, on ne peut pas agir unilatéralement.» Leur réponse aux événements du 9/11 consistait en somme à appeler le 911 – le numéro de téléphone des urgences aux États-Unis. Mais à ce numéro personne ne répondait alors, et, aujourd'hui encore, personne ne répond[26].

VI.

Israël – Palestine

Vous êtes un intellectuel, américain, juif, très proche d'Israël et pourtant très critique de la politique d'occupation menée par le gouvernement israélien.

J'ai toujours été sioniste, parce que mes parents l'étaient, parce que j'ai fait ma bar-mitsva en 1948, une année riche en émotions, et parce que Judy et moi sommes allés en Israël en 1957 et y avons noué beaucoup d'amitiés.

1967 a été, pour moi comme pour tout le monde, *le* moment. C'est alors que mon engagement véritable a commencé[1]. J'y suis allé très souvent au début des années 1970, et je crois y être allé tous les ans depuis. Vous savez que j'ai commencé comme guide touristique ?

Vous, guide touristique ?

Après la guerre de 1973[2], mon ami Marty Peretz[3] et moi-même sommes en effet devenus guides touristiques. C'était du tourisme politique. Nous avions publié un très grand appel dans le *New York Times*, signé par les sommités universitaires, des intellectuels et des romanciers américains. Nous avons dû beaucoup travailler pour rassembler les signatures et pour inciter les États-Unis à aider Israël[4].

Après la guerre, Yigal Allon[5], alors ministre des Affaires étrangères, a convié une délégation en Israël. Il nous avait chargés de réunir des intellectuels, tels ceux qui avaient signé notre appel, et des jeunes gens qui pourraient se joindre à cet appel à l'avenir.

Nous avons donc accompagné un groupe pendant trois ou quatre ans, de 1973 à 1977. Une moitié de nos recrues était juive, l'autre ne l'était pas ; des figures connues, plus âgées, côtoyaient des jeunes gens intelligents à qui l'on pouvait prédire un avenir dans la politique internationale. Nous les avons informés que le ministère des Affaires étrangères prenait en charge le séjour et organisait la visite du pays en suivant nos recommandations. La plupart des personnalités que nous avons invitées étaient ravies de se joindre à nous. Nous avons pu nous entretenir avec le ministre des Affaires étrangères, quelquefois avec le Premier ministre et les membres du gouvernement, avec les parlementaires de la Knesset et, nous y tenions, avec des membres de l'opposition.

Nous sommes allés dans le Sinaï et dans le Golan. Marty et moi nous occupions du groupe. Nous étions en quelque sorte des guides, mais aussi des militants politiques. Nous voulions créer un cadre d'universitaires et d'intellectuels qui, malgré leur sympathie pour Israël, pouvaient conserver leur jugement critique, en particulier sur le mouvement de colonisation qui émergeait à cette époque.

Moshe Dayan, qui était le ministre des Affaires étrangères en 1977, ne s'intéressait pas vraiment à nous, mais nous avons pu avoir un entretien intéressant avec Menahem Begin. J'ai, à cette occasion, parlé maladroitement des «territoires occupés»; il a vivement protesté, rappelant qu'il s'agissait de la Judée et de la Samarie. J'ai alors décidé de ne plus organiser ces voyages.

J'ai cependant continué à être le guide d'une fédération de philanthropie juive. Dans ce cadre, j'ai accompagné des groupes de Juifs, des jeunes gens qui pourraient parler favorablement d'Israël sur les campus universitaires. J'ai fait cela sans Marty pendant quelques années, et j'ai pu éviter de croiser le Premier ministre.

Aurions-nous pu nous installer en Israël? Nous y avons songé lorsque nous l'avons visité en 1957, mais je venais alors d'être admis à Harvard avec une bourse importante, et Judy, qui terminait elle-même ses études à Brandeis, n'était pas enchantée de son expérience avec ses amis du kibboutz. Il n'y avait pas de concerts le soir.

Mon monolinguisme y était aussi pour quelque chose. J'ai étudié pas mal de langues, sans parvenir à en maîtriser aucune, mon talent était d'écrire dans un anglais compréhensible. J'ai passé un semestre en Israël en 1983. Ma fille, qui était au lycée et avait pris une année sabbatique, nous avait devancés et organisé notre séjour. Après quelques mois seulement passés en Israël, elle parlait facilement au téléphone en hébreu. Je me suis moi-même inscrit à un *ulpan*[6] pour le semestre. J'ai eu des *«tov meod»* [très bien] à tous mes travaux écrits, mais ni ma langue ni mes oreilles ne m'ont permis de produire un hébreu correct. Était-ce la timidité, la conscience de ne pas être assez bon? Toujours est-il que j'ai renoncé à parler. En 1983, j'étais peut-être déjà trop vieux.

Lors de vos séjours dans les années 1970, vous avez rencontré des activistes et les dirigeants de la gauche israélienne.

Nos amis des années 1970 le sont toujours. Je les qualifierais de vieux Mapai-niks (le Mapai était le principal parti des travailleurs), même s'ils venaient de toutes les nuances de la gauche. Les anciennes divergences (sur l'URSS par exemple) commençaient à s'estomper, laissant la place à de nouveaux clivages sur la meilleure manière de résister à l'occupation. Sur le fond, tous étaient cependant en désaccord avec l'euphorie de l'après-1967 et tous étaient opposés à l'occupation.

Nous étions proches des fondateurs de Shalom Achshav [La Paix Maintenant], de Janet Aviad en particulier. Gur Ofer, économiste, spécialiste de l'économie soviétique, et Dahlia Ofer, historienne reconnue de la Shoah, sont nos plus vieux amis. Il y avait les théoriciens du politique Brian Knei-Paz et Yuli Tamir, les philosophes Yeri Yovel (et sa femme, la romancière Shoshana Yovel), Avishai et Edna Margalit, Menachem Brinker, la juriste Ruth Gavison et beaucoup d'autres : nous avions plus d'amis en Israël qu'à Cambridge, New York et Princeton réunis. À partir des années 1980, grâce aux conférences philosophiques du Shalom Hartman Institute et à mon travail sur la tradition politique juive, nous nous sommes fait un nouveau groupe d'amis qui ne sont pas tous de gauche.

Je ne me suis jamais engagé dans la politique partisane en Israël qui doit être l'affaire des citoyens. Nos amitiés làbas se sont toujours nouées avec des particuliers qui avaient des affiliations partisanes différentes ou qui passaient d'un parti à un autre selon la conjoncture politique de gauche du moment. Je les accompagnais aux manifestations, mais jamais aux réunions de parti.

Vous avez dit que vous étiez contre la guerre du Vietnam mais heureux de l'issue de la guerre des Six Jours. Vous n'étiez pas le seul, la victoire de 1967 a été saluée par un grand nombre de pays occidentaux et d'intellectuels, mais la gauche est aujourd'hui très critique sur les choix opérés depuis lors. La situation serait-elle à votre sens meilleure si le gouvernement israélien avait ordonné un retrait des territoires occupés à la suite de la guerre ? Pouvait-il le faire ? Après tout, Israël s'est désengagé de Gaza (une décision critiquée), et a évacué une partie du Liban où le Hezbollah a remplacé l'armée israélienne.

Je pense que le gouvernement aurait pu préparer le retrait en rejetant dès le début les demandes d'occupation ou en affirmant être prêt à revenir aux anciennes frontières en échange de la paix. Il aurait dû tenir cette position aussi longtemps que nécessaire : cela exigeait une volonté politique forte, un groupe de leaders capables de résister à l'euphorie qui s'était emparée de tous après cette victoire spectaculaire de 1967. Aujourd'hui, il apparaît que c'était la voie de la sagesse. Un simple retrait, accompagné d'une proposition faite aux Égyptiens et aux Jordaniens de revenir, avant même que ne soit conclue la paix, aurait probablement été une meilleure réponse que l'occupation continue et l'établissement de colonies. Donc oui, à un moment où il aurait été possible de dire qu'en échange de la paix pleine, tous les territoires seraient rendus, et que l'occupation était provisoire.

Mais on sait que certains travaillistes – ou leurs camarades dans les partis alliés – défendaient eux-mêmes l'occupation d'une partie des territoires. Yigal Allon, qu'on classait alors parmi les bons [good guys], souhaitait ainsi implanter une série de colonies dans la vallée du Jourdain. Israël n'avait pas alors des gouvernants forts capables de dire «non» aux Juifs impatients et «oui» aux Arabes désireux de faire la paix (même s'il n'y en avait pas beaucoup). Ceux qui ne voulaient pas de la paix côté arabe avaient leurs homologues du côté des colons israéliens. Tout se passe comme s'ils s'étaient entendus pour rendre le retrait impossible.

J'ai vu, il n'y a pas longtemps, *The Lost Interview*[7], un documentaire sur l'interview que Ben Gourion a accordée à Clinton Bailey en 1968, deux ou trois ans avant sa mort, et peu de temps après la mort de sa femme Paula. Il était alors à Sde Boker, seul. Les bobines de cet entretien avaient été perdues, mais elles ont été retrouvées il y a quelques années et rééditées sous forme de documentaire. Le film n'a conservé qu'une heure et demie d'un entretien qui a duré six heures, mais c'est un film magnifique. Je n'aurais jamais imaginé que Ben Gourion avait un tel humour et une telle espièglerie. Il est parfois franchement drôle, et toujours incroyablement malin. Il dit bien dans ce documentaire que c'était une erreur de garder les territoires. Il n'était pas aux affaires à ce moment, et je ne sais pas si son avis a alors été rendu public, en 1967. Les Israéliens en effet auraient dû agir différemment.

Vous plaidez pour des alliances internationales et la coopération en général, nous en avons parlé. Après les «marches du retour» de 2018 (les manifestations qui commémorent l'anniversaire de la Nakba, l'exode palestinien)[8], la communauté internationale a condamné la réaction d'Israël avec une grande hostilité, mais elle a oublié de mentionner le pouvoir que d'importants États voisins ont de soulager la pression sur la bande de Gaza[9]. Les contraintes qui pèsent sur les civils palestiniens sont sévères. Par sa politique contraignante d'accès à l'eau, à l'électricité et à la nourriture, Israël impose un embargo qui ne ressemble que de loin à « la force sans recourir à la guerre » [force short of war] *et à ce que vous avez décrit à propos de l'Irak. Mais l'Égypte, qui possède un aéroport non loin de sa frontière avec Gaza, pourrait de son côté approvisionner le territoire en nourriture et aider la population civile. Indirectement, elle soulagerait ainsi le fardeau de responsabilité, et de culpabilité, qui pèse sur Israël. Pour le dire autrement, l'Égypte n'est-elle pas en partie responsable de la situation qui perdure à Gaza ?*

C'est vrai, et c'est quelque chose qu'il faut dire et répéter lorsque l'opinion condamne le siège de Gaza : c'est un siège conjoint israélo-égyptien, secrètement soutenu par l'Autorité palestinienne. Cela en fait une situation très compliquée ; les Égyptiens comme les Israéliens peuvent mettre fin au siège. Mais la responsabilité principale est évidemment israélienne : l'État israélien est le principal coordonnateur du siège, maritime en particulier.

Toute forme de relaxe du siège doit donc être négociée par les trois protagonistes. Un article paru récemment dans *Haaretz* est consacré à un programme émanant d'un groupe de commandants de l'IDF, l'armée israélienne, destiné à adoucir le siège, créer une zone industrielle dans le nord de Gaza, construire une usine de désalinisation, étendre la zone de pêche ouverte aux marins gazaouis, permettre davantage de déplacements hors de la bande et, plus largement, éviter une nouvelle guerre[10]. Selon le quotidien, les Égyptiens sont réservés, et l'élite politique israélienne plus encore ; les

Israéliens sont, soit incapables, soit réticents à entreprendre un programme de cette ampleur qui accréditerait une victoire du Hamas – et je soupçonne l'Autorité palestinienne (AP) d'être tout aussi réticente à un plan qui renforcerait le Hamas.

Les Égyptiens croient, probablement à juste titre, que le Hamas, ou certains éléments du Hamas sont au service des combattants islamistes dans le Sinaï, ils ne sont donc pas prêts à le consolider. C'est une situation inextricable, et pourtant nous devons soutenir avec force un changement radical de la situation à Gaza ; il est moralement et politiquement important d'améliorer les conditions de vie des Gazaouis. Israël est capable de le faire, et il pourrait peut-être même forcer l'AP et l'Égypte à l'aider dans cette voie.

La guerre, la guerre asymétrique en particulier, exige, comme on l'a dit, un gouvernement intelligent. Vous êtes très critique vis-à-vis du gouvernement israélien, vous l'avez écrit à maintes reprises[11], vous avez même signé une pétition encourageant le boycott économique et la non-reconnaissance des colonies en 2016[12]. Mais qu'en est-il des dirigeants palestiniens ?

Je ne soutiendrai pas un boycott de l'État d'Israël, mais, dans la mesure où nous pouvons cibler les territoires occupés, et donc l'occupation elle-même, et dans la mesure où nous pouvons agir en concertation avec nos camarades en Israël, je suis en faveur du boycott des biens produits dans les colonies. Des boycotts académiques, non. Le libre-échange d'idées est indispensable à la vie intellectuelle.

Le cas palestinien est très triste. Les Palestiniens ont eu, pour un ensemble de raisons qui sont en partie indépendantes de leur volonté, une histoire difficile.

L'OLP a été, selon moi, le pire mouvement de libération nationale dans l'histoire des libérations nationales. Ses leaders étaient plus occupés par leur idéologie que par le bien-être de leur propre population, dans les décisions stratégiques comme dans les décisions tactiques, dans les décisions à court terme ou dans celles qui engageaient le long terme. Il a fallu attendre les années 2000 pour que la vie des populations palestiniennes de Cisjordanie, en particulier dans les villes, change par rapport à la situation que connaît Gaza. Seul un État palestinien permettra une véritable amélioration de la vie des Palestiniens ordinaires. Leurs gouvernants le veulent-ils véritablement ? C'est une vraie question.

À Ramallah, la vie est sans doute plus facile qu'à Gaza. Mais Ramallah ne soutient évidemment pas la comparaison avec Tel Aviv. La modernité, le capitalisme, l'accès aux biens de consommation et aux loisirs permettent peut-être de minimiser l'impact de l'idéologie, mais ils ne suffisent pas à engendrer le sécularisme et la démocratie.

Même si elle est caractérisée par la corruption, l'AP est aujourd'hui plus attentive au bien-être de sa population. Mais son engagement idéologique est, depuis les origines, totalisant, et vise un grand but : la Palestine de la rivière à la mer – une image en miroir des conceptions totalisantes de la droite israélienne. Les uns veulent l'élimination d'Israël, les autres l'évitement d'une Palestine indépendante.

Je me souviens de la poignée de main entre Rabin et Arafat ; j'étais sur la pelouse de la Maison-Blanche, invité comme représentant de *Americans for Peace Now* pour témoigner du moment. Un moment de grand optimisme. Mais lorsque je me le remémore, je crois qu'Arafat ne se voyait pas président d'un mini-État en Cisjordanie, préoccupé du ramassage des ordures à Naplouse ou de l'approvisionnement de l'eau à Jéricho ; je pense même qu'il ne s'est jamais imaginé dans ce rôle. Dans la plupart des mouvements de libération nationale, les gens se projettent, s'imaginent par exemple futurs fonctionnaires d'un État. Des Palestiniens l'ont pensé, mais non leurs dirigeants. Ceux-ci se présentaient plutôt comme des leaders d'un mouvement révolutionnaire œuvrant à la destruction de l'État des croisés selon eux inévitable même si cela devait prendre mille ans. C'était une politique désastreuse pour leur peuple.

Vous faites référence au combat très idéologique du Fatah, en principe séculier et marxiste. Comment le mouvement palestinien s'insère-t-il alors dans votre «paradoxe de la libération»? À côté du revivalisme religieux, incarné par le Hamas et le Hezbollah, il demeure une idéologie libérationniste de gauche dont l'audience à l'étranger est importante, n'est-ce pas?

Oui mais, en même temps, l'histoire palestinienne ressemble aux autres histoires que je raconte dans *Paradoxes* – celle de l'Inde, d'Israël, et de l'Algérie. Le Fatah et les organisations placées à sa gauche comme le FPLP (le Front populaire de libération de la Palestine) se définissaient en effet généralement comme marxistes. Tous se sont inspirés du modèle du FLN algérien qui n'est pourtant pas un bon exemple de libération nationale. Il y a un lien, que j'ai tenté de décrire dans un de mes textes sur le terrorisme, entre le choix de la terreur, tel qu'il a été fait par le FLN et l'OLP, et l'établissement d'un État autoritaire, ou semi-autoritaire, comme c'est le cas en Palestine[13].

Radicalement séculier à l'origine, le mouvement palestinien a connu ensuite une renaissance religieuse selon une chronologie comparable à ce qui s'est passé ailleurs dans le monde arabe. Cette évolution n'a pas défait l'ancien gauchisme mais elle l'a rendu de plus en plus marginal (sauf peut-être dans la diaspora que je connais moins bien). Nous avons maintenant deux Palestine : l'une en Cisjordanie, l'autre à Gaza ; l'une brutale, autoritaire et corrompue (la corruption atténuant la brutalité), l'autre brutale, autoritaire et, en principe du moins, vertueuse. Mais, ici, je crains que la vertu ne soit un défaut plus grave.

Je ne connais pas la force du revivalisme religieux en Cisjordanie, j'aurais tendance à penser qu'il est plus fort qu'au sein du Fatah. Le régime de l'AP n'exerce pas une répression analogue à celle du Hamas : la liberté des femmes n'est pas menacée en Cisjordanie, et, pour l'essentiel, le Fatah est un mouvement séculier.

Quelles sont les chances d'un apaisement dans la région ? L'idée d'une solution négociée semble s'éloigner à mesure que se développent les implantations dans les territoires occupés. Une part de l'opinion israélienne prend acte de la situation. Les choses semblent évoluer vers une « solution » à un seul État, une solution qui ne serait pas négociée mais serait le résultat des occupations continues, une solution que renforce le réalisme des Palestiniens israéliens, ceux de Jaffa, de Haïfa ou d'autres villes où réside une forte proportion de citoyens palestiniens, qui n'aiment pas nécessairement Israël mais qui en apprécient les ressources économiques et sociales. Ces

Palestiniens devraient-ils jouer un rôle dans les négociations, comme ambassadeurs informels par exemple ?

Il me semble que, sans quelque intervention extérieure, on dérivera vers la « solution à un État » englobant Israël et la Cisjordanie et excluant Gaza.

Je pense que la coalition de droite qui dirige le pays voudra retarder la formalisation ou la finalisation de cette « solution ». Le gouvernement préfère la situation actuelle, caractérisée par une occupation et une colonisation continues, et un empiètement de plus en plus important sur le territoire palestinien, qui rend de fait l'option des deux États impossible.

On assiste en réalité à une israélisation accélérée de la Cisjordanie soutenue par le gouvernement. Arrivera un moment où Israël ressemblera à un État avec une population palestinienne privée de droits. La situation pourra apparaître soutenable pendant un temps, tant que les Juifs seront encore majoritaires. Mais ce serait une triste solution, universellement condamnée et impossible à inscrire dans la durée.

Je ne sais pas ce qui pourrait infléchir cette dérive. J'ai entendu des rumeurs et des débats qui rappellent ceux des années 1970 sur une « solution jordanienne ». Mais pourquoi le roi et son gouvernement en voudraient-ils ? Si l'hypothèse n'est pas absurde, je doute qu'ils y adhèrent. Accueillir la Cisjordanie serait très dangereux pour le régime.

Vous vous demandez si la solution jordanienne serait plus cohérente qu'un seul État précaire, je vais vous raconter une histoire. Dans les années 1970, je venais souvent en Israël. Lorsque je rentrais aux États-Unis, je rencontrais d'anciens collègues qui occupaient désormais des positions de pouvoir.

J'ai vu Kissinger qui était conseiller pour la sécurité nationale, j'ai vu aussi Brzeziński qui avait été mon professeur et occupait la même fonction dans l'administration Carter. Brzeziński m'a alors rapporté l'épisode suivant : au cours des discussions sur une possible solution jordanienne, il avait demandé au roi Hussein ce qui se passerait s'il y avait des élections en Cisjordanie. « Si j'organise les élections, je les gagnerai », avait répondu le roi. Je pense souvent à cette réplique : en 2005, les Américains ont organisé des élections en Irak, et notre homme est arrivé en troisième position ; ce sont décidément des impérialistes incompétents. Je ne pense pas qu'il y ait une quelconque appétence, et probablement aucune volonté jordanienne d'inclure la Cisjordanie.

Dans les quarante dernières années, la gauche israélienne n'a participé au gouvernement que pendant une brève période de six ans. Les raisons de ces revers sont multiples, et les espoirs de son retour au pouvoir faibles.

Cette évolution, largement constatée aujourd'hui en Occident, a commencé plus tôt en Israël, pour des raisons spécifiques au pays, essentiellement cinq selon moi. D'abord, la priorité donnée aux questions sécuritaires et la montée du terrorisme : les attaques terroristes pendant les élections qui ont suivi l'assassinat de Rabin et les tirs de roquettes effectués depuis Gaza après le retrait israélien sont les deux moments décisifs. La deuxième raison tient au ressentiment séfarade et à l'*hubris* ashkénaze qui ont détourné l'électorat social-démocrate des vieux partis de gauche. Ce mouvement a été accentué, en troisième lieu, par l'immigration des Russes : si leur sécularisme aurait dû les faire pencher à gauche, leur nationalisme et leur malaise vis-à-vis de tout ce qui avait un relent de socialisme les ont finalement placés à droite de l'échiquier politique. Les politiques de droite ont, quatrième facteur, été consolidées par le double renouveau religieux, le fanatisme du mouvement des colons et la croissance des sectes *haredi*[14]. Il faut enfin souligner le manque d'imagination, de force, et de volonté des leaders de gauche (cela vaut pour les leaders européens également) : ces gens sont intelligents et sympathiques, ils avancent les bonnes idées mais ils n'ont pas « le feu ». On sait que les temps mauvais produisent de grands leaders : Lincoln, Churchill, De Gaulle… Les temps semblent passablement mauvais. On attend.

À cet état des lieux, il faut ajouter la loi « Israël, État-nation du peuple juif ». Adoptée le 19 juillet 2018 par une courte majorité et dans un contexte de tension au sein de la droite, c'est l'une des lois fondamentales de l'État d'Israël. Tout en reprenant des éléments de la déclaration d'indépendance de 1948, elle fait par exemple de l'hébreu la seule langue officielle et déclare Jérusalem capitale de l'État.

Cette loi est vile. David Grossman a raison, elle ne contient aucune clause opérationnelle et relève de la pure gesticulation ; elle aliène les Arabes et, involontairement, les Druzes. Elle s'inscrit cependant dans l'histoire longue – on en trouve les prodromes chez Jabotinsky[15] qui adorait les uniformes, les marches militaires, et aimait brandir le poing. Mais il n'aurait peut-être pas approuvé cette loi. Elle ne fait rien, mais elle sera utilisée dans l'avenir comme couverture à des choses peu recommandables, à moins que la colère qu'elle suscite n'ait des conséquences politiques.

Nous avons parlé de nations et d'États, mais pas encore vraiment de nationalisme. Or le sionisme est clairement une forme de nationalisme. Dans son livre Liberal Nationalism[16], *Yuli Tamir, professeure et ancienne ministre de la Culture, affirme que la justice sociale et le débat démocratique ne sont possibles que s'il existe un système de valeurs dans lesquelles tous se reconnaissent, une citoyenneté commune, une identité nationale historiquement partagée. Tamir pense que nous devrions perpétuer et ne pas abandonner les identités nationales, mais que nous devrions le faire d'une manière ouverte, «fine», perméable à des cultures spécifiques, reconnues légalement et valorisées culturellement. C'est assez proche de ce que vous dites, dans* Thick and Thin *par exemple.*

Quelle serait, selon vous, la version défendable du sionisme-nationalisme?

Je suis en effet, comme Yuli Tamir, un nationaliste libéral. Je suis aussi un nationaliste internationaliste puisque je reconnais le droit à l'autodétermination nationale. Je crois que toutes les nations ont besoin d'un État, pour leur sécurité physique et l'expression de leur culture. Pas seulement les Juifs, mais aussi les Palestiniens et les Kurdes. Pas seulement les Palestiniens et les Kurdes, mais aussi les Juifs. Je me méfie de ceux qui soutiennent toutes les formes de libération nationale, où qu'elles se manifestent dans le monde, sauf le mouvement des Juifs. Ce genre d'antisionisme franchit le seuil de l'antisémitisme. La critique brutale de la politique israélienne est à la limite de ce seuil[17].

Nationaliste libéral, à l'occasion nationaliste tout court. Comment se fait-il que j'aime le peuple juif exactement de la manière dont Hannah Arendt disait qu'elle ne pouvait pas l'aimer ? La réponse est difficile pour des hommes et des femmes émancipés, modernes et séculiers. Cela a un rapport avec la manière dont mes grands-parents ont vécu, avec leurs mémoires, les fêtes et les rituels, des engagements moraux aussi qui font toujours partie de ma vie et dont j'aimerais qu'ils se transmettent à mes petits-enfants. Je partage ce sentiment avec d'autres qui ont le même genre de grands-parents et des espoirs similaires pour leurs petits-enfants. Et qui, à travers les générations, partagent mes obsessions et rient de mes blagues. Je ne suis pas certain que Hannah Arendt rirait à certaines des meilleures blagues juives.

Quel rôle la diaspora devrait-elle idéalement jouer ?

Vous avez mentionné à plusieurs reprises que l'attitude des Américains en général, des Juifs américains en particulier, a changé ces dernières décennies[18], parmi les jeunes, sur les campus universitaires avant tout.

À l'opposé de ce criticisme grandissant, on assiste, en France, à une « israélisation » des Juifs français qui se caractérise par une forte identification à l'État d'Israël, à la droite israélienne. Dans l'«exportation du conflit», comme on dit, depuis son lieu originel, le Proche-Orient, vers la France (c'est peut-être aussi vrai ailleurs), une partie significative des Juifs français, séfarades, vivent virtuellement en Israël, participent aux débats israéliens. Est-ce vrai aussi aux États-Unis ? Y a-t-il une spécificité juive américaine ? Et dans quelle mesure la société américaine, juive et non juive, a-t-elle changé vis-à-vis d'Israël ? Y a-t-il une explication sociologique, générationnelle, religieuse (la part respective des Juifs orthodoxes et des Juifs réformés ou libéraux) ? Une lassitude vis-à-vis du conflit, l'absence de perspective de paix ?

Laissez-moi commencer par «idéalement».

Les Juifs de la diaspora ont bénéficié (le genre de bénéfice était souvent la vie elle-même) du libéralisme, du pluralisme, de la tolérance religieuse, de la séparation entre l'Église et l'État et ainsi de suite. Idéalement donc, nous devrions être des supporters ardents de toutes ces valeurs en Israël. Mais, quelle que soit notre fierté à l'égard d'Israël et quelle que soit notre inquiétude pour sa sécurité, nous devrions avoir aussi de l'empathie pour la minorité arabe et les réfugiés d'Afrique. Et nous devrions être des critiques d'Israël quand il agit comme pouvoir d'occupation.

La nature de notre soutien et de notre critique est cependant particulière, liée au fait que nous ne sommes pas citoyens israéliens et que nos enfants ne servent pas, ou rarement, dans l'armée israélienne. Nous ne devons pas nous taire, j'ai critiqué la politique de beaucoup de pays sans partager la vie et le destin de leurs citoyens, mais aucun de ces pays n'est inquiet pour sa propre survie à la différence d'Israël qui, malgré sa puissance militaire, vit avec le risque de disparaître. Les ennemis de l'État ne sont pas seulement conventionnels, ils ont juré de le détruire. Lorsque je critique Israël, je tente donc de m'aligner sur les positions des citoyens qui expriment la même forme de critique. Je ne suis pas en haut d'une montagne imaginaire où je pourrais gronder les méchants Israéliens, je me tiens aux côtés de mes camarades israéliens.

La plupart des Juifs américains soutiennent tout simplement le gouvernement israélien, même s'il leur est difficile de le faire, eux qui, à la maison, sont généralement des libéraux. Les jeunes gens sont toutefois de moins en moins prompts à défendre cette position : certains rejoignent des groupes anti-israéliens à la gauche de la gauche, d'autres se retirent du jeu et s'engagent sur d'autres enjeux politiques. Je continue de soutenir des organisations comme *APN [Americans for Peace Now]*, car je crois que, si les Juifs américains, les jeunes en particulier, en savaient davantage sur la gauche israélienne, ils rejoindraient mon combat.

Dans une lettre ouverte aux supporters d'APN, en 2005 justement[19], vous les exhortez à rejoindre les initiatives que ce dernier organise. Vous citez même le livre de l'Exode pour leur rappeler que « la route vers la libération n'est pas une route facile – c'est une longue marche à travers le désert. Je vous demande, dites-vous, de me rejoindre pour aider Israël et ses voisins arabes à créer les conditions d'un avenir plus sûr et plus prometteur. On ne peut y arriver qu'en prenant la route ensemble[20] ».

En 2006, vous êtes plus concret : vous insistez sur « la paupérisation des classes moyennes, une conséquence, selon vous, des fonds gouvernementaux alloués aux territoires[21] ». En 2008, lorsqu'Israël célèbre ses soixante ans d'existence, vous mentionnez à nouveau le « mauvais usage du triomphe de 1967 », et vous écrivez : « Le rôle du mouvement israélien pour la paix est de faire la paix. Un gouvernement fort est nécessaire pour cela ; le gouvernement qui y arrivera ne sera peut-être pas un gouvernement "peacenik". Le mouvement pour la paix construit et prépare la paix, il est ouvert aux opportunités qui se présentent, il pose les fondations pour un accord futur. Plus les Israéliens ordinaires se sentent vulnérables, plus ces fondations deviennent fragiles, et plus l'effort de ceux qui y travaillent doit être grand. "Pas de paix avec un partenaire qui n'est pas fiable." Cette maxime est peut-être vraie, mais il est tout aussi vrai qu'il n'y aura pas de paix si

Israël n'est pas prêt à faire confiance à un partenaire digne de cette confiance.»

Pourquoi dites-vous que seule la gauche israélienne peut paver la route de la paix[22], alors que vous considérez par ailleurs qu'un gouvernement qui ne serait pas «peacenik» pourrait y arriver? Nous savons que l'argument de la sécurité a été crucial dans toutes les victoires électorales de Netanyahou.

Faire la paix exigerait en effet un gouvernement de gauche très puissant du fait de l'attitude de la droite et de la peur légitime de tant d'Israéliens. Un dirigeant de droite, comme Begin par exemple, aurait la tâche plus facile. Aujourd'hui cependant, le gouvernement de droite fait tout pour empêcher une paix négociée, et seule la gauche peut entretenir l'espoir d'un accord avec les Palestiniens. C'est même son devoir, un devoir modeste, mais d'une importance capitale. La gauche internationale devrait les soutenir en se tenant fermement à la solution des deux États.

Les leaders idéologiques du mouvement *BDS (Boycott Desinvestissement Sanctions)* sont en faveur d'un seul État mais, en fait, ils sont opposés à l'existence même de l'État d'Israël. Cela évidemment n'aide pas beaucoup la gauche israélienne, mais ce n'est pas le but.

Quelle est votre position vis-à-vis de BDS? Vous avez vous-même appelé au boycott, nous en avons parlé[23]. J'imagine que c'est le «ciblage» qui vous importe dans le boycott, un peu comme les «sanctions intelligentes» dont nous avons également parlé. BDS a des ramifications sur les campus universitaires et dans l'économie. En Europe, les magasins qui vendent des produits israéliens (pas seulement en provenance

des territoires) sont visés par le mouvement ; certaines uni-
versités boycottent les universités israéliennes, des chercheurs
refusent les invitations aux colloques. Israël est accusé d'apart-
heid, de colonialisme, d'impérialisme, de violation des droits
humains, de ségrégation dans l'attribution de logements,
dans les entreprises, etc. La liste est longue, et les partisans
augmentent, dans l'extrême gauche en particulier, mais pas
seulement : le mouvement semble s'étendre bien au-delà de
l'activisme anti-israélien habituel[24]. Avez-vous participé aux
débats sur les campus ? De quelle manière vous êtes-vous
engagé dans ce débat ?

Je me suis opposé au boycott universitaire dans les débats
que j'ai eus, à New York, avec les représentants des étudiants.
Je me suis exprimé dans une grande conférence à Princeton,
juste avent le vote sur *BDS* (la résolution a été rejetée), et je
fais partie d'un groupe d'universitaires libéraux de gauche
qui lutte contre *BDS* dans tous les campus où nous avons le
soutien d'associations professionnelles.

Les boycotts universitaires ne sont jamais justifiés, c'est
une offense faite à la nécessaire liberté de la communauté
intellectuelle. La question des boycotts économiques est plus
difficile. Certains d'entre nous cautionnent un boycott pru-
demment appliqué aux produits des territoires occupés et
refusent un boycott qui minerait la force et la sécurité de
l'État (Israël, je le redis, a de réels ennemis). Mais la bataille
devient de plus en plus difficile à mesure que le gouvernement israélien durcit ses positions. Dans les principes toutefois, la ligne est facile à tracer : nous nous opposons aux
politiques du gouvernement, nous croyons dans l'existence
de l'État et espérons le bien-être de ses citoyens.

Je suis assez vieux pour me souvenir des oppositions au gouvernement français en Algérie : elles n'appelaient pas à l'élimination de la France. Il est moins facile de tracer la frontière dans le cas israélien et, bien que personne ne soit prêt à le dire, il y a sans doute un rapport, qui n'est pas fortuit, avec l'antisémitisme.

VII.

Quelle théorie politique ?

L'« intellectuel » qualifie, depuis l'affaire Dreyfus, celui, universitaire, écrivain, artiste, qui prend position, intervient dans le débat public et accepte, au moins pour un temps, de renoncer au confort qu'il trouve dans son bureau ou dans son atelier. Vous êtes, à n'en pas douter, l'intellectuel qui prend des risques et des coups, s'expose aux contradictions, mais ne délaisse jamais sa table de travail et reste fidèle aux exigences de la recherche. De quelle manière votre militantisme politique, en particulier des années 1960, avec ses contradictions – la défense de la guerre des Six Jours, l'opposition à celle du Vietnam –, a-t-il influé sur votre identité de professeur, théoricien du politique ?

Depuis les années 1980, la vie universitaire américaine oblige les étudiants à se professionnaliser très tôt. Je me disputais autrefois avec mes collègues politologues, économistes ou sociologues, avec mes étudiants aussi. Je leur disais que, même si les choix n'étaient pas alors évidents ou faciles à faire, ils devaient, tout en poursuivant leurs recherches, prendre au moins la peine d'écrire pour *Dissent,* ou pour une autre revue politique. Je leur disais que leur travail universitaire en deviendrait meilleur, qu'ils agiraient ainsi en citoyens véritables, que la gauche avait besoin de citoyens actifs de ce genre.

L'expérience du politique a été une expérience relativement limitée pour moi : une décennie de militantisme de gauche lorsque la gauche était dans l'opposition. Nous n'imaginions pas notre retour au pouvoir à l'époque.

De fait, mon travail politique a façonné la manière dont je fais de la théorie politique ; il a eu une influence sur ma volonté d'éviter l'abstraction, d'écrire de la façon la plus concrète possible, d'utiliser des exemples historiques plutôt que des hypothèses étranges auxquelles recourent si souvent les philosophes analytiques. Mon militantisme politique m'a conduit à profiter au maximum de la «licence» qu'ont les théoriciens du politique : nous avons, contrairement aux politologues, la liberté de défendre explicitement nos préférences politiques.

J'ai intitulé l'un de mes derniers cours à Harvard «Socialisme», tout simplement : j'y défendais ma version des théories et des pratiques socialistes. La seule obligation que je m'imposais en cours était de transmettre aux étudiants les arguments *contre* le socialisme de la manière la plus robuste possible. Je n'aurais pas eu à faire cela dans une réunion politique.

Tous mes livres sont des argumentaires politiques, ce ne sont pas des textes de haute théorie. J'ai toujours tenté de soutenir une thèse sur la manière dont les choses devraient être politiquement. *GJI* est un texte qui défend certaines guerres contre d'autres ; *Sphères de justice* est un plaidoyer pour une certaine vision de la démocratie sociale : contre l'égalitarisme plus radical de la gauche et contre le libertarisme de la droite.

Mon dernier livre est ouvertement politique. Il s'intitule *A Foreign Policy for the Left*[1] et propose une réponse à la campagne de Bernie Sanders. Candidat à la présidence des États-Unis, Sanders aspirait à combattre le pouvoir hégémonique global, mais il n'avait rien à dire sur la politique étrangère. La gauche n'a jamais été très bonne dans ce domaine. Dans le livre, je décris ce que la gauche devrait dire et faire, avant tout sur l'usage de la force à l'étranger. Mon livre sur les révolutions séculières et les contre-révolutions religieuses[2] est une tentative de répondre à la renaissance inattendue des politiques religieuses dans le monde, une réponse que la gauche n'a pas formulée à mon avis : l'hindutva en Inde, le zèle bouddhiste au Myanmar, le mouvement des colons en Israël, le fanatisme islamiste et ainsi de suite, nous ne nous attendions pas à cela.

Nous pensions que la sécularisation et le triomphe de la science et de la raison étaient inéluctables dans la modernité, et nous voici confrontés à la folie religieuse. Comment est-ce arrivé ? J'ai observé trois cas, l'Inde, Israël et l'Algérie, pour comprendre ce qui reste des mouvements de libération nationale qui avaient réussi à construire un État dans chacun de ces pays. Trente ou quarante ans plus tard, l'État doit affronter une résurgence du religieux, nous devons maintenant composer avec cela. Donc oui, je vois mon engagement de chercheur comme une continuation de mon engagement politique.

Vous êtes sensible au contexte, vous êtes un penseur pragmatique, mais il y a aussi, dans vos écrits, un soubassement éthique, un système profond de moralité. Vous reconnaissez-vous dans cette description ?

197

Oui, même si je n'ai jamais tenté d'écrire sur les fondements de l'éthique. Ce n'est pas que je ne crois pas à l'éthique, bien au contraire, mais je pense que mon raisonnement repose plutôt sur l'idée de vulnérabilité humaine. Nous sommes tous vulnérables, à la souffrance, à la mort. Quelque chose qui ressemble à l'affirmation de Hobbes selon laquelle tout être humain peut en tuer un autre, par la force, par la ruse. C'est sur l'idée de vulnérabilité partagée que nous avons établi des règles morales qui nous protègent les uns des autres.

Je n'ai jamais essayé de travailler cela plus avant. Pour moi, l'univers moral existe, tout simplement, nous l'habitons. La métaphore que j'utilise toujours est la suivante : nous vivons dans une maison, et nous partons du principe que la maison a une base, une assise, même si je ne suis jamais allé le vérifier. Je tente de décrire l'espace d'habitation, la forme des pièces, et, instruit de ce constat, je propose de mieux meubler la bâtisse, je suggère des améliorations ou une rénovation.

La moralité est une construction sociale. Ce n'est pas *leur*, ou *notre* construction sociale, c'est une construction sociale qui s'est faite sur des siècles et reflète notre humanité commune. Les règles de base de notre moralité sont des règles universelles.

Parmi les ouvrages d'histoire militaire que j'ai consultés avant d'écrire *GJI*, il y avait des travaux d'anthropologues. Peu portaient sur d'autres religions et civilisations, mais j'ai lu suffisamment de choses pour comprendre que les commandements de base sur l'agression ou l'immunité des non-combattants sont universels. Toutes les religions majeures, toutes les civilisations partagent une conception fondamentale : la guerre se fait entre combattants, les non-combattants doivent être protégés. Cc principe s'explique par le fait que la guerre franchit les frontières culturelles et politiques : les règles doivent être compréhensibles par tous, quel que soit le côté de la frontière où l'on se trouve.

Cette moralité universelle, nous pouvons l'appréhender en essayant de comprendre la structure de la maison que nos ancêtres ont construite sur la longue durée. Certaines des prohibitions les plus fondamentales – la moralité est un catalogue de prohibitions – sont très fortes. J'ai tenté de défendre ces principes dans tous mes écrits : ne pas agresser, ne pas tuer de civils, ne pas torturer.

La métaphore de la maison est très parlante, et elle est présente dans toute votre œuvre. Je crois cependant que vos lecteurs les plus critiques ont du mal à comprendre ce mouvement pendulaire entre les principes normatifs, les prohibitions que vous venez de mentionner et les évaluations empiriques, nécessairement subjectives de situations particulières. Il ne semble pas y avoir de système stable : les nouveaux propriétaires et les nouveaux architectes d'intérieur transforment la maison, même si les fondations profondes ne bougent pas.

Nous avons parlé de cette question lorsque nous avons évoqué votre relation avec les philosophes analytiques et leur recours aux expériences de pensée[3]. Ainsi la démarche constructiviste de Rawls qui, pour le dire simplement, part de l'hypothèse du voile d'ignorance – qui modélise la non-pertinence en ignorance – et aboutit aux deux principes de justice rawlsiens : le principe d'égale liberté et le principe de différence.

Votre démarche est différente. Vous commencez à l'intérieur de la maison, vous n'inventez pas la maison[4], vous y habitez,

vous parlez avec les autres résidents, aux habitants des mai-
sons qui ont une architecture différente. Peut-on parler ainsi
de moralité et de justice ? Il faut être moralement et politique-
ment raisonnable, mais d'une manière singulière, indépen-
dante de la cohérence interne de l'argumentation, ou plutôt
qui prend en compte la vraie vie, au-delà de l'architecture du
raisonnement bien fait. Si vous regardez l'«industrie» de la
guerre juste que votre livre GJI *a générée, il semble bien plus*
facile d'avoir un programme éthique carré et définitif que l'on
peut appliquer à tous les cas.

Sans doute. Oui, je n'ai jamais été un penseur systématique. J'écris sur la politique, sur les problèmes politiques du
moment qui me préoccupent, et j'espère évidemment que ce
que je dis n'est pas incohérent, mais je n'ai jamais pensé de
manière systématique.

Chacun de mes livres a un objectif politique. GJI commence par une argumentation contre la guerre du Vietnam
(et une défense de l'attaque préemptive israélienne contre
l'Égypte), se poursuit par un appel à faire les bonnes distinctions et analyse, avant tout, les manières de combattre
de manière juste et celles qui ne le sont pas. La partie du
livre qui analyse le *in bello* est celle dans laquelle je me suis
le plus investi.

Sphères de justice part d'un constat simple : nous avons
besoin d'une société plus égalitaire et nous devrions tout
mettre en œuvre pour la réaliser. Cette recherche d'une
plus grande égalité se distingue de l'égalitarisme radical
que défendaient les gauchistes dans les années 1960. Nous
devons reconnaître que les êtres humains sont différents et
excelleront dans différentes sphères de la vie, et nous devons

admettre ces accomplissements singuliers. Lorsque vous devez choisir le meilleur roman de l'année, vous ne pouvez en prendre qu'un, c'est profondément inégalitaire, mais on n'attend pas d'un critique littéraire qu'il évalue tous les livres de la même manière.

Tous mes ouvrages ont été ainsi conçus ; ils ne sont pas systématiques – je veux dire qu'ils ne constituent pas les éléments d'un système unique. Lorsque j'écrivais *GJI* il me semblait évident que le principe de l'immunité des non-combattants était un principe universel, il me semblait tout aussi évident que la règle selon laquelle les « professions doivent être ouvertes au talent » dépend de ce que la société dans laquelle vous vivez entend par talent. Bref, vous avez raison, il n'y a pas de système.

Vous dites qu'il nous faut des « petites théories[5] », mais qu'entendez-vous par petites théories et comment faut-il les enseigner ? Sont-elles petites parce qu'elles sont modestes dans leur portée ou bien parce qu'elles n'appellent pas à un remplacement des paradigmes existants, mais conduisent à des changements menus, incrémentaux ? J'aime bien la formule d'« ingénierie sociale parcellaire » [piecemeal social engineering][6] de Karl Popper, elle correspond assez bien, je crois, à ce que vous dites du progrès qu'il faut accomplir « ici et là », à un rythme lent mais sûr[7].

Vous devez avoir quelques idées cohérentes sur la manière dont fonctionne le monde si vous voulez agir dans le monde. Le caractère grandiose du matérialisme historique de Marx ne m'a jamais intéressé. Je pense pourtant qu'il est important de comprendre – et comprendre veut dire avoir quelques petites théories – la manière dont fonctionne la lutte des classes, comment on mobilise politiquement les citoyens, comment on forme des coalitions, à quoi ressemblera l'économie dans dix ans, bref de connaître les réponses que nous avons données à ces questions et celles que nous pourrons donner dans l'avenir face à la croissance (ou la décroissance) des inégalités.

Mes théories sociales sont plus fondées sur un travail empirique que sur les théories politiques du type Hegel-Locke. Il faut avoir une idée sur le surgissement des insurrections ou des émeutes et en quoi elles diffèrent des jacqueries médiévales, ces soulèvements qui surgissent et disparaissent très rapidement et ne laissent guère de résidu. Il faut enfin se demander quels types d'action politique engendrent des possibilités d'avenir, et lesquels laissent espérer une action continue dans le temps.

L'immunité des non-combattants est, pour moi, un exemple de petite théorie. C'est une doctrine morale, mais qui doit être soutenue par des explications et des exemples historiques. Ainsi armé, vous pouvez proposer une petite théorie à la fois des raisons de l'immunité des civils, de ce qui qualifie l'immunité, et des instances où les «dommages collatéraux» peuvent être justifiables – ainsi dans la doctrine du «double effet». La théorie du double effet est elle-même une petite théorie, je l'ai à la fois défendue et amendée. Selon cette doctrine, lorsque vous visez une cible militaire légitime en sachant que l'attaque produira des morts ou des blessés parmi les civils, le double effet, secondaire, puisqu'il n'est pas intentionnel, est licite, mais seulement dans la mesure où il n'est pas disproportionné par rapport à la cible militaire visée en premier lieu. J'ai montré qu'il devait y avoir aussi une double *intention*: atteindre votre cible *et* réduire au maximum les dommages infligés aux civils.

Les interventions humanitaires sont un autre exemple de petite théorie. On en débat souvent dans le contexte des très grandes théories sur l'impérialisme ou le néocolonialisme, sur le pouvoir de l'Occident et ses intentions malignes d'intervenir dans le Tiers monde, mais je pense avoir innové en insistant sur quelques exemples-clef d'interventions humanitaires qui illustrent mon idée de la façon la plus claire: le Vietnam, le Cambodge, l'Inde et le Pakistan oriental (aujourd'hui le Bangladesh), la Tanzanie et l'Ouganda, des exemples précisément qui n'impliquent pas les grands pouvoirs – il existe des intérêts stratégiques dans chacun des cas bien sûr, mais qui ne concernent pas ce qu'on appelle communément l'impérialisme ou le néocolonialisme occidental[8]. Si vous considérez de tels exemples, vous aurez une compréhension bien plus fine de ce qu'est une intervention humanitaire et de la situation qui la justifie. Vous saurez mieux aussi, et c'est capital, si l'intervention est juste, nécessaire ou obligatoire. J'ai défendu une idée très simple: si vous pouvez arrêter un massacre, alors vous devez le faire.

Vous m'avez dit que vous vous êtes toutefois lié d'amitié avec un groupe de philosophes qui faisaient de la «théorie politique normative».

C'était à Princeton dans les années 1960. Le groupe comprenait Bob Nozick[9], Tom Nagel[10] et un personnage important pour moi, Stuart Hampshire[11], un philosophe anglais qui était professeur invité au début des années 1960 à Princeton. C'est alors que j'ai fait ma première conférence sur l'obligation politique, plus tard incluse dans *Obligations*[12]. Après la conférence, Stuart est venu me voir et m'a conseillé de faire un travail plus «normatif». C'était très important pour moi, car je n'étais pas un philosophe, et je ne le suis toujours pas, en tout cas pas du genre analytique.

Est-ce à cette époque que vous êtes devenu allergique aux «expériences de pensée bizarres»?

Oui, à Princeton, ou peut-être lors de mon retour à Harvard. J'ai alors rejoint un groupe de philosophes qui, je crois, m'ont accueilli par générosité. Ils étaient inspirés par John Rawls qui a publié, en 1971, sa *Théorie de la justice*[13]. Nous avions tous lu le livre avant sa publication, des chapitres miméographiés circulaient depuis la fin des années 1960. Nous venions de fonder *SELF* : *Society for Ethical and Legal Philosophy* était son nom officiel, car, officieusement, nous l'appelions, signe de notre arrogance juvénile, *Society for the Elimination of Lousy Philosophy* [Société pour l'élimination de la mauvaise philosophie].

Quelle était votre place dans ce groupe d'analytiques? Vous ne partagiez pas leur manière de faire de la philosophie, et vous ne la partagez toujours pas.

C'est pourtant à ce moment que s'est faite mon éducation philosophique, que j'ai compris aussi que j'étais un auteur différent des autres, même si je les admirais.

Ils essayaient de produire une philosophie engagée, c'était aussi mon projet. Ensemble, nous avons créé une revue, *Philosophy and Public Affairs*[14].

Vous étiez, et vous êtes, un philosophe d'un autre genre. Pourquoi insistez-vous sur le fait que vous n'êtes pas un philosophe ? La philosophie analytique n'est pourtant pas la seule manière de faire de la philosophie, loin s'en faut. Ce que vous faites est ordonné à la pratique [practice oriented], c'est, pour moi, un compliment ; vous n'aimez pas la théorie sans la pratique (d'où votre allergie aux expériences de pensée). Au lieu de commencer par les grands principes, au lieu d'être «constructiviste», vous essayez d'abord de comprendre comment cela marche dans la vraie vie ; vous commencez, comme dans GJI, par le travail empirique. Comparée à celle des analytiques, votre démarche est, en somme, inversée. Si les analytiques sont, pour reprendre votre terme, des «inventeurs», vous êtes, comme vous le dites, un «interprète»[15]. Venant d'univers différents vous avez pu cependant poursuivre vos conversations. Amicales ? Intéressantes ?

Elles étaient amicales et certainement intéressantes. J'écrivais *GJI* à cette période. Mes collègues ont beaucoup aimé le livre, même si je faisais appel à des exemples historiques plutôt qu'hypothétiques. Mais, lorsque j'ai écrit *Sphères de justice*, les choses se sont gâtées : certains d'entre eux ont pensé que j'étais devenu apostat.

Vous avez alors enseigné un cours en tandem avec Robert Nozick. Comment deux professeurs, venant de deux planètes philosophiques différentes[16], ont-ils réussi à faire un cours compréhensible pour les étudiants, l'un insistant sur le libertarisme, l'autre sur le socialisme ?

Le cours s'appelait «Capitalisme et Socialisme». Nozick a fait la partie capitalisme. La lecture que Nozick avait du capitalisme était assez différente de la version américaine standard. Le capitalisme est, selon lui, un système économique juste ; il pensait qu'une révolution qui ferait advenir le capitalisme aux États-Unis serait justifiée *(rires)*. C'était un radical à sa manière.

Anarchie, État et utopie[17] *est issu de ce cours. Publié en 1974, il a eu une grande influence. Il n'y a pas un cours sur le libertarisme qui ne commence par une lecture d'*Anarchie, État et utopie.

C'est un livre impressionnant. Nous avons enseigné ce cours sous la forme de débat. Nozick développait ses arguments en deux cours, je répondais par un cours, il répondait à mon cours avec un autre cours. Je faisais ensuite deux cours, et ainsi de suite durant tout le semestre.

Les étudiants ont dû adorer.

Ils ont bien aimé, ceux qui suivaient le cours l'ont vraiment aimé. De ma vie je n'ai jamais préparé un cours aussi minutieusement que celui-ci.

Bob était très très rapide, il avait la rapidité de pensée des meilleurs philosophes, un esprit incroyable aussi. Pas tout à fait comme Sydney Morgenbesser[18], mais ce genre d'intelligence. Vous connaissez l'histoire de Morgenbesser ? On peut faire une digression ?

Sydney Morgenbesser ne faisait pas partie de notre groupe, mais il enseignait la philosophie à Columbia à la même époque. Il est mort il y a quelques années. C'était un philosophe très juif, à l'esprit inouï, ses mots d'esprit étaient répétés partout dans le petit monde de la philosophie[19]. Il n'a pas beaucoup écrit, presque rien en fait, mais il était célèbre pour ses drôles de questions comme par exemple : « Quelle est la question philosophique la plus importante ? » Sa réponse : « Y a-t-il des Juifs sur les autres planètes ? » Il était célèbre aussi pour une autre formule : au cours d'une conférence de linguistique à Columbia, l'orateur expliquait que, selon J. L. Austin, une double négation dans la langue anglaise produit une affirmation, alors qu'une double affirmation ne produit pas une négation ; « Oui, oui », s'est exclamé Sydney du fond de la salle. Morgenbesser assistait régulièrement à la conférence philosophique annuelle du Hartman Institute[20]. Il était très malin, plus juif que de gauche ; il aurait sans doute été gauchiste s'il avait écrit sur la politique[21].

Nous parlions de Nozick. Son livre porte en effet la trace de nos débats en cours. Moi-même, je n'ai publié *Sphères de justice* que dix ans plus tard, mais les arguments avaient aussi été testés dans ce cours auprès de Nozick. J'ai beaucoup appris sur mes propres convictions lors de ces échanges avec Bob.

La philosophie française ne semble pas avoir été très présente dans votre cercle. Où cherchiez-vous votre inspiration ? En Angleterre ? Dans la seule littérature historique et philosophique anglo-américaine ? Je ne veux pas dire vous spécifiquement, je sais que vous vous intéressez à l'histoire française, vous avez notamment écrit sur Louis XVI et la Révolution. Mais la philosophie française ? Sartre par exemple était-il étudié dans les départements de littérature ou de philosophie ?

J'ai lu Sartre, ses romans et ses pièces de théâtre, j'ai particulièrement admiré *Les Mains sales*, et je crois avoir écrit quelque part sur Merleau-Ponty, il faisait partie de l'équipe des *Temps Modernes* et a défendu le terrorisme à l'époque[22]. Dans les années 1960, j'avais aussi des contacts avec *Esprit* où Joël Roman était mon correspondant[23].

Si je comprends bien : pas d'intérêt particulier pour la philosophie française.
Vous évoquez pourtant régulièrement la philosophie continentale, et je pense à ce que vous avez dit un jour de Foucault. Vous le qualifiez, dans un texte assez critique intitulé « La politique solitaire de Michel Foucault », de gauchiste infantile[24].

J'ai dit cela ? *(rires)* Ce texte devait à l'origine être présenté à Princeton, et Foucault devait le discuter. C'est dans cette perspective que je l'ai écrit, mais il a malheureusement annulé sa venue, la discussion n'a jamais eu lieu, et je ne l'ai jamais rencontré. Mais j'ai prononcé ma conférence et je me suis dit alors qu'il y avait chez lui une sorte de profonde irresponsabilité. Son appel à la « résistance » à chaque micro-point du système disciplinaire n'en fait pas un *mouvement* de résistance et ne nous aide pas à façonner une politique de gauche. Il désavoue en vérité ce genre de projet, encore et encore.

Foucault est très populaire en France où se développe une certaine « industrie » foucaldienne. Après beaucoup de travaux sur la société de surveillance, les recherches de nos étudiants portent plutôt aujourd'hui sur le néolibéralisme et sur la manière dont Foucault l'a compris.

Il en est apparemment devenu un défenseur à la fin de sa vie. J'ai lu l'analyse et la critique que Daniel Zamora fait des textes où Foucault adopte cette position[25]. Celle-ci ne contredit pas ses textes plus précoces. L'État de la «sécurité sociale» (que nous appellerions l'État-providence[26]) est une des institutions modernes qui piègent les individus dans le filet disciplinaire. En termes foucaldiens, la dérégulation et le démantèlement de la sécurité sociale doivent avoir un effet émancipatoire. Foucault ne pouvait ignorer que, dépourvu de la protection de l'État, l'individu est exposé aux pouvoirs, micro et macro, des entrepreneurs capitalistes, des managers et des banquiers. Peut-être pensait-il que le libre marché serait plus libre que l'État libéral ou démocratique. Pour ma part, je ne le pense pas.

Ce qui est devenu la philosophie «postmoderne» française et qui a fait un tel effet aux États-Unis ne faisait pas vraiment partie de mon monde. Pas du tout même.

Comment expliquez-vous les réceptions différentes des étudiants? Ceux qui s'engageaient derrière Rawls, ses idées et son style, les «utopies réalistes», la philosophie analytique, la théorie de la justice (et il faut compter ceux qui perpétuent l'industrie post-rawlsienne), et ceux qui ont élu le postmodernisme et la French Theory?

C'étaient en effet deux groupes très très différents. Je dois avouer qu'il a été plus facile pour moi de m'identifier au premier plutôt qu'au second. Que l'on soit d'accord ou non avec eux, il n'y a pas de difficulté majeure à comprendre les arguments des philosophes analytiques. J'ai, en revanche, rencontré des défenseurs passionnés de Derrida, pour ne citer que lui, incapables de m'expliquer ce qu'il veut dire dans un anglais simple. C'est très excitant de faire partie d'un groupe qui débat d'une doctrine ésotérique. Une doctrine très profonde, mais dont les profondeurs sont troubles.

La division entre les étudiants des années 1960 et 1970 a bien d'autres facettes. N'oubliez pas les straussiens[27] qui ont joué un rôle significatif dans la théorie politique universitaire, et dans ma vie.

Lorsque j'ai rejoint Harvard après mon séjour à Princeton, le département de gouvernement était divisé. La moitié des membres voulaient recruter Harvey Mansfield[28], l'autre souhaitait m'élire, l'une était clairement de droite, l'autre de gauche. Le directeur du département a demandé au doyen s'il était possible d'élire deux professeurs, et Mansfield et moi avons été élus. Nos relations collégiales étaient prudentes, nous nous entendions, mais nous faisions très attention.

Les étudiants de Mansfield suivaient mes cours et réciproquement mais, comme j'ai dû le noter quelque part, ses étudiants exprimaient, dans mes cours, à la fois de la déférence et de la condescendance. Une drôle de combinaison ! Ils étaient déférents, car j'étais le professeur, et ils respectaient les hiérarchies et l'autorité ; ils étaient condescendants, car je ne connaissais pas la vérité[29].

À l'évidence, votre pensée et votre démarche sont très éloignées de celles de Leo Strauss. Il me semble cependant trouver dans vos travaux, en particulier sur le judaïsme, un écho à la critique que Strauss adresse à la modernité : le relativisme moral, la rupture des liens entre éthique et politique, la place que l'ancienne phronêsis *(terme généralement traduit par «prudence») laisse à la science et à la technique. Vous ne partagez pas l'idée selon laquelle la modernité ne peut se construire que par un oubli des Anciens.*

Le judaïsme antique, notamment, a beaucoup à nous dire, ne serait-ce qu'à travers la critique sociale des prophètes. La politique des Modernes ne peut se comprendre sans un retour vers le Livre. Dans cette perspective, la foi, et donc le vrai, doivent être pris au sérieux même si l'on sait que le Livre ouvre, dans le judaïsme, sur une lecture infinie. Ces convictions, il me semble, vous rapprochent, dans une certaine mesure, des straussiens.

J'étais certainement plus proche des straussiens que des postmodernes, d'abord parce que j'étais capable de comprendre ce qu'ils disaient. Ils lisaient les textes avec beaucoup de minutie, et ils ont eu le mérite d'élargir le canon ; ils s'intéressaient aux pièces de Shakespeare et aux textes bibliques bien avant que je n'y vienne pour ma part. Ils étaient politiquement engagés, plutôt à ma droite. Mais j'avais une certaine sympathie pour leur conservatisme culturel : je croyais, comme eux, à la valeur des grands livres – même si je ne partageais pas leur admiration excessive pour les grands hommes (et je veux dire Hommes).

Oui, comme vous le dites, Strauss et les straussiens sont attachés au principe de vérité, mais – cette réserve est importante – pas pour les masses. Dans cette perspective, ils imaginent que les vrais philosophes parlent entre eux de la vérité, alors que celle-ci est inaccessible au lecteur ordinaire (comme moi).

Enfin, si je suis prêt à admirer les Anciens, je n'ai jamais considéré que la période classique d'Athènes représente les sommets d'un accomplissement humain jamais égalé depuis. Hannah Arendt et ses adeptes pensent que, lorsque les Athéniens se retrouvaient dans l'assemblée et votaient pour envahir la Sicile, ils agissaient en citoyens politiques libres, une liberté dont nous autres Modernes ne pouvons que rêver (peu importe qu'ils aient pris les mauvaises décisions). Les straussiens attribuent cette même excellence inégalée aux philosophes de la Grèce antique. J'ai la faiblesse de ne pas la voir ; pour moi, cela ressemblait à de l'idolâtrie.

Je n'ai jamais rencontré Strauss lui-même. C'est surtout avec ses épigones de la seconde génération – Harvey Mansfield qui avait étudié avec lui était du premier cercle – que j'ai eu le plus de mots. Tout comme ceux de la troisième génération, ces héritiers ont été le plus souvent des disciples, dans le mauvais sens du terme, des straussiens satisfaits de leur savoir secret. C'est avec eux que je me suis disputé ; certains sont devenus des intellectuels néocons.

C'est bien Dissent *qui a inventé le terme « néocon*[30] *» ?*

Peut-être, mais ce n'est pas moi.

Autour de vous gravitaient donc des rawlsiens, des postmodernes, des straussiens et des membres de l'école de Francfort.

Il y avait un groupe américain dont les membres se disaient théoriciens critiques et qui s'identifiaient avec la tradition idéaliste allemande, plus particulièrement avec Habermas et ses amis. Lorsque j'ai écrit ce livre inachevé sur la pensée politique continentale, j'ai lu tous les Allemands. J'ai rédigé un chapitre sur Kant et un autre sur Hegel, mais j'ai principalement analysé leurs essais, le « Projet de paix perpétuelle » par exemple, ou les textes plus courts et plus faciles que Hegel a écrits au cours de sa vie. Je n'arrivais pas à lire les grands livres, je n'y suis jamais arrivé. Je suis devenu théoricien politique sans avoir lu la *Critique* de Kant. Et j'ai bataillé avec la *Phénoménologie*[31] *(rires).*

J'ai lu le premier Habermas, j'aime bien ses analyses sur la société civile et ses écrits sur les cafés de Londres au XVIIIe siècle[32]. À la suite de cette lecture, j'ai cependant écrit un article sur la théorie idéale du discours, une réflexion sur ce que j'appelle les « conversations philosophiques[33] », celles où l'on connaît par avance le consensus auquel on est censé aboutir. Mais c'est ma seule contribution à ce débat, je pense que ce n'est pas la bonne manière de réfléchir à la politique. Lors du 75e anniversaire de la création de l'Institute for Social Research en 1999, j'ai été invité à Francfort pour donner une conférence. J'ai alors dit mon admiration pour la théorie critique et les arguments qu'elle produit, mais j'ai également insisté sur le fait que la critique sociale, telle que je la conçois, ne requiert pas de théorie critique, au contraire : les grandes théories, celles de Marx, par exemple, ou les théories sur la société de masse ou la fausse conscience produisent quelquefois une très mauvaise critique sociale. Axel Honneth a discuté ma conférence, j'ai moi-même répondu à son intervention dans une *Festschrift* pour Axel. Un désaccord amical, mais un désaccord assez profond tout de même. C'est un autre exemple de ma préférence pour les « petites théories ».

Lorsque j'ai posé la question à Axel Honneth, il m'a répondu la même chose que vous : vous entretenez un désaccord amical, mais un désaccord tout de même. Il me semble pourtant qu'il y a des ponts entre vos travaux ; vous êtes tous deux préoccupés par une justice sociale qui s'intéresse aux individus concrets, à leur réalisation subjective et à la reconnaissance de leurs identités spécifiques. Chez Honneth, cela passe par la «lutte pour la reconnaissance» qui n'est pas seulement classiste et qui ne s'inscrit pas seulement dans les grands schèmes marxistes ou postmarxistes ; il étudie les cultures morales et politiques qui permettent aux acteurs de dire leur expérience, dans leur propre langage. Vous semblez partager, tout en puisant dans des références différentes, une certaine manière de faire de la critique sociale.

Vos désaccords s'expliquent-ils par la différence de formation entre la philosophie – lire les grands textes – et la science politique ou la théorie politique (même si beaucoup de théoriciens ont une formation philosophique, aux États-Unis surtout, mais aussi en Europe). Ou est-ce la manière spécifique que vous avez de lire et d'apprécier ces textes qui vous distingue ?

Ce sont plutôt les textes que je ne lis pas qui, je crois, font la différence. Et aussi ma formation au sein de *Dissent* : écrire dans un anglais fidèle aux enseignements d'Orwell, dans un anglais tel que Irving Howe le maîtrisait. Pour l'éditeur qu'était Irving, écrire était un engagement en faveur de la démocratie. Écrire dans une prose accessible à l'homme ordinaire.

Il y a une belle expression en français, connue de tous les écoliers, elle est de Boileau. Il y est sans doute moins question de l'aspect démocratique qu'intellectuel de la clarté d'expression : « Ce qui se conçoit bien s'énonce clairement. » Votre prose est en effet toujours claire, peut-être est-ce pour cela que vous ne vous identifiez pas à la French Theory dont certains représentants utilisent un langage inutilement compliqué.

C'est en effet ce qui m'a rendu hostile à une bonne partie d'entre eux. Derrida n'écrit pas dans ma langue, et réciproquement, mais, même dans les traductions anglaises, ce n'est pas mon anglais *(rires)*.

J'en ai parlé récemment avec Avishai Margalit[34] lorsque nous étions à Jérusalem. Affaibli par la maladie, il s'exprimait très doucement, mais il était par ailleurs tout à fait lui-même, intellectuellement toujours aussi affûté. Il m'a raconté sa rencontre avec Derrida lors d'une conférence en Norvège. Ils ont eu une conversation au petit déjeuner, puis ont fait une promenade ; Avishai me disait que Derrida était, selon lui, un bon Juif social-démocrate, et qu'ils avaient eu une conversation très agréable. Plus tard, Derrida a prononcé sa conférence : une transformation radicale, il parlait soudain dans une langue totalement différente.

J'aime beaucoup, et je crois que vous l'aimeriez aussi, son livre sur la langue, sur la bataille qu'il a menée pour s'exprimer dans une langue authentique, sur la déconstruction et son rapport avec la compétence linguistique[35]. Il dit qu'il n'a qu'une langue, mais que ce n'est pas sa langue (puisqu'il s'agit de la langue de culture, le français colonial). Il se décrit comme monolingue, mais il a, en même temps, besoin d'une autre langue (c'est une façon de définir la déconstruction). Je ne suis pas une spécialiste de Derrida, mais il décrit très joliment comment il est nécessaire de posséder une langue appropriée sans être pleinement capable de l'utiliser.

Nous devrions ici reprendre le débat sur Jeff McMahan. Car l'une des différences entre nous renvoie à ce que je disais de moi-même : je ne suis pas un philosophe.

L'un des collègues de Jeff, David Rodin[36] – d'origine néozélandaise, il a donné des cours en Australie mais vit et enseigne désormais en Angleterre, à Oxford –, un philosophe très malin, est responsable du groupe de recherche sur la guerre et l'éthique de la guerre à Oxford. Il a écrit un livre sur ce sujet qui défend une théorie de la guerre juste proche du pacifisme. Mais ce qu'il y a de plus remarquable pour moi est le fait que ce livre a été écrit en Angleterre, qu'il débat de toutes les problématiques liées à la Défense nationale mais ne mentionne pas une seule fois la bataille d'Angleterre, l'un des exemples les plus importants de la Défense nationale au XXᵉ siècle. Il contient une vaste bibliographie, mais le seul livre répertorié qui porte véritablement sur la guerre est celui de Thucydide, toutes les autres références relèvent de la philosophie morale. C'est une démarche très différente de la mienne : j'ai compulsé des ouvrages sur l'histoire militaire pendant cinq ans avant d'écrire *GJI*, et je crains de n'avoir consulté que très peu d'ouvrages de philosophie morale. J'ai lu Thomas d'Aquin et les dominicains espagnols, qui sont des figures héroïques dans l'histoire de la guerre juste. Savez-vous que les membres de l'Université de Salamanque se sont réunis en assemblée solennelle pour voter une résolution disant que l'occupation espagnole de l'Amérique centrale a été une violation du droit naturel ?

Oui, mais, à la même époque, ils discutaient du fait de savoir si les Indiens étaient réellement des êtres humains.

Bien sûr, et ils brûlaient des hérétiques aussi. Je reconnais tout cela. Mais ce fut tout de même un grand moment.

D'après ce que je comprends, vous pensez que l'«industrie de la guerre juste», comme vous l'appelez, s'est totalement détachée de la réalité de la guerre ?

La plupart des chercheurs qui travaillent pour cette industrie ne s'intéressent pas réellement à la guerre. C'est un phénomène étrange : ils s'intéressent à la philosophie morale, ils s'intéressent à la théorie de la guerre juste – et le sujet de la théorie de la guerre juste est la théorie de la guerre juste.

Il arrive de même que la justice soit éclipsée par des arguments sophistiqués qui relèvent de discussions internes seulement, celles que vous dénoncez dans votre «critique des conversations philosophiques». Mais il arrive aussi que la philosophie de la justice traite effectivement de la justice. Je pense à l'«expérience» de la justice ou de l'injustice chez Judith Shklar[37] que vous avez bien connue à Harvard, aux études raciales ou encore aux travaux sur le féminisme, une question que nous retrouverons dans nos échanges sur SJ.
Il me semble aussi que les philosophes ou les théoriciens du politique abandonnent quelquefois la politique aux sociologues ; les grands sujets importants du passé, les classes, les partis, les syndicats, ne sont guère travaillés par eux. Ce qui est vrai de l'industrie de la guerre juste l'est aussi de la philosophie morale en général : la politique a été avalée en quelque manière par la discipline.

Vous avez raison, cela arrive souvent, peut-être même dans les départements de littérature anglaise ou de littérature comparée où les professeurs semblent avoir perdu leur intérêt pour les romans et la poésie, et choisissent de se consacrer à la théorie littéraire.

Mes recherches sur la justice ont été menées de la même manière que celles sur les guerres justes et injustes. Avant de réfléchir à la méritocratie, j'ai ainsi consulté des sources sur le système des examens en Chine. J'adore ce genre de recherches – je n'arrive pas à réfléchir à ces questions de façon abstraite. Qui a droit à un poste de fonctionnaire ? Qui devrait être admis dans une université ? Combien de services l'État a-t-il le devoir de fournir ? Qui devrait exécuter les travaux difficiles, ces basses œuvres dont les sociétés ont besoin ? Il me faut réfléchir très concrètement à ces questions, et j'hésite à donner des réponses abstraites ou définitives, cela explique aussi pourquoi je ne pense pas être un philosophe.

Je vous ai déjà dit mon désaccord, ou alors il faudrait redéfinir l'objet de la philosophie. À côté des grandes branches de la discipline, la critique sociale contribue à la noblesse du métier, et cela commence par l'«ouverture au monde tel qu'il est[38]*» et par l'appel aux siens pour vivre selon les aspirations les plus hautes, vous l'avez souvent dit. Les prophètes sont de tels critiques, et Socrate aussi.*

Sans doute, mais pourquoi tant de débats philosophiques contemporains sont-ils si différents, pas seulement dans la philosophie analytique avec ses exemples étranges ? Il y a des livres entiers sur l'exemple du tramway[39]...

Oui, il y a même des sites web exclusivement dédiés à ce problème. Mais il existe aussi des débats intéressants sur l'utilité des expériences de pensée. Certains sont assez intuitifs et défient notre imagination philosophique. L'histoire que raconte Judith Jarvis Thomson dans son célèbre article sur le violoniste, « A Defense of Abortion[40] », ou la philosophie expérimentale de Kwame Appiah qui réfère l'éthique de la vertu et notre bonté ou méchanceté innée aux résultats expérimentaux de la psychologie sociale[41], par exemple. Comme le note justement Jeremy Waldron, tout ce que montrent ces études, « c'est que nous devons examiner nos jugements spontanés en recourant à notre sensibilité morale, mais alors nous devons aussi questionner l'origine et la fiabilité de cette sensibilité elle-même[42] ». En d'autres termes, même si nos réactions spontanées à des cas difficiles sont souvent contre-intuitives, la philosophie appliquée fuit la question de la « socialisation morale ». C'est une alternative, ou plutôt un addendum à la philosophie analytique, et c'est assez populaire dans les cours.

Bien, vous n'êtes pas philosophe, vous n'aimez pas les expériences de pensée, vous n'êtes proche d'aucune des philosophies (continentale, appliquée, analytique, critique) représentées dans les départements où vous avez enseigné. Mais on dit de vous que vous êtes un homme « suprêmement raisonnable ».

Michael Kazin à qui vous devez cette description vous estime aussi comme un homme de gauche « décent[43] ». En quoi êtes-vous un homme de gauche décent ?

Je suis un homme de gauche pour sûr, et déterminé à résister aux bandits de la gauche – c'est, je vous l'accorde, une définition minimaliste de la gauche.

Michael Kazin est mon successeur à *Dissent*. Nous avons les mêmes opinions politiques, mais peut-être pas les mêmes passions. Il m'a dit un jour : « Je n'ai pas les mêmes intuitions que toi sur Israël. » Il est juif, il a été élevé dans une famille juive séculière, il a une vision du Proche-Orient qui ressemble à la mienne, mais sans ce sentiment profond d'attachement qui est le mien. Pour répondre à votre question, je ne dois donc pas être complètement rationnel ! Je ne suis pas non plus rationnel comme le sont les philosophes analytiques. Je crois que j'aspire à être raisonnable. C'est différent.

Quelles sont vos plus grandes déceptions dans votre carrière de théoricien du politique, et vos plus grandes joies, en politique et à l'université ?

Je devrais réfléchir à cela. Comme je vous l'ai dit, ma plus grande surprise a été la réception, par l'Académie militaire américaine, de *GJI*. Ma plus grande déception ? Que l'audience de mes idées politiques n'ait pas dépassé une petite minorité d'individus qui étaient convaincus avant que je n'aie à le faire. Ce ne sont pas les applaudissements qui me manquent, je regrette plutôt davantage d'assentiment.

Des premiers articles que vous avez écrits dans les années 1960 aux derniers de l'année 2018, des lignes de force se dégagent. Quel est donc le dénominateur commun ?

J'ai décidé de ne pas faire l'histoire de la pensée politique, mais de réfléchir politiquement à la politique contemporaine. Comme je vous l'ai dit, c'est arrivé au moment où j'étais professeur associé à Princeton et que je parlais avec Robert Nozick et Tom Nagel. Stuart Hampshire m'a fortement encouragé dans cette voie.

Il y a un fil directeur, mais il y a aussi des évolutions, des ruptures, des événements qui ont donné une nouvelle orientation à votre travail.

Je ne sais pas, je me suis souvent dit que j'étais d'une ennuyeuse consistance. J'ai commencé social-démocrate, je terminerai social-démocrate. Je connais tellement de gens qui ont évolué vers la droite ou vers la gauche, je les ai regardés bouger, mais je suis moi-même resté très à la même place.

VIII.

L'expérience de la minorité
et *Sphères de justice*

Sphères de justice marque une étape importante dans votre parcours. Prenant place entre GJI et Exodus et révolution, le livre souligne l'étendue de votre curiosité, mais aussi la consistance de votre pensée. Il prolonge vos travaux antérieurs et fait signe vers vos textes ultérieurs. En ce sens, il pourrait être compris comme une sorte d'architecture générale de votre œuvre.

Fidèle et cependant novateur, le livre amorce ce que l'on pourrait appeler « une nouvelle méthode philosophique », inaugurée, pour partie, dans GJI : pas de généralisations a priori, mais une pensée ordonnée aux problèmes sociaux empiriques. Le point de départ n'est pas une situation idéale, mais une expérience particulière.

Si vous le permettez, je résumerai la thèse principale du livre de la manière suivante : il n'y a pas de système, de lieu unique de la justice, mais une pluralité de sphères de justice. L'équité de la distribution dépend de la valeur des biens ou des choses à distribuer et des significations sociales qui leur sont attachées. Chaque sphère possède par conséquent ses propres critères de distribution. Cela pose la question de la contingence et de la contextualité des critères de justice.

Comme Charles Taylor, dont nous avons parlé et que vous admirez, vous pensez que «la société libérale, comme toute autre société, ne peut tenir ensemble par la seule satisfaction des besoins et des intérêts de ses membres. Elle requiert également un ensemble de croyances sinon communes, du moins largement partagées, qui rapportent sa structure et ses pratiques à ce que ses membres considèrent comme ayant une signification ultime[1]». Or, selon vous, ce n'est pas seulement la définition de l'identité individuelle qui implique «une attitude à l'égard de questions morales et spirituelles[2]», la justice elle-même ne peut se concevoir sans référence aux valeurs qui lui préexistent et qui sont portées par sa communauté. Faire justice est donc, comme vous le dites, un «art de la différenciation[3]», et «la meilleure analyse que l'on puisse donner de la justice distributive est une analyse de ses parties: [des] biens sociaux et [des] sphères distributives[4]». Les critères de distribution dépendent en effet du fait que nous distribuons des biens sociaux; dans la mesure où les significations sociales attachées aux biens que nous distribuons sont historiques, l'équité de la distribution évolue avec le temps; et, puisque les significations changent, les critères de distribution doivent être autonomes, autrement dit se réaliser dans des sphères distinctes.

L'équité de la distribution et l'autonomie des sphères servent une exigence fondamentale: la non-domination. Ainsi la distribution des biens doit se faire de telle manière qu'aucun bien x ne se distribue en vertu de la possession d'un bien y. Il y aurait tyrannie en effet si les critères de distribution d'une sphère étaient utilisés ailleurs, là où ils ne sont pas adaptés, la tyrannie étant précisément de vouloir obtenir par une voie ce que l'on ne peut obtenir par une autre. Ainsi, je ne dois pas accéder à la sphère politique en vertu de ma position avantageuse dans un autre lieu, la sphère économique par exemple.

Arrêtons-nous un instant sur la date de publication. 1983, la (courte) histoire des théories de la justice est déjà en partie écrite. Rawls a publié sa Théorie de la justice *une dizaine d'années auparavant, et les réactions à son texte ont été très nombreuses. À proprement parler,* Sphères de justice *ne se situe pas dans ce registre ; il va plus loin et propose une approche très différente de la justice, la vôtre. Vous avez pris le temps de la réflexion.*

Rawls publie son grand livre sur la justice en 1971 et Nozick le sien en 1974. La justice distributive était alors un sujet chaud, beaucoup d'auteurs s'y intéressaient, inspirés peut-être par la politique des années 1960. Cela s'est un peu estompé ensuite, et quelques très bons livres sur la justice distributive, arrivés un peu tard, n'ont pas trouvé dans le monde universitaire l'attention qu'ils auraient méritée. Ce n'était pas tout à fait un phénomène de mode, mais cela y ressemblait.

Ce n'est pas le cas de votre livre. Sphères de justice *a suscité de riches débats. De l'admiration sans doute, on n'imagine pas un livre ou un cours sur la justice où il ne trouve pas sa place. Mais aussi des critiques, des interrogations, parfois de la colère. Parlons d'elles d'abord si vous le voulez bien : par leur diversité et leur vigueur, elles sont un hommage à l'originalité et à la profondeur de votre pensée. En commençant peut-être par le chapitre sur l'appartenance.*

Ce que vous dites de l'appartenance est original et novateur. L'appartenance à une communauté politique est un « bien social» dites-vous, *c'est même un bien premier qu'il s'agit de distribuer de manière équitable. Vous ajoutez que cette appartenance est cependant toujours déjà-là, que nous sommes toujours déjà membres, c'est là une donnée de notre vie politique et sociale. Vous défendez trois idées : l'appartenance est la condition même de l'existence d'une communauté politique ; le territoire est l'abri (le «refuge») d'une communauté ; la justice sociale n'est possible qu'au sein d'une communauté de valeurs et de significations partagées*[5].

Oui, c'est cela. Le chapitre sur l'appartenance a été le plus contesté, mais je pense avoir été le premier à voir dans l'appartenance un bien à distribuer. C'est même le premier bien qui doit être distribué.

Je voudrais revenir sur la question des voisins et des frontières. Vous ne vous interrogez pas sur la légitimité du tracé originel de la frontière, mais vous posez deux questions : d'une part, qui est habilité à se prononcer sur le partage de l'appartenance politique (avec les autres : étrangers, réfugiés, hôtes) ? D'autre part, sur quels (bons) arguments peut-on s'appuyer pour décider, de la manière la plus juste, d'ouvrir ou non les frontières de la communauté politique ? Reprenant votre réflexion sur l'État, vous dites que c'est le territoire qui fonde le lien d'appartenance commune, et que ce lien repose sur les «significations partagées», les «special committments» des uns vis-à-vis des autres. Vous n'êtes pas insensible à la détresse de ceux qui souhaitent entrer, ou rester sur le territoire de la communauté une fois admis.
Ce qui précède est manifestement lié à ce que vous avez écrit ailleurs sur la guerre et la légitimité des interventions

humanitaires. Quelle est la «bonne frontière»? Le chapitre consacré à l'appartenance dans Sphères de justice *est souvent cité dans les débats sur la frontière et les politiques d'immigration. Vous partagez avec David Miller l'idée d'une politique d'immigration juste. Il est injuste, selon vous, qu'une «bande de citoyens-tyrans» gouverne des «métèques modernes»[6]. Faut-il alors considérer, avec la plupart des cosmopolitiques, que les frontières, n'étant ni justifiables ni légitimes, doivent être a priori rejetées? Un libéral cohérent dira qu'elles sont incompatibles avec la justice. C'est la position que défendent Joseph Carens ou Charlez Beitz. Tout individu* assujetti *aux lois ou* affecté *par les lois doit, en démocratie, participer à leur élaboration. Ce principe essentiel ne pouvant être appliqué aux migrants – ils sont soumis à une loi (ou à une politique de l'immigration) à laquelle ils n'ont pas contribué –, les frontières sont, de ce fait, illégitimes.*

Votre approche est plus empirique, et plus réaliste. Les frontières, dites-vous, existent; nous devons les rendre justes, les plus justes, tout en protégeant la culture partagée de la communauté nationale.

Les frontières existent en effet, et nous devons parfois les défendre. Mais nous avons des obligations vis-à-vis des gens qui se trouvent de l'autre côté et qui sont désespérés. C'est très difficile, tant de gens ont perdu l'espoir. David Miller et moi-même défendons une politique généreuse vis-à-vis des réfugiés.

Que les frontières soient illégitimes me semble assurément faux. S'il doit y avoir une communauté politique et des groupes solidaires les uns avec les autres, s'il doit y avoir un bien commun, il faut qu'il y ait des frontières. Vous ne pouvez avoir de social-démocratie ou d'État-providence sans frontières. Et si vous voulez de l'autodétermination, la détermination d'un soi collectif, le « soi » doit exister en tant que soi, capable d'agir dans le monde. J'ai appris cela à Princeton en 1964 lorsque j'étais conseiller facultaire de *SDS*. Lors de sa création à l'université, *SDS* était une organisation naturellement ouverte : pas de frontières. Les jeunes républicains ont répondu à l'invitation qui était adressée à tous les étudiants, ils sont venus et ils ont voté pour la dissolution du groupe. Celui-ci s'est ensuite reconstitué avec des frontières : ses membres ont dû explicitement reconnaître les principes de l'organisation. C'est ce qui a inspiré mon idée de la « communauté de caractère ». Nous avons besoin de limites si nous voulons que notre pays ait un caractère particulier. Cela n'interdit pas d'accueillir des immigrants qui viennent parce qu'ils admirent le pays, ou des réfugiés qui viennent parce qu'ils n'ont pas le choix.

La question devient véritablement difficile lorsqu'il y a des masses de réfugiés, comme on le voit aujourd'hui, et comme on le verra sans doute dans le futur. Regardez les difficultés de Merkel. L'Allemagne a accueilli, en 2015, plus d'un million de migrants, mais elle n'a pas été suivie par les autres pays européens. Que faire ? Considérant que vous êtes le « bon » pays, celui qui accueille des réfugiés, êtes-vous obligé de les accepter *tous* parce que tous les autres pays les refusent ? Ici, le plaidoyer pour les limites devient, me semble-t-il, évident. Dans son propre intérêt politique, mais aussi afin de favoriser le processus d'intégration, Merkel aurait dû dire à un certain moment à la France, à l'Angleterre ou à la Pologne : c'est à présent votre tour.

L'appartenance est le premier bien que nous distribuons, tous les autres biens sont ensuite répartis parmi les membres.

Cela ne fait-il pas de l'appartenance un bien dominant qui détermine la distribution de tous les autres ?

Oui et non. L'appartenance est certes une précondition qui engage les autres distributions, mais elle ne les corrompt pas. Aucun bien ne revient aux membres en vertu de leur seule appartenance ; ils ne bénéficient de la sollicitude de l'État que s'ils remplissent les conditions nécessaires : ils n'ont accès à des métiers que s'ils sont qualifiés ; ils ne gagnent des prix pour leurs livres que s'ils écrivent d'excellents livres. Je dirais que le droit de vote qui est associé à l'appartenance et à la citoyenneté rend en effet les membres d'un État « dominants » au regard, par exemple, des résidents étrangers ; c'est pourquoi je me suis tant battu pour l'accès à la citoyenneté des travailleurs immigrés aux États-Unis. Je soutiens aussi l'accès à la citoyenneté pour les millions de migrants dits « sans-papiers » et leurs enfants.

Miller plaide pour des principes généraux et distributifs d'accueil, en particulier en Europe, mais il dit aussi que les États n'ont de devoirs spécifiques d'hospitalité que pour les réfugiés. Il essaie de comprendre ce que pourraient être des « revendications particulières », celles des Gurkhas, par exemple. Il reconnaît que l'Angleterre leur doit « les conditions d'une vie confortable », mais il ne semble pas penser que cette dette ouvre sur un droit d'immigration et d'installation[7].

C'est une question très importante, nous l'abordons dans notre livre *Getting Out*[8]. Après une aventure impériale, après une guerre, même juste, après une occupation, juste ou injuste, il restera des individus compromis ou vulnérables à cause de vos actes, et vous devez les sortir de là. C'est, pour moi, une obligation absolue à leur égard.

Il ne s'agit généralement pas d'un nombre élevé d'individus susceptibles de mettre en danger le processus d'intégration dans votre société. C'est juste, et vous devez le faire. Les plus exemplaires – nous citons de nombreux cas dans le livre – sont les Britanniques après la Révolution américaine.

Ils ont fait partir, dans de petites embarcations, quarante ou cinquante mille tories qui allaient été maltraités, ou voulaient simplement partir, estimant qu'ils devaient quitter la nouvelle république. Ils les ont rassemblés à New York pendant plusieurs mois, puis ils les ont tous fait embarquer. Les moins fortunés sont partis au Canada, les plus riches en Angleterre. Les Britanniques ont fait une distinction entre les classes sociales, mais ils les ont tous assistés. En Algérie, les Français ont abandonné des gens qui avaient travaillé avec eux, que le FLN allait tuer. Au Vietnam, puis en Irak, les Américains ont fait de même. Il y avait les collaborateurs et les informateurs bien sûr, mais aussi les chauffeurs de camion, les cuisiniers, les secrétaires, etc., des gens qui avaient coopéré avec les Américains et qui allaient certainement subir un mauvais sort après notre départ. Nous avons des obligations vis-à-vis de ces individus, ils ont des demandes spécifiques à faire valoir, peu importe que nos interventions à l'étranger aient été bonnes ou mauvaises.

Cela pose la question des réparations, sous forme de restitution de territoires par exemple. La littérature sur cette sorte de réparation, en particulier des crimes coloniaux, est immense.

La question des réparations, par exemple de l'esclavage aux États-Unis, est difficile. Les individus qui devraient en assumer le poids n'ont strictement rien à voir avec l'esclavage, et cela est vrai de toutes les réparations. Celles que l'Allemagne a versées à Israël ont été supportées par des gens qui n'étaient pas...

Je vous interromps, c'était en 1952-1953[9], les Allemands qui payaient avaient leur part de responsabilité.

Oui, mais l'argent venait aussi de ceux qui étaient peut-être des opposants au régime ; je concède cependant que ce n'est pas le meilleur exemple. S'agissant de l'Amérique, je préférerais que l'argent public soit affecté à la création d'une société plus égalitaire plutôt qu'à la réparation des injustices commises cent cinquante ans plus tôt. En Afghanistan, les Américains auraient dû apporter leur aide à la reconstruction politique. Notre responsabilité dans la destruction du pays est lourde. Nous avons soutenu, dans les années 1980, les opposants à l'Union soviétique et nous les avons ensuite abandonnés. Nous sommes nous-mêmes intervenus en Afghanistan, mais nous n'avons pas pris notre part à la recomposition de la société. Mobilisée par la guerre d'Irak, l'administration Bush ne s'est pas préoccupée de la reconstruction de l'État afghan. Faute d'avoir agi hier, nous sommes témoins de ce qu'est l'Afghanistan aujourd'hui.

Revenons à Sphères de justice. Je vous ai entraîné sur le terrain des frontières et des interventions, parce que le chapitre sur l'appartenance a été discuté par des générations de philosophes ; les critiques et les interrogations ont porté sur des points différents : votre relativisme lors de la parution du livre ; les questions de politique migratoire aujourd'hui.

La revue critique de Ronald Dworkin publiée dans la New York Review of Books *est particulièrement sévère ; vous avez réagi, il a répliqué, soulignant ainsi à quel point votre travail bouleversait l'équilibre des positions*[10]. *Dworkin décrit, paradoxalement, votre ouvrage de la manière suivante : «Il [Michael Walzer] espère rompre l'emprise du style formel sur la philosophie politique anglo-américaine de ces dernières années. Les représentants de cette philosophie tentent de trouver une formule inclusive qui permettrait de mesurer la justice sociale dans toutes les sociétés et pourrait par conséquent servir de test plutôt que comme une simple élaboration de nos arrangements sociaux conventionnels.»*

Dworkin – il n'était pas le seul – pensait que j'avais adopté une position relativiste. Certains la jugeaient à la fois idiote et moralement fausse.

Non seulement relativiste («le profond relativisme de Walzer à l'égard de la justice», écrit Dworkin), mais aussi conservatrice et trop communautarienne : «L'idée selon laquelle le monde est divisé en cultures morales distinctes, et que le but de la politique serait d'encourager la valeur de la "communauté" en respectant les différences, est depuis toujours associée au conservatisme politique et au relativisme moral.»

Votre réponse sur ce point est explicite : «[...] La plupart des relativistes diraient que je suis un doctrinaire aussi ennuyeux que Dworkin lui-même. Nous partageons en effet le désir d'élaborer des principes moraux. Nous ne sommes en désaccord que sur la puissance de ces principes ou, plus exactement, sur leur étendue. Je ne cherche pas à imposer des principes adaptés à tous les êtres humains, en tout temps. Et je ne partage pas l'idée – qui me semble vraiment étrange – que les principes de justice dans lesquels se reconnaissent les Américains s'appliquaient aussi aux anciens Babyloniens. Ce n'est pas que cela rendrait la recherche de principes de justice incroyablement difficile, cela la rendrait au contraire trop facile, car les principes ne seraient alors applicables à personne en particulier. La tâche la plus difficile est de trouver, dans la vie des individus auprès desquels Dworkin et moi-même vivons, des principes latents, des principes qu'ils peuvent reconnaître et adopter. »

Dire que je ne cherche pas à imposer des principes adaptés à tous les êtres humains ne fait pas de moi un relativiste. L'idée selon laquelle la justice distributive est relative aux significations des biens à distribuer est elle-même en vérité une idée universaliste : elle sert à ordonner, en tous lieux, les règles distributives. J'ai tenté de clarifier ma position sur ce sujet dans *Thick and Thin*[11].

L'attention portée aux histoires particulières, aux conditions locales et aux biens sociaux différents se trouve déjà dans mon livre sur la guerre. *Guerres justes et injustes*, mes l'amis l'ont reconnu, est porteur d'une doctrine universaliste : puisque la guerre se fait entre entités culturelles et politiques, ses règles doivent par conséquent être compréhensibles des deux côtés de la frontière : le principe de l'immunité des non-combattants est ainsi un principe universel. Mais le livre est aussi attentif à l'histoire et à l'expérience singulière des soldats ; et, par cette approche, je me distingue des philosophes analytiques. Cette différence est devenue un clivage lorsque la théorie de la guerre juste est devenue une véritable « industrie philosophique ».

Vous dites pourtant que les philosophes analytiques ont beaucoup aimé GJI. À quel moment a pris fin votre « entente cordiale » ? Lors de la publication de Sphères de justice ?

Sans doute. J'ai dû faire l'expérience de notre différence d'approche avant eux, je savais que je faisais quelque chose de différent.

Un certain nombre de féministes ont contesté vos analyses, Susan Okin en particulier, l'une de vos plus vigoureuses critiques et votre ancienne élève[12]. Votre description des significations partagées, ou plutôt de la manière dont elles fonctionnent dans nos sociétés, est, selon elle, patriarcale, et donc inadéquate.

J'ai répondu à son objection dans un texte, « Feminism and Me[13] » − c'était en partie un hommage à Susan qui nous avait quittés −, publié dans *Dissent*. Sa critique m'avait particulièrement affecté, elle n'était pas injuste, elle développait une lecture du texte, et il fallait que je m'y confronte. Je l'ai fait à plusieurs reprises en soulignant que les « significations partagées » qui étaient au cœur de ses critiques, mais aussi de celles d'autres lecteurs, n'étaient pas vraiment partagées, que ses objections n'étaient pas aussi neuves qu'elle le pensait. De même que les « esclaves heureux » sont un mythe créé par les maîtres, la soumission volontaire des femmes à la domination masculine est une invention patriarcale. J'ai expliqué cette idée dans un chapitre du livre édité par Martha Nussbaum et Amartya Sen[14].

Contrairement aux théories contractualistes, classiques ou contemporaines, votre approche de la justice n'est pas hypothétique. Vous réfléchissez aux conditions d'un consensus véritable, non pas à travers des situations hypothétiques, des régressions dans le temps, mais à travers l'analyse et la résolution concrètes de situations d'injustice dans différents lieux pertinents (les sphères) au sein de la société.
C'est peut-être cela qui a posé problème à vos lecteurs ?

Je soutiens que les significations partagées ne le sont pas vraiment dans les sociétés radicalement inégalitaires ou dans les sociétés qui connaissent des formes de subordination. Si elles ne sont pas partagées, elles n'ont pas l'effet que je leur assigne dans ma théorie de la justice distributive. Nous devons alors voir si l'on ne trouve pas ailleurs d'autres valeurs partagées et tenter de résoudre les différences par un ensemble d'accords plus profonds. C'est ainsi que j'ai tenté de répondre aux arguments de la subordination des Noirs et des femmes.

Martin Luther King par exemple faisait appel aux significations partagées dans sa lutte pour les droits civiques. Que signifie la citoyenneté dans nos sociétés ? Il en appelait à l'histoire de la création et à l'image de Dieu. Il citait souvent ces passages de la Bible. Vous savez, l'une des implications de la théorie de l'argumentation rationnelle chez Rawls est que l'on ne peut pas faire appel à ces doctrines qui sont...

... des « doctrines morales et compréhensives ».

Oui, on ne peut pas recourir aux doctrines morales ou religieuses. Pour cette raison, on ne pourrait pas citer la Bible dont les enseignements correspondent à de telles doctrines morales et compréhensives.

En effet, on ne doit pas les mobiliser à des fins politiques, car elles ne sont pas partagées ou partageables – il faut s'en tenir à une «raison publique» où ne sont invoqués que des arguments ouverts à tous les citoyens, qu'ils soient croyants ou non. Bref, l'invocation des commandements bibliques est considérée comme un argument d'autorité.

Et pourtant Martin Luther King...

Oui, vous avez raison, les abolitionnistes ont également fait valoir des arguments religieux pour combattre l'esclavage. Sandel a raison de le souligner dans sa critique de Rawls[15].

Justement, vous avez souvent parlé de l'«expérience de la minorité», et vous n'avez jamais renoncé à votre plaidoyer en faveur du pluralisme. On peut penser que cela est lié à votre propre expérience de la minorité, mais aussi à la lecture que vous faites de la Bible.

Oui, cela vient de ma propre «expérience de la minorité». J'ai découvert le pluralisme dans la Bible beaucoup plus tard, par exemple en lisant les trois codes légaux dans la Torah et en constatant qu'ils sont différents, tout en étant là, présents, côte à côte. Tous reprennent l'expression «Dieu vivant», comme il est dit quelque part dans le Talmud. Je crois que mon engagement en faveur du pluralisme apparaît le plus clairement dans un petit livre que je dois à un ami italien. Il a rassemblé mes textes sous le titre *What It Means to Be an American*[16], paru d'abord en italien puis en anglais. Je pense en effet que les États-Unis sont le meilleur endroit pour vivre en diaspora, la meilleure nation-hôte. L'Amérique n'est pas un État-nation unitaire, c'est une société d'immigration, une société pluraliste. J'ai beaucoup réfléchi à cette question.

Lorsque vous étiez tout jeune, vous pensiez que le judaïsme et le socialisme étaient la même chose ?

C'est une idée assez commune, dans la gauche new-yorkaise du moins. Les « *red diaper babies* » avec qui je suis allé à l'université partageaient cette conviction. Ils ne connaissaient pas bien le judaïsme, mais ils savaient que c'était une religion de la sollicitude pour l'étranger, de la passion pour la justice, et je demeure convaincu que la réponse juive au mouvement des droits civiques, aux jeunes Noirs dans le Sud, a un lien avec le *Seder*[17], avec la manière dont on célébrait la pâque juive, tout particulièrement dans les familles séculières. L'idée que nous devions transmettre était celle-ci : nous avons été esclaves en Égypte, ils ont été esclaves dans le Mississippi, nous devons nous joindre à leur combat. C'est cela qui a poussé tant de jeunes Juifs dans le Sud. Même si l'alliance n'a pas été durable, les droits civiques ont donné naissance à une sorte de coalition Noirs/Juifs.

Cela nous ramène à la question du lien entre judaïsme et travail de recherche. Vous venez de dire que votre identité juive et votre travail intellectuel s'enrichissent l'un l'autre.

Et pourtant la thèse de *Sphères de justice* vient de Pascal. La citation de Pascal, reproduite au tout début du livre[18], a été une vraie inspiration. Pourquoi Pascal ? Je ne sais pas, peut-être quelqu'un m'avait-il suggéré de lire les *Pensées*. Je l'ai fait lorsque j'ai écrit ce livre sur la pensée politique continentale qui n'a jamais été publié, la citation m'est restée en mémoire. Je l'ai ensuite reliée à une remarque similaire de Marx. Ils apparaissent tous deux dans le premier chapitre de *Sphères*[19]. Là se trouve l'origine de l'idée des différentes sphères de distribution. J'ai creusé l'idée selon laquelle tout dépend d'abord de la signification que les bénéficiaires donnent aux biens qu'ils reçoivent. La justice distributive varie d'abord avec la nature des biens distribués ; elle varie ensuite selon les sphères dans lesquelles les biens sont distribués ; elle varie enfin dans le temps et selon les cultures et les religions des sociétés. Les biens possèdent des significations différentes, ce qui entraîne différents principes de distribution, comme vous l'avez rappelé. C'est cette insistance sur la « différence » que mes amis philosophes ont détestée.

Je devrais ajouter une autre source d'inspiration. J'ai grandement bénéficié de l'aide de Clifford Geertz lors de la conceptualisation de *Sphères de justice*. Geertz[20] était mon collègue à l'Institute for Advanced Studies à partir des années 1980, mais je l'avais lu avant cela. Son approche de l'anthropologie culturelle s'accorde bien avec mon engagement en faveur des « significations partagées ». On pourrait dire que, grâce à son influence, j'ai produit une théorie anthropologique de la justice distributive.

Pascal, la Bible, les Juifs…, il est temps d'ouvrir le dernier volet de notre entretien.

IX.

La politique dans la Bible.
Dans l'ombre de Dieu

Dans l'ombre de Dieu *est une lecture politique d'un texte religieux. C'est un livre merveilleusement paradoxal. Vous pensez que la religion d'Israël est «profondément indifférente» à la politique, et vous écrivez pourtant un ouvrage sur «la politique dans la Bible hébraïque» (le sous-titre de* Dans l'ombre de Dieu)[1]. *Ce paradoxe peut avoir deux explications: on pourrait dire que l'ombre de Dieu est tellement imposante qu'il ne peut y avoir de politique au sens grec – et moderne – du mot; on pourrait dire aussi que la politique d'ici-bas (si cela a un sens dans l'Israël antique) est «libre» et «ouverte à la détermination prudente et pragmatique».*

La Bible a toujours été lue de manière sélective. Comme elle a été rédigée par morceaux successifs, nous pensons que ce n'est pas une manière contre-intuitive de la lire ainsi aujourd'hui. J'ai toujours été frappé par le fait que les parties qui la composent sont souvent en contradiction les unes par rapport aux autres. Les éditeurs *(sic)* n'ont pas tenté de résoudre ces incohérences, ils ont conservé le puzzle tel qu'il se présentait, en l'état. Là se trouve l'origine de l'adage rabbinique qui apparaît quelque part dans le Talmud : « Ceux-ci et ceux-là sont les paroles du Dieu vivant[2]. »

Malgré les efforts tendant à réserver le champ de l'interprétation à des lecteurs qualifiés – les prêtres puis les rabbins –, le fait qu'on ne gomme pas, ou qu'on n'harmonise pas des énoncés contradictoires, est le signe d'une ouverture, d'une invite à l'interprétation[3].

Dire, comme vous venez de le faire, qu'il y a dans la Bible des incohérences ou des contradictions que les « éditeurs » n'ont pas tenté de gommer procède d'une lecture « scientifique » plutôt que d'une lecture de la foi, ne croyez-vous pas ? Une lecture ésotérique, rabbinique, celle de l'insider en somme, ne parlerait jamais d'incohérence. Un croyant véritable dirait que la Torah nous a été donnée par Dieu ; que les contradictions dans le texte doivent être expliquées au sein du plan d'ensemble, comparées pour de bonnes raisons, mais au service d'un ensemble qui ne saurait être incohérent.

C'est la version officielle, mais les éditeurs du texte biblique devaient bien être conscients qu'ils incorporaient des fragments légaux et des récits historiques différents. Ainsi, entre le récit de l'Exode et celui des Nombres, la narration réitérée de l'histoire d'Israël consignée dans les trois premiers chapitres du Deutéronome comporte six différences majeures (je ne tenterai pas d'en rendre compte ici, les lecteurs se référeront au texte). Les rabbins de l'âge talmudique ont essayé d'harmoniser les contradictions, mais ils ne s'accordaient pas, et leurs divergences apparaissent clairement dans le texte. Très souvent, deux visions se succèdent sans que soit décidée quelle est la bonne version.

Votre approche de la Bible hébraïque rappelle celle que vous privilégiez dans vos travaux, disons plus séculiers. Vous vous saisissez de catégories politiques contemporaines – l'appartenance, la loyauté, l'autorité, la justice – et vous retracez l'origine de ces termes à travers les méandres complexes de la Bible : deux Alliances, trois codes légaux.

Dans l'ombre de Dieu *marque une étape dans le long voyage intellectuel qui a commencé, si je puis dire, avec l'Exode de votre bar-mitsva. Il forme un élément essentiel de votre pensée avec les quatre volumes sur la pensée politique juive que vous coéditez[4], mais il arrive assez tard. Comment et quand est venue la décision de relever un tel défi ?*

Le livre sort aujourd'hui ; car, lorsque vous atteignez un certain âge, vous avez la liberté de faire ce que vous voulez. J'ai écrit ces chapitres, j'ai bataillé, je les ai présentés ici ou là, dans des conférences ou des lectures, pendant vingt ans sans avoir le courage de les rassembler. Le champ des études bibliques est si vaste, et les spécialistes si érudits : il faut connaître au moins six langues anciennes, et me voici à lire la Bible en anglais. Pour les passages disputés, je peux me référer au texte hébreu et faire semblant d'être moi-même un érudit, mais en réalité je travaille avec une série de traductions anglaises, la version King James avant tout, car c'est l'anglais du roi, l'anglais de Shakespeare !

Mais vos lectures sont vastes.

Oui, de nombreuses lectures réparties sur des années. J'ai aussi donné un cours, « Biblical Politics » [Politique dans la Bible], à la New School, à New York, au début des années 1990 ; ma femme était doyenne, et elle m'a persuadé de le faire. C'est alors que j'ai écrit la majeure partie de ce qui allait devenir le livre, même s'il y a eu ensuite beaucoup de réécritures. Les analyses érudites que je connais le mieux sont celles des experts de ma propre génération.

Moshe Greenberg de l'Université hébraïque a été une source d'inspiration très importante. Je suis allé en Israël au début des années 1980 avec mon manuscrit *De l'Exode à la liberté*[5] sous le bras, un texte issu d'une série de conférences que j'avais données à Princeton. La question était simple : dois-je le publier ?

Moshe Greenberg m'a accueilli, et nous avons étudié ensemble le texte de l'Exode ; il a lu ce que j'avais écrit et m'a encouragé. C'était un homme formidable. L'un de ces érudits qui connaissent les six langues dont je parlais à l'instant. Il m'a dit que ma perspective, celle d'un théoricien du politique, était intéressante. En vérité, la plupart des spécialistes ne lisent plus la Bible comme un texte : ils la décomposent en petits fragments et se chamaillent pour savoir si tel passage a été écrit deux cents ou plutôt quatre cents ans avant tel autre. Je ne peux pas me mêler à ces débats, je n'en ai pas les ressources. Il a fallu que je propose mes propres hypothèses, par exemple que tel texte est plus ancien que tel autre. Prenez les passages sur la royauté dans le Deutéronome : s'agit-il de commentaires sur le règne du roi Salomon ou d'événements plus anciens ? À mon avis, il s'agit bien d'un commentaire sur Salomon ; mais, comme je n'ai pas le courage de m'engager dans les débats d'experts, je me contente d'expliquer les postulats qui soutiennent mon raisonnement.

Votre formation vous porte vers une lecture politique de la Bible, et votre engagement politique vous porte à insister sur les textes, disons les plus contemporains ou les plus actuels de la Bible.

Je songe aux passages sur l'adhésion du peuple à l'alliance mosaïque, par exemple, qui renvoie à ce que vous appelez une «quasi-démocratie». La religion de l'ancien Israël, dites-vous, anticipe «certains aspects de la culture démocratique (le terme est manifestement anachronique), [notamment] l'égalité et la participation des profanes». Bien que le règne de Dieu soit absolu, il s'exerce néanmoins selon la loi: «Le choix de leur Dieu par les Hébreux reflète vraisemblablement leur conception de la liberté et de la volonté[6].»

Cette «quasi-démocratie» a trois caractéristiques: l'Alliance (mosaïque); la Loi (tous, y compris «l'étranger parmi nous» et les rois qui n'ont pas contribué à faire la Loi, y sont assujettis); la prophétie. Les prophètes sont les critiques sociaux de leur temps; leur critique, à la fois licite et écoutée, est un signe de démocratie religieuse.

Lorsque vous découvrez dans la Torah une forme de démocratie, une «quasi-démocratie», n'avez-vous pas tendance à forcer le sens du texte, à lui faire dire plus qu'il ne dit? À céder à une lecture pieuse, comme on ferait des vœux pieux?

L'Alliance et la Loi se rapprochent – tout en se distinguant – de la compréhension moderne de la démocratie: elles sont inclusives, comme vous dites; elles font appel au consentement.

L'autre moment démocratique dans la Bible se retrouve dans l'activité du prophète: lorsqu'il sort dans la rue, y prophétise et y débat. Que fait-il? Pourquoi pense-t-il qu'il est important d'argumenter en public? Il parle à des gens ordinaires, dans une langue qui nous paraît aujourd'hui très figurée parce que nous avons du mal à la comprendre, mais qui était sans doute en son temps tout à fait compréhensible. C'est un véritable moment démocratique.

À l'inverse, on note des instances antidémocratiques dans le texte biblique. L'établissement de la monarchie par exemple : elle est réclamée par le peuple – on pourrait donc dire que c'est, à l'origine, un moment démocratique – mais, après qu'elle a été mise en place, les rois développent une idéologie royaliste qui ressemble en toute chose à celle de leurs voisins, la « basse théorie de la monarchie[7] ».

J'ai tenté de ne pas lire la Bible hébraïque avec les lunettes du social-démocrate, mais je pense qu'il y a, parmi les remarques des prophètes, en particulier celles d'Amos, des arguments qui pourraient inspirer les sociaux-démocrates contemporains. Ce que je souligne le plus dans mon interprétation est cependant très éloigné de mes propres convictions politiques : dans le chapitre sur les prophètes et la politique internationale en particulier, je reconnais le caractère fondamentalement *antipolitique* d'un certain nombre de grands scribes de la Bible.

Mais il y a des contre-courants tout aussi puissants : d'un côté, vous ne cessez de dire qu'il n'y a pas de théorie politique, qu'il n'y a pas de « programme » politique, et qu'il ne saurait y en avoir ; et, de l'autre, que la Bible est pleine de politique. Il suffirait de la lire attentivement pour découvrir qu'elle ne parle que de cela, de politique. « L'implication de Dieu produit l'impatience des hommes. Il y a une tension entre la passivité prophétique et l'impatience, mais ce sont les deux côtés de la même médaille. La disposition d'esprit qu'il faut pour concevoir un monde dont Dieu est désengagé, un monde où la politique est ambiguë et contingente, est totalement différente[8]. »

Il y a de la politique, et il existe au moins une tentative de construire une idéologie politique, c'est la tentative royaliste que l'on trouve dans certains Psaumes. Les rois doivent faire savoir qu'ils gouvernent, qu'ils agissent dans le monde comme des acteurs politiques. Des prophètes comme Isaïe pensent que cela n'est pas possible. Tenter d'agir en homme politique est une usurpation du rôle de Dieu ; les rois sont par conséquent condamnés à échouer.

L'expérience de la royauté a produit l'un des livres les plus remarquables de la Bible, le livre de Samuel, qui parle des règnes de Saül et de David. Moshe Halbertal et Stephen Holmes ont publié un ouvrage sur Samuel et son «auteur», qui, selon eux, a inventé quelque chose comme la théorie politique[9]. Il est vrai que l'auteur, quelle que soit son identité, a un sens aigu de la manière dont fonctionne la politique monarchique. Son récit est une narration dont Dieu est presque absent ; c'est une histoire séculière, ou peut-être une nouvelle séculière, très différente de tous les autres livres d'histoire dans la Bible, le Premier ou le Second livre des Rois ou les Chroniques. Je ne saurais pas définir Samuel, c'est un cas très particulier. À mon avis, son interprétation n'est pas en contradiction avec ce que sont les enseignements centraux, politiques et religieux, de la Bible : comment les gens devraient se comporter au sein de leur communauté ; comment Dieu agit dans le monde. Il n'y a pas véritablement d'enseignement dans Samuel, mais le livre est très instructif.

On pourrait dire que l'histoire que raconte Samuel doit être surmontée ou oubliée, surtout si l'on considère que la lignée davidique produit le Messie. J'essaie de montrer que la théologie royaliste remplace l'expérience royaliste, mais le fil que je tiens, comme vous le dites, est celui de l'antipolitique biblique, opposée à toute forme d'autonomie des rois.

L'une des versions de l'antipolitique, celle qui s'est généralisée dans la pensée politique juive, est que les Gentils, les *goyim*, ont besoin de politique. Pas nous, puisque Dieu prend soin de nous.

L'histoire de Joseph en est l'illustration parfaite. Joseph prédit qu'il y aura une famine en Égypte, Pharaon le charge de s'en occuper. Il organise la conservation du blé, il crée le premier État-providence en garantissant l'accès à la nourriture. Deux ou trois cents ans plus tard, les esclaves hébreux marchent dans le désert sans avoir chargé quiconque de l'approvisionnement. Un Joseph leur est inutile puisque Dieu va leur fournir la manne céleste. C'est un exemple classique du contraste que j'évoquais : les *goyim* ont besoin de Joseph, ou de quelqu'un comme lui ; pas nous.

Ce thème revient constamment. J'ai prononcé une conférence au Shalom Hartman Institute en 2018 où j'ai évoqué l'histoire de Nachshon au pied de la mer Rouge. La Bible dit que les esclaves en fuite s'adressent à Moïse, désespérés ; ils sont au bord de la mer et ils entendent les chars égyptiens s'approcher. Personne ne pense à organiser la résistance, à creuser par exemple ce que nous pourrions appeler aujourd'hui des « pièges à chars » qui auraient permis d'arrêter l'avancée des Égyptiens. Moïse dit aux siens : « Soyez silencieux, soyez immobiles et attendez que Dieu vous libère. » C'est tout, il n'est pas besoin d'agir. L'histoire de Nachshon a été inventée, car certains auteurs juifs étaient eux-mêmes mal à l'aise devant tant de passivité et de désespoir populaire[10]. L'histoire ne figure pas dans la Bible, c'est un *midrash* : Nachshon plonge dans la mer sans attendre la libération divine. Il est le seul à ne pas être effrayé et passif.

Vous avez souvent mentionné cette passivité des Hébreux et ce que vous appelez leur «déférence». La «mentalité de la galut[11]», l'état d'esprit que vous retrouvez chez les Juifs et les Israéliens observants, existe depuis la destruction du Temple. Elle a, selon vous, des conséquences importantes. Malgré le règne des rois d'Israël sur ce que nous appellerions aujourd'hui un empire multinational, les Juifs n'ont pas l'expérience d'un gouvernement s'étendant à d'autres nations. Cela explique la difficulté d'Israël à assumer aujourd'hui sa responsabilité politique vis-à-vis des autres groupes ethniques, nationaux et religieux. Vous citez quelquefois le discours prononcé par Ben Gourion lors d'un rassemblement du Mapai en 1947[12], le désir qu'il avait de voir son pays vivre en paix avec ses (futurs) citoyens arabes. Nous savons malheureusement que ce rêve ne s'est pas tout à fait réalisé et que les pères fondateurs avaient peu de choses à dire sur un État juif qui gouverne et prend soin d'autres peuples.

Les rois David et Salomon ont de fait régné sur d'autres peuples. Nous ne savons pas avec quelle efficacité et s'ils se préoccupaient de leur bien-être, mais ils ont bien régné sur un (petit) empire multinational et multi-ethnique.

En exil, en situation de *galut*, depuis Babylone, ou peut-être depuis les patriarches en Palestine, les Juifs n'ont gouverné, lorsqu'ils étaient en position de le faire, que les leurs. Les communautés exiliques étaient radicalement homogènes, il n'y avait pas de non-Juifs. Durant plus de mille huit cents ans, les Juifs n'ont jamais assumé la responsabilité d'autres peuples. Ils n'avaient aucun sens de la charge que représente la gestion d'un État souverain vis-à-vis d'autrui. Lorsque l'État souverain est advenu, les leaders n'étaient pas préparés à cette tâche.

J'ai raconté cette histoire du ministre du Travail du premier gouvernement Netanyahou. Lors d'un long séjour en Israël, j'ai lu dans *Haaretz* que le ministère du Travail avait poursuivi un restaurant, à Eilat, je crois, qui avait obligé ses employés à travailler le jour du shabbat. Le restaurant avait dû payer une amende de deux cent mille shekels ; ses responsables avaient fait appel ; la Cour avait réduit l'amende à dix-huit shekels (environ quatre euros) et avait vertement rappelé à l'ordre le ministre du Travail en disant qu'il avait déjà poursuivi d'autres restaurants pour des faits similaires mais qu'il ne s'était jamais intéressé à la sécurité des ouvriers dans les usines, ou au bien-être des travailleurs immigrés. Comme les autres députés ultra-orthodoxes, il considérait qu'Israël est un État comme tous les autres dans le monde exilique : on peut y recourir pour ses propres fins, mais il n'a aucune obligation vis-à-vis de ses propres citoyens.

Il ne comprenait pas qu'un État, où des gens comme lui sont citoyens et fonctionnaires, doit être au service du bien commun. C'est cela la mentalité de la *galut*. Il n'existe pas véritablement de cas équivalent dans la Bible. L'histoire de l'Égypte y est si importante : on vous dit qu'il y a des étrangers parmi vous et qu'il ne faut pas les contrister, car vous étiez vous-mêmes étrangers en Égypte. Encore et encore et encore. Bien sûr, nous ne savons pas comment les étrangers, les inconnus, étaient véritablement traités ou reçus, mais le texte est très clair à leur sujet.

Oui, la notion de « ger » [l'étranger] est capitale. La Bible répète à de multiples reprises que nous devons le respect et le soin à l'étranger, dans l'Exode, le Lévitique et le Deutéronome. Cela inclut les Juifs eux-mêmes dont on dit qu'ils sont étrangers sur une terre qui ne peut être vendue car elle est la terre de Dieu (« car le pays est à moi, car vous êtes chez moi comme étrangers et comme habitants », Lv 25, 23).

Vous avez dit, dans une conférence à Shalom Hartman sur l'État d'Israël et le sens de la souveraineté, que le peuple juif d'est en ouest et les sionistes historiques avaient, les uns, une mentalité de shtetl *et, les autres, une idéologie radicalement séculariste, et que ces deux groupes ne pouvaient s'entendre[13]. Bien que la communauté des* galutniks *se soit passablement étoffée, les deux représentations existent toujours, selon vous, en Israël. Vous plaidez pour une réconciliation entre tradition et sécularisme : les Israéliens séculiers, en particulier, ont beaucoup à apprendre de la tradition juive. Pouvez-vous expliquer ce que vous voulez dire par là ?*

Je pense que Ben Gourion avait un sens aigu de la façon dont, d'un point de vue moral, l'on doit traiter les étrangers, autrement dit les minorités dans un État-nation moderne. S'il n'y avait pas eu la guerre, lui-même et les premiers gouvernants du nouvel État auraient eu la charge d'une minorité palestinienne importante dans le cadre d'une politique, je suppose, décente sinon pleinement égalitaire comme l'exige la Déclaration d'indépendance. Ce genre de politique est évidemment plus simple si vous avez une conception séculière de l'État. Pour Ben Gourion, Israël était l'État des Juifs, non de la religion juive – le modèle était la France, l'État du peuple français, ou la Norvège, l'État du peuple norvégien. Ainsi compris, le traitement des minorités n'aurait pas été un problème particulier à Israël : en principe, tout pays sait, malgré les difficultés et les échecs, y faire face.

Ce n'est pas ce qui s'est passé. Les sionistes séculiers ont dû gouverner un peuple dont une grande partie est religieuse – des religieux traditionnels ou des «ultras» – pour qui la peur et la haine des non-Juifs sont presque un réflexe. Ils ont tenté de passer outre les sentiments religieux de leur peuple, de «nier la *galut*» là où il aurait été plus sage de tenir compte de ces sentiments. Il aurait été nécessaire, je dirais moralement et politiquement nécessaire, d'exprimer un engagement critique, mais aussi sensible. Songez aux féministes religieuses (pas seulement parmi les Juives mais aussi parmi les femmes musulmanes): elles argumentent depuis l'intérieur de leur communauté, elles réinterprètent les textes religieux. Cela peut se faire aussi depuis l'extérieur, en étudiant les textes anciens et en débattant avec et à partir de ce corpus.

Vous aimez utiliser un autre terme, lié à celui de galut: *la* shtadlanut. *Il désigne aussi un certain type de mentalité dont vous voyez la résurgence aujourd'hui. Cela me fait penser au débat entre Arendt et Yerushalmi*[14]. *Lire la littérature qui traite de la* shtadlanut *offre, dites-vous, une puissante justification de l'État, mais exige que nous revenions aux enseignements de la Bible au lieu de demeurer prisonniers d'une mentalité de l'exil – retranchés, humiliés, persécutés (la mentalité qui correspond au sentiment que «tout le monde est contre nous»). Entrer dans un système d'États veut dire entrer dans un monde d'égalité formelle entre États souverains et endosser de nouvelles responsabilités. Quels enseignements peut-on trouver dans la Bible sur l'interaction entre nations? Y a-t-il une «politique étrangère de la Bible»?*

Je vois la *shtadlanut* comme l'équivalent d'une politique étrangère de la communauté *[kahal]* ou des communautés exiliques en général. C'est une politique de déférence, de crainte, d'humbles appels à la protection – incarnée par la prière traditionnelle pour le roi (certaines synagogues orthodoxes aux États-Unis ont remplacé le roi par le «président») où l'on demande «qu'il nous traite avec bonté».

L'intérêt d'avoir un État est d'avoir des gouvernants sans être des mendiants, des gouvernants au service de notre bien-être. Un tel État doit avoir une politique étrangère digne d'un État, revendiquant ses droits et endossant ses obligations et ses responsabilités. Dans la Bible, il y a de nombreuses descriptions de la politique impériale, des conquêtes d'Assyrie et de Babylone, mais seul le premier livre d'Amos parle d'une société d'États où les membres jouissent d'une certaine égalité ; le prophète déplore les «transgressions» des mini-États voisins et quelquefois rivaux des deux monarchies israélites. La liste de ces transgressions forme une sorte de code légal international, comme Max Weber l'a bien vu dans son *Judaïsme antique*[15]. Le livre d'Amos pointe ici les responsabilités que nous aimerions voir aujourd'hui assumées par l'État d'Israël.

Pensez-vous que l'on puisse surmonter le «paradoxe de la libération nationale», et comment ? Il me semble que le «retour du religieux» n'est pas une réaction nécessaire au nationalisme séculier, mais plutôt une négation d'un certain nombre de valeurs, la quête de réponses et de solutions au-delà de la politique. Vous regrettez le manque de dialogue entre les leaders messianiques et un personnel politique résolument séculier.

Ce sont en effet les solutions « au-delà de la politique » ou plutôt « au-delà de la politique des hommes » que recherchent les Juifs fanatiques d'aujourd'hui. Je me dis que leurs arguments politiques ne font sens que si l'on pense l'intervention divine à portée de main. Ils ressemblent aux zélotes de l'ancien temps qui attendaient que Dieu interrompe le siège romain de Jérusalem. Au regard de cette attitude, le sécularisme n'est qu'une question de bon sens. Les sécularistes sont attachés à l'égalité entre Juifs et non-Juifs, à l'égalité entre les hommes et les femmes ; les revivalistes religieux, dont les racines sont profondes, ne reconnaissent ni l'une ni l'autre – le rejet de l'égalité constitue même un élément fondateur de leur croyance. On peut pourtant défendre les deux égalités, non seulement par la raison, mais aussi de l'intérieur de la tradition, par la religion elle-même. Nous devons soutenir ces deux types de défense, pour des raisons morales et démocratiques, et pour des raisons pragmatiques.

Revenons à Dans l'ombre de Dieu. *Les Hébreux ont inventé deux Alliances, abrahamique et mosaïque : la première est exclusive et dépend du droit de naissance ; la seconde est issue du choix, du consentement et du respect de la Loi, elle se transmet par « les mots et non les armes » et sert de modèle aux théories du contrat. Pourrait-on dire que le communautarisme et le libéralisme sont des avatars modernes de ces deux Alliances ?*

L'Alliance est véritablement, pour les auteurs anglais et néerlandais des XVIe et XVIIe siècles, le début de la réflexion sur le contrat social. Et ces auteurs adoptent évidemment la version du consentement.

Shalem – vous connaissez ce groupe de réflexion de droite[16]? Il est moins à droite sans doute aujourd'hui que lors de sa création. Son fondateur s'appelle Yoram Hazony[17], un homme qui a grandi dans le New Jersey; je l'ai connu lorsqu'il était étudiant, il me chahutait chaque fois que je m'exprimais au centre Hillel de Princeton. Il s'est ensuite installé en Israël et a fondé le Shalem Institute avec l'aide de fonds américains de droite. Je dois dire qu'il est très malin, il a fait venir des personnalités très intéressantes qui ont fait de Shalem un centre assez différent de ce qu'il était à l'origine. Il a fondé une revue, *Hebraic Political Studies*, dans laquelle j'ai quelquefois écrit. Certains chapitres de *Dans l'ombre de Dieu* ont d'abord été édités sous forme d'articles dans la revue[18].

L'éditrice principale s'appelait Meirav Jones. La revue défendait l'idée que l'ensemble de la pensée politique libérale occidentale, la pensée constitutionnelle, trouve son origine dans le judaïsme. J'exagère sans doute un peu, mais le principe directeur de la revue ressemblait à ceci : les pauvres *goyim* n'ont jamais rien inventé eux-mêmes. Des contributeurs, par ailleurs très qualifiés, partageaient cette idée : ainsi Fania Oz-Salzberger[19] à Haïfa, ou Eric Nelson, un théoricien du politique de Harvard qui a écrit un très bon livre intitulé *The Hebrew Republic* [La République hébraïque][20].

Il se trouve que, au cours des XVIe et XVIIe siècles, plus d'une centaine de traités ont été publiés avec des titres comme « le Commonwealth hébraïque ». Tous ont tenté d'extraire une pensée politique de la Bible ou des textes rabbiniques plus tardifs. Tous ont pour point commun de travailler sur l'idée d'un contrat entre le gouvernement et le peuple, en revisitant le motif de l'Alliance biblique entre Dieu et les Hébreux. Je n'ai donc rien inventé, l'idée a été très influente.

Il y a des différences notoires entre l'Alliance biblique et d'autres conceptualisations proche-orientales plus précoces qui décrivaient les accords passés entre rois supérieurs et rois inférieurs, et s'apparentaient à des pactes et à des alliances entre royaumes : le roi supérieur acceptait le tribut d'un roi inférieur, sorte de vassal – on appelle généralement cet accord « *brit*[21] ». La Bible a introduit l'idée que l'ensemble du peuple devait rejoindre l'Alliance, même s'il n'avait pas de droit de veto sur les différents commandements : il fallait qu'il adopte la totalité des règles.

Le peuple a en effet accepté l'Alliance, mais ce qui importe, c'est qu'il l'a fait par consentement. Les rabbins ont développé cette idée plus avant et ont insisté sur son importance. Un *midrash* dit que les Hébreux ont consenti, mais à quoi exactement ? Dieu a soulevé la montagne, l'a tenue au-dessus de leurs têtes et a dit : « Acceptez mon Alliance ou je vous enterre sous la montagne. » Et les Hébreux ont accepté. Un autre rabbin commente : « Si c'est bien cela qui est arrivé, alors l'Alliance ne pouvait pas contraindre le peuple, car son accord avait été extorqué. » On le voit, cette trame du gouvernement par consentement n'est ni toujours défendue ni pleinement développée dans la tradition juive, mais elle existe. Et certains rabbins l'ont comprise de manière très concrète[22].

Toutefois, je ne pense pas que l'on puisse dire que l'autre Alliance, l'engagement éternel de Dieu derrière le peuple d'Israël ou la maison de David, soit communautarienne (certains communautariens sont aussi des théoriciens du consentement) ; elle est inconditionnelle et ne dépend pas du comportement du peuple ou du roi. Plus tardivement, elle a pu servir des buts politiques aussi différents que le monarchisme ou le nationalisme. Le problème de cette seconde Alliance est évidemment que le dévouement éternel de Dieu n'a pas toujours, ni même régulièrement, été visible ou, pour le dire autrement, utile.

Dans L'Ombre de Dieu, *vous dites qu'il y a consentement et qu'il existe une volonté libre. Qu'il y a de la « politique dans l'ombre*[23] *». Au* XVIe *siècle, l'ombre d'un autre Dieu, si je puis dire, planait aussi sur la politique. Avant, pendant et même au-delà de la Révolution française, je ne crois pas que l'ombre de Dieu se soit estompée.*

Vous avez raison. Je devrais vous raconter mon histoire de la Révolution française − telle que je l'ai découverte lorsque j'ai réfléchi à la *paracha* de ma bar-mitsva. Mon premier article universitaire était inspiré de quelques lignes de ce texte : Moïse descend de la montagne, découvre le veau d'or et les Hébreux dansant autour de l'idole ; il dit : « Ainsi parle l'Éternel, le Dieu d'Israël : Que chacun de vous mette son épée au côté ; traversez et parcourez le camp d'une porte à l'autre, et que chacun tue son frère, son parent, et son voisin[24]. » Cet épisode ne marque pas vraiment un moment démocratique. J'ai tenté d'en retracer l'histoire dans un article publié dans la *Harvard Theological Review* intitulé « The History of a Citation[25] ». Le passage a très souvent été utilisé par des auteurs chrétiens pour justifier la persécution religieuse, mais aussi par des auteurs que l'on n'identifie pas immédiatement comme chrétiens : Hobbes ou Machiavel, par exemple. On pourrait penser que le fil des commentaires s'est rompu avec les Lumières, il n'en est rien.

Pendant la Révolution anglaise, l'épisode a souvent été rappelé pour justifier la purge de ceux que l'on estimait insuffisamment zélés. Il a été un peu moins évoqué lors de la Révolution américaine, et l'on pourrait penser qu'il a disparu sous la Révolution française où il était plus courant de faire référence aux textes classiques qu'aux citations bibliques. Ce n'est pas exact : lorsqu'on demanda à Collot d'Herbois, un jacobin membre du Comité de salut public, combien de temps durerait la Terreur, il répondit : « trente à cinquante ans », ce qui, pour moi, veut dire quarante ans. À l'évidence, une référence biblique aux années passées dans le désert, le temps qui s'est écoulé avant que la génération des esclaves ne disparaisse et ne soit remplacée par des hommes et des femmes sans mémoire de leur condition en Égypte. Collot ne pouvait pas faire cette référence explicitement, mais il a dit aux siens : nos quarante années.

Je me suis beaucoup amusé dans cet article. Je l'ai développé dans une conférence sur la politique dans la Bible à l'Université hébraïque de Jérusalem. J'ai terminé mon intervention par une référence à Lincoln Steffens. C'était un radical, un journaliste progressiste du début du xxᵉ siècle, une personnalité alors assez importante de la gauche aux États-Unis. Il a, en 1926, publié un ouvrage intitulé *Moses in Red*[26] [Moïse en rouge] – le Moïse rouge était Lénine – où il cite « mon » passage [Exode, 32] pour justifier ce qu'il appelle la terreur rouge et la purge des mencheviks. Le texte a bien résonné à travers les âges, n'est-ce pas ? Et je dis à tous ceux qui ont fait leur bat ou leur bar-mitsva : « Puisque vous avez étudié votre *paracha* pendant des mois, utilisez ce savoir ! »

En principe, il faut relire sa paracha *tous les ans. L'avez-vous fait ?*

Non, mais cette année, j'ai fait ma seconde bar-mitsva[27]. J'ai été appelé à la Torah et j'ai fait la *dracha*, le commentaire, sur le même passage.

Dans L'Ombre de Dieu, *vous dites que Dieu n'a pas « décrété une politique, mais une éthique ». On sait que, pour les Grecs, il n'y avait pas de différence entre politique et éthique. En quoi le judaïsme se distingue-t-il ?*

Il y a évidemment un lien, mais la politique, au sens grec, est avant tout une question de régime. Quel est le meilleur régime, comment faire la nomenclature des régimes, comment les évaluer, etc. ? La Bible hébraïque ne procède pas ainsi. Elle raconte une histoire des changements de régime, du livre des Juges au régime des prêtres après Babylone en passant par les livres des Rois. Mais elle ne propose pas de conceptualisation de ces changements, elle ne décrit pas et elle ne hiérarchise pas ces régimes sinon pour indiquer que la rédemption viendra par un roi de la lignée davidique. Il n'y a donc pas de leçon politique explicite au sens, disons, des *Politiques* d'Aristote, mais il y a des enseignements éthiques. Un philosophe moral pourrait écrire sur l'éthique biblique en se concentrant sur les textes légaux des Cinq livres et les exhortations des prophètes que nous aimons tous citer, mais il devrait également inclure les *Oracles aux Nations* dont certains sont assez brutaux[28].

À ma connaissance, personne n'a, comme vous, fait cette lecture explicitement politique de la Bible hébraïque d'ailleurs très rapidement traduite en français[29]. Vous parlez, dans ce livre, de la place qu'Israël occupe parmi les nations, et je me demande si votre jugement pourrait s'appliquer à l'État d'Israël contemporain : « Est-ce que la politique étrangère d'Israël devrait être guidée par le principe d'autodéfense, le principe d'expansion territoriale ou le principe d'apaisement et d'accommodement, ou bien Israël ne devrait-il pas avoir de politique étrangère du tout ? Israël est-il une nation politique ou une communauté de foi ? » C'est la question que vous posez après avoir étudié l'histoire des Hébreux.

Oui, j'imagine que oui, même si dire qu'Israël ne devrait pas avoir de politique étrangère du tout, une idée des prophètes, n'est pas une très bonne idée...

Mais la défense, l'expansion territoriale, la foi ou la politique, en un sens tous les ingrédients, sont déjà là.

Oui, tout est là, et c'est pourquoi le diable peut « citer les Écritures pour ses besoins » comme le notait Shakespeare ; et les bons peuvent le faire tout autant. Mais je soulignerais le thème central − « pas de politique étrangère du tout » − qui peut paraître étrange aujourd'hui.

Pensez-vous que l'on peut trouver, dissimulé, un sous-texte biblique dans la politique israélienne d'aujourd'hui ?

Ben Gourion vivait avec la Bible d'une façon très différente de Netanyahou ou d'Ehud Barak. Il existe une édition en anglais des textes de Ben Gourion sur la Bible[30]. J'ai été déçu par leur lecture. Le texte s'intéresse avant tout au livre de Josué (successeur de Moïse, Josué est présenté comme le leader idéal. Il renouvelle l'Alliance, traverse le Jourdain, conquiert Jéricho et fait accéder les Israélites à la Terre promise), ce qui laisse penser que... *(rires)*. Le livre de Josué est peut-être le texte auquel certains Israéliens de droite attachent aujourd'hui le plus d'importance.

Certains commentateurs de votre œuvre suggèrent que le judaïsme est la clef de votre pensée, que votre identité juive et votre intérêt pour la recherche sur le judaïsme et la Bible hébraïque tissent le fil de vos travaux et les rend intelligibles. Exagèrent-ils ?

C'est une exagération, bien que je ne puisse véritablement dire pourquoi j'écris ce que j'écris. Je pense que mon engagement pluraliste, si présent dans mes livres, est en quelque manière le reflet de l'expérience diasporique. Ce serait cohérent avec beaucoup de travaux juifs et américains, avec ce que dit par exemple Horace Kallen[31] qui m'a beaucoup inspiré.

Vous ne faites pas une grande place aux « guerres bibliques » dans GJI, mais il y a un chapitre sur les guerres saintes dans L'Ombre de Dieu, et vous avez naguère donné une conférence au Hartman Institute sur l'héritage biblique et rabbinique de la conduite de la guerre[32].
Les rabbins devaient travailler avec les deux commandements divins, dites-vous : Dieu « ordonne » la guerre ; et il donne aux rois la « permission » de la faire pour étendre leur territoire et amplifier leur gloire. La troisième voie, que vous appelez le « tiers naturel », c'est-à-dire les guerres « interdites », n'est pas envisagée. Haim Herschensohn[33], que vous citez, a

tenté d'intégrer les guerres prohibées dans la halakha, mais il fait figure d'exception. Or, sans cette troisième catégorie, « il ne peut y avoir de débat explicite et cohérent, dites-vous, sur la justesse de la guerre : quand est-il juste d'engager une guerre ? ».

Les rabbins pensaient par exemple que les dommages collatéraux n'étaient pas un problème moral (à l'exception de Maïmonide peut-être qui plaidait en faveur de voies d'évacuation pour les victimes en cas de siège). Les rabbins israéliens contemporains que vous mentionnez le confirment : les victimes civiles ne sont pas un problème halakhique. De leur côté, les Israéliens séculiers qui débattent dans le cadre et dans le langage du droit international et de la guerre juste ne dialoguent pas et ne défient pas les lois de la guerre bibliques ou rabbiniques : « ils ont naturalisé la théorie de la guerre juste au sein de la tradition juive [...], ils ne peuvent donc pas argumenter de manière utile avec leurs concitoyens religieux ». À l'inverse, vous estimez que ce dialogue avec l'histoire juive, avec la tradition juive, doit avoir lieu.

Vous avez raison, c'est Dieu qui conduit la plupart des combats dans la Bible. Les monarques des royaumes du Nord et du Sud mènent des guerres mais ils ne décrivent jamais leurs campagnes ; ils ne ressemblent pas à des généraux militaires. C'est cela qui est intéressant. En effet, à l'exception du jeune David, le guerrier n'est pas glorifié dans les textes classiques. Il existe des *midrashim* où le jeune David est représenté en guerrier, dans un style qui rappelle celui des Grecs. Ce n'est pas le cas de Salomon. Et, si Hézékiah et Josias étaient bien des guerriers, leurs combats ne sont pas célébrés. La seule discussion portant sur la tactique se trouve dans le livre de Josué, mais c'est toujours Dieu qui ordonne ce qu'il faut faire.

Les derniers textes sur la guerre sont plus explicites. Ils décrivent les combats de Judas Maccabée et Bar Kokhba[34] et les débats sur la stratégie et l'éthique de la guerre. Ensuite, pendant deux mille ans ou presque, la question ne se pose plus : il n'y a pas d'armées juives, et très peu d'officiers juifs combattent pour des souverains gentils. La littérature juive qui s'interroge sur le moment et le moyen de faire la guerre est assez mince. Et, comme vous venez de le dire, la *halakha* ne contient pas de véritables directives pour les soldats contemporains. Certains auteurs israéliens se tournent vers le droit international et la théorie de la guerre juste ; d'autres tentent de se débrouiller avec ce qu'ils trouvent dans les textes halakhiques, parfois avec des résultats effrayants puisque les lois juives n'ont rien à dire sur les droits et les obligations des combattants non juifs.

Pour ma part, il me semble impératif d'adopter une démarche inspirée de l'entreprise philosophique de Maïmonide : une synthèse philosophique originale des idées grecques et juives. Il est temps de relier la théorie de la guerre juste et la *halakha*, de trouver une doctrine qui puisse être lue et comprise par les Juifs religieux et non religieux, et par tous ceux qui ont envie de comprendre.

Dans l'ombre de Dieu *fait partie de la constellation des quatre volumes collectifs consacrés à la tradition politique juive ; trois volumes ont été publiés, le dernier est en cours de rédaction.*

Le projet de ces volumes a été élaboré au Shalom Hartman Institute à Jérusalem. L'idée a germé dans les années 1980, et c'était la vôtre : on le comprend aisément lorsqu'on lit votre introduction au premier volume. Quelle est l'origine de votre collaboration avec l'Institut ?

J'ai rencontré David Hartman au début des années 1980. Je venais de quitter Harvard et j'arrivais à Princeton, à l'Institute for Advanced Studies. J'ai cherché, peut-être inconsciemment, à m'engager dans un gros projet qui m'autorise à m'éloigner de l'enseignement. L'Institute for Advanced Studies est un bel endroit pour ce type de gros projets. David était un enseignant charismatique : un Juif orthodoxe de formation et, en même temps, un maître *ès* ironie, prompt à se moquer de lui-même, doté d'un humour typiquement ashkénaze *[Borsht-circuit humor]*. Il avait un projet, ou plutôt, une série de projets : libéraliser d'abord la communauté orthodoxe, l'inciter à reconnaître la valeur du pluralisme juif ; rendre ensuite l'enseignement juif accessible aux Juifs séculiers en les convainquant de la valeur des enseignements talmudiques.

J'ai participé aux premières « conférences de philosophie » qu'il a organisées : il s'agissait d'une semaine où nous étudiions le Talmud le matin, la philosophie (Maïmonide avant tout) l'après-midi, et la politique le soir. C'est alors que j'ai pensé au projet qui a abouti aux quatre volumes de la *Tradition politique juive (JPT)*.

David Hartman a aussitôt approuvé l'idée, et son Institut à Jérusalem, comme l'Institute for Advanced Studies à Princeton, a contribué à le promouvoir (l'IAS a financé une part significative du projet). Tous mes coauteurs sont des associés du Hartman Institute, c'est l'une des raisons pour lesquelles je suis retourné tant de fois à Jérusalem. La route a été longue, et nous n'avons pas fini : le quatrième et dernier volume est encore en préparation. Comme il est dit dans les *Pirke Avot*[35], nous ne sommes pas obligés de terminer, mais j'aimerais quand même en voir la fin. Ma mère disait que c'était mon « *opus gadol*[36] », et je suis très heureux qu'elle ait vécu assez longtemps pour pouvoir tenir le premier volume entre ses mains.

Le but des volumes, écrit David Hartman, est de « retrouver un discours politique juif intéressé aux questions d'autorité, de justice distributive, d'appartenance et de bien-être. Ces questions contribuent à corriger la conception erronée selon laquelle la tradition juive ne se préoccupe que de cérémonies rituelles, de lois sur la pureté, de la prière quotidienne ou de l'étude de la Torah. Elles contribuent à rendre accessibles les débats politiques qui n'ont cessé depuis trois mille ans ; les lecteurs y trouveront une meilleure compréhension du sens traditionnel de l'engagement et de l'Alliance qui éclaire la vie du culte, mais aussi la construction d'une communauté juste et compassionnelle[37] *». Est-ce un bon résumé de la finalité de* JPT *: un dialogue entre la tradition et la vision séculière contemporaine dont nous venons de parler ?*

Le résumé de David Hartman est bon, mais je le dirais de manière un peu différente. Je conçois *JPT* comme un projet de nationalisme culturel juif : un projet libéral et pluraliste, qui correspond à l'engagement de David, à celui de mes co-auteurs et au mien.

J'ai toujours pensé que les deux réponses politiques à la « question juive » − la citoyenneté démocratique dans l'Occident et la souveraineté au Moyen-Orient − devaient être accompagnées d'un renouveau culturel [*cultural revival*]. Il n'est pas fortuit que *JPT* soit d'abord paru en anglais (les deux premiers volumes ont été traduits en hébreu). Les plus grandes réalisations culturelles israéliennes n'ont malheureusement pas été accomplies en politique, mais dans le domaine de la littérature. Retrouver et ré-imaginer la culture politique juive doit et devrait être un projet israélien, mais il se pourrait que cette tâche commence dans la diaspora.

Quoi qu'il arrive, nous voulons que les Juifs réfléchissent à la tradition, de manière critique, en évaluant la façon dont elle soutient notre vie commune. Mais nous sommes résolument des «nationalistes libéraux», et nous voulons que l'expérience juive de la politique soit disponible, accessible aux non-Juifs. Il n'est pas besoin d'être français pour étudier l'histoire politique française (je l'ai fait pour ma part); et il n'est pas besoin d'être juif pour s'intéresser à la manière dont les Juifs ont maintenu leur existence nationale pendant une si longue période, sans territoire et sans souveraineté.

Les volumes de JPT, *tels que vous les présentez, sont fidèles à trois exigences : «probité, patience et désir de savoir[38]»; cela implique lecture infinie, commentaires, références croisées, intertextualité et réinterprétation. Comme vous venez de le dire, vous vouliez rendre le travail accessible aux non-Juifs; cela se lit aussi dans le choix des entrées et des thèmes – pertinents pour les exégètes et les spécialistes de la Bible, mais aussi pour les lecteurs politiques de tous bords, théoriciens, historiens, philosophes.*

L'architecture me paraît très «walzérienne», une bonne partie de vos préférences intellectuelles s'y trouvent représentées; je pourrais d'ailleurs inverser cette proposition et dire que votre lecture de la Bible hébraïque a influencé votre pensée. Les exemples suivants le feront voir : l'image de la maison d'abord que vous affectionnez[39]; la notion de réitération qui caractérise, selon vous, la différence entre les morales fines et les morales épaisses[40] ; la critique sociale, ou encore la responsabilité civique et la probité morale[41]. Je pourrais ajouter que vous ne résistez pas à citer les auteurs relevant d'un autre canon : Shakespeare, Whitman, d'autres encore[42].

Le travail éditorial est le fruit d'une véritable collaboration. Menachem Lorberbaum, Noam Zohar, moi-même (et quelques autres) avons travaillé étroitement, au point qu'il serait difficile d'attribuer telle ou telle idée à l'un de nous en particulier. Tous ont passé deux ou trois ans à l'Institute for Advanced Studies de Princeton ; ils travaillaient sur leurs propres recherches le matin, et nous lisions les textes juifs l'après-midi. J'ai rédigé toutes les introductions dans un premier temps mais, après discussion avec les autres, je les ai réécrites, plus d'une fois, pour intégrer leurs critiques et leurs commentaires. Nous partageons nos convictions politiques les plus profondes, il aurait été impossible sinon d'entretenir des liens aussi serrés pendant trente ans. Certains des passages de *JPT* reflètent sans doute des travaux plus anciens ; mais, depuis que nous avons lancé le projet, mes contributions doivent davantage à ma fréquentation des textes bibliques. Cela est particulièrement vrai de mes écrits sur l'interprétation et la critique sociale, directement inspirés de mon expérience de la tradition. La thèse de mon livre, *Paradox of Liberation,* sous-tend bien sûr l'argument de *JPT* : les libéraux séculiers et les gens de gauche doivent retrouver le sens de la tradition s'ils aspirent à façonner une politique et une culture vivantes et viables.

Le but de l'ouvrage, écrivez-vous, est de recouvrer, de publiciser et de débattre[43]. Pourriez-vous expliquer ce que vous voulez dire par là ? Êtes-vous une sorte de stam *de la théorie politique*[44] *?*

Nous sommes collectivement – et je suis moi-même – plus modestes. Recouvrer *[retrieval]* suppose que nous acceptons le processus historique de sélection qui a produit les textes canoniques. Ce sont eux que nous voulons rendre publics et soumettre à la réflexion critique. S'agissant des auteurs contemporains, nous participons, je dirais, à un processus de sélection continu, mais nous ne cherchons pas à avoir le dernier mot. Il n'empêche, notre approche de l'activité critique reflète en quelque manière ce qui a dû être le travail du *stam*. Il y a, ici, une voix critique et, là, une autre, très différente ; les deux appartiennent cependant à la tradition vivante.

Dans Exilés et citoyens *(vol. 2), vous commentez la prière pour l'État et les «Responsa» du rabbin Ismaël de Modène aux questions qu'avait posées Napoléon à l'«Assemblée de notables» en 1806*[45]*. Votre bref commentaire se termine par un espoir et une question. L'espoir : que les Juifs en tant que citoyens abandonnent la docilité de leur mentalité de* galut[46]*. La question : est-il possible de maintenir le caractère distinctif juif dans les sociétés démocratiques modernes caractérisées par au moins deux des «mobilités» que vous associez à la modernité, à savoir la mobilité sociale et la mobilité maritale ? Quelle est pour vous la nature de cette spécificité juive ?*

C'est la question la plus difficile que vous m'ayez posée jusque-là. Il y a de nombreuses variantes du judaïsme et de la judéité dans notre histoire, il y en aura assurément d'autres à l'avenir. Ce qui caractérise les Juifs américains de ma génération, c'est l'expérience du xxe siècle : la Shoah, la création de l'État d'Israël, le succès remarquable des Juifs ici, aux États-Unis, qui explique sans doute l'absence radicale de cette mentalité de soumission, de cette mentalité de *galut* chez mes enfants et mes petits-enfants. Mais quel genre de Juifs seront mes arrière-petits-enfants qui n'auront pas connu le xxe siècle ? Mon espoir pour eux ? Qu'ils se reconnaissent en tant que Juifs, qu'ils passent un peu de temps à étudier la tradition (*JPT* leur est dédié), qu'ils visitent Israël et s'y fassent des amis, qu'ils s'attachent à des organisations communautaires juives et apprennent à rire des mêmes blagues que celles qui me font rire moi-même.

Bien que de manière oblique, l'introduction générale pose, me semble-t-il, des questions intéressantes sur l'interaction entre tradition et modernité[47] : celle de la transformation et de l'adaptation de la loi en premier lieu. Quelle doit être, selon vous, l'étendue de cette adaptation ?

C'est une question qu'il faudrait poser aux Juifs orthodoxes, à Rachel Adler par exemple, qui commente le contrat de mariage juif dans *JPT*, et qui veulent une *halakha* moderne pour encadrer leurs vies. Pour ma part, je m'intéresse à autre chose. Songez aux prélats catholiques aux États-Unis qui ont rédigé des lettres pastorales sur des sujets aussi divers que la justice sociale et la dissuasion nucléaire en faisant appel à la lecture catholique de la loi naturelle. J'envisage volontiers des experts juifs (moins l'autorité ecclésiastique) qui développeraient une sorte de *halakha* spéculative, se référant à la tradition pour parler de problèmes contemporains. Je suis sûr que cela entraînerait des spéculations concurrentes, mais c'est l'une des manières de reconnaître ce que nous appelons la « tradition sans fin ». Certaines de ces spéculations devront bien sûr admettre que la tradition est mince sur certains sujets (la guerre par exemple), et la nécessité d'emprunter à d'autres traditions ; c'est ce qu'ont fait Saadia, Maïmonide et beaucoup d'autres.

Avant de clore notre dernier chapitre, j'aimerais revenir sur ma première question, sur la place intrigante qu'occupe la politique dans le Texte et la vie des Juifs. Votre définition collective du politique est très large. Vous ne cessez de répéter (dans L'Ombre de Dieu *également) que la politique n'a jamais représenté un intérêt majeur pour les Hébreux, les Juifs ou les rabbins qui commentent la tradition, que la politique est l'affaire des Gentils. Et pourtant, la politique est omniprésente dans la tradition juive. C'est une pratique fondée sur l'expérience[48], qui existe au sein de la communauté et régit ses relations avec l'extérieur[49]. La politique est donc bien plus qu'une « activité ménagère » comme le disait Arendt de la politique juive.*

*L'expérience politique des Juifs d'aujourd'hui est liée à la notion de communauté [*kahal, *pl.* kehilot*], aux communautés exiliques qui se sont perpétuées à travers l'étude bien sûr mais, plus largement, dans l'interaction avec les citoyens, les Gentils des États où elles vivaient[50].*

Diriez-vous que l'une des caractéristiques de la politique juive est l'expérience de l'appartenance aux kehilot, *que cette expérience a donné naissance à la politique ? Que la politique, en d'autres termes, appartient à la période exilique ?*

Par ailleurs, la « politique » juive dit quelque chose d'un rapport spécifique au savoir. La tradition, dit Fishbane, est «une politique juive du savoir[51]». Comment traduiriez-vous ceci en langage contemporain? Et quelles conclusions tirez-vous de ce lien particulier pour la politique juive moderne?

Nous devions définir la politique de manière large pour la libérer de toute relation nécessaire avec l'État. Je pense néanmoins que cette définition ample est la bonne : elle rassemble tout ce qui a trait à l'organisation de la vie commune et pose les questions suivantes : Qui est reconnu comme membre? Quels rangs et quels ordres sont imposés parmi les membres? Quels sont les services que prodigue la communauté? Comment finance-t-elle ce qu'elle entreprend? Comment les membres distribuent-ils le pouvoir et l'honneur au sein du groupe? Comment se représentent-ils leur communauté (telle qu'elle est et telle qu'elle devrait être)? Comment la communauté utilise-t-elle le pouvoir coercitif dont elle dispose? Comment ses membres réfléchissent-ils à leur histoire? Comment envisagent-ils leurs rapports avec les étrangers? Et ainsi de suite : tout cela est politique et nourrit notre réflexion.

Le dernier volume de *JPT*, auquel nous travaillons actuellement, s'intéresse aux grands sujets historiques généraux : le territoire, la guerre, l'exil et la rédemption. Mais il s'agit, ici aussi, de comprendre des problèmes pratiques, qui relèvent de la vie quotidienne. Peut-on, par exemple, «monter» en Israël et laisser ses parents (qu'on vous commande d'honorer)? Peut-on prier et étudier dans la langue locale? Doit-on servir dans l'armée du tsar? Et ainsi de suite.

Parmi les sujets importants que nous abordons, il y a les questions liées à l'imagination collective : pourquoi vivons-nous en exil? Quelles pourraient être les lois de la guerre s'il existait (c'est le cas aujourd'hui) une armée juive? À quoi ressemblera le royaume du Messie? Devons-nous hâter sa venue? Et si le Messie ne vient pas, est-il possible d'imaginer une rédemption séculière?

Nous ne pourrons pas répondre à toutes ces questions, nous nous contentons de suggérer des pistes possibles et de pointer les désaccords parmi les réponses savantes pour que nos lecteurs puissent participer au débat et perpétuer ainsi la tradition.

X.

Coda – en guise de conclusion

Où commence une vie de gauche ? Peut-être au moment où mes parents m'ont dit de ne jamais franchir un piquet de grève ; je devais avoir sept ou huit ans. Bien plus tard, je suis devenu un activiste politique et, plus tard encore, un critique social. La politique et la critique occupent dans ma vie, comme dans la plupart des vies de gauche, une place intermittente. Être étudiant, ami, amant, mari ou femme, avoir un métier, gagner sa vie, aller au cinéma ou au stade, lire des romans, cuisiner, bricoler, prendre des verres et discuter fait aussi partie de nos vies. Il n'empêche, la politique de gauche nous rattrape toujours. Seul, un individu ne peut pas en faire un « emploi stable », il doit le partager avec d'autres. Mes camarades et moi-même ne l'abandonnons pas.

J'ai vécu des victoires et des défaites. Mieux : des années de victoires anticipées mais jamais pleinement réalisées, et des années de déceptions profondes. Antistaliniens de gauche, nous avons modestement contribué à la défaite du communisme soviétique et, moralement, nous avons marqué des points. Jeunes radicaux dans les années 1960, nous avons contribué à faire cesser une guerre et à rendre la société américaine plus juste. Égalitariens et féministes, nous avons fait avancer le pays vers une plus grande équité de genre. Je pourrais continuer ainsi, mais malheureusement pas bien longtemps. Nous n'avons pas transformé les hiérarchies de classe, elles sont peut-être plus importantes que jamais. Nous n'avons pas remporté la bataille de la couverture maladie universelle. Nous avons assisté à l'érosion de l'éducation publique, à l'affaiblissement de l'État-providence, au déclin massif du syndicalisme et à l'augmentation de la vulnérabilité économique de beaucoup d'Américains. Nous avons échoué à éveiller le pays aux dangers du changement climatique. Nous avons été surpris par la montée du nationalisme d'extrême droite et par le retour des sectarismes raciaux, ethniques et religieux auxquels nous avons du mal à faire face.

L'arc de l'histoire est-il tendu vers la justice ? Peut-être, sur le long terme. Mais la majeure partie du xxᵉ siècle témoigne plutôt d'une tension inverse. Je préfère représenter l'histoire par des zigzags, des alternances de victoires et de défaites – deux pas en avant et un pas en arrière, ou, comme le disait Lénine, un pas en avant et deux pas en arrière. Mais alors comment faire ? Il est plus urgent de se demander que faire maintenant.

Quel est le rôle d'un militant, d'un critique ou d'un intellectuel de gauche aujourd'hui ? Je devrais poser ma question différemment : qu'est-ce que j'attends de mes jeunes amis et camarades, que voudrais-je qu'ils fassent, disent ou écrivent ? Je ferai semblant ici d'être toujours pleinement engagé à leurs côtés, mais je n'essaierai pas d'éviter de parler comme un vieil homme. Aujourd'hui, une politique de gauche doit avant tout être défensive. Oui, car la meilleure défense est quelquefois une attaque surprise, comme l'a été la campagne présidentielle de Bernie Sanders en 2016. Je m'inquiète cependant de ces jeunes radicaux enthousiastes qui pensent que les États-Unis sont mûrs pour la transformation socialiste. Des victoires nous sont accessibles; certaines des défaites que j'ai énoncées plus haut peuvent être, au moins partiellement, retournées. Mais «la résistance» dans laquelle nous sommes entrés après les dernières présidentielles a de beaux jours devant elle, même si Trump est vaincu en 2020. Les dommages sont nombreux, il faut les réparer.

Le romancier Milan Kundera a pu voir dans la Grande Marche un «kitsch de gauche». C'est une description juste, et l'image est utile. Faire deux pas en avant, par exemple, est un élément de la marche, un moment propice. À présent, nous devons surtout éviter de reculer, et rattraper le terrain perdu.

Nous devons défendre la démocratie et le gouvernement constitutionnel; nous devons résister au nationalisme ethnique hostile à l'immigration; nous devons protéger nos concitoyens les plus vulnérables; nous devons mettre un frein à l'exclusion des électeurs issus des minorités du corps électoral; nous devons prévenir le désastre écologique. Et, par-dessus tout, nous devons construire une coalition capable de réaliser ce programme. Je ne pense pas à une coalition de gauchistes avec d'autres gauchistes, même si nous devons trouver un moyen de combler le fossé entre les politiques de classe et les politiques de l'identité de la gauche. Une coalition efficace doit inclure les libéraux et – pour certaines batailles nécessaires – des conservateurs raisonnables. Elle doit par ailleurs s'efforcer d'aboutir aux compromis qu'une bonne politique peut produire: pas ces «compromis pourris» identifiés et dénoncés par Avishai Margalit, plutôt ceux qui produisent des bénéfices pour des groupes politiques différents, dont le nôtre.

La gauche juive est aujourd'hui aussi sur la défensive. Elle doit se battre contre d'autres gauches qui, par ignorance ou par malice, ont fait du projet sioniste et de l'État d'Israël le plus grand fléau du monde. Elle doit soutenir la gauche israélienne meurtrie dans son combat contre l'occupation de la Cisjordanie et le siège de Gaza pour maintenir en vie la possibilité d'une solution à deux États. Et, dans ce combat, elle doit aussi nouer des coalitions et des compromis : pas avec les chrétiens évangélistes qui arrivent à combiner antisémitisme et soutien des nationalistes de droite en Israël, mais avec des libéraux et des centristes, attentifs à la fois au dilemme israélien de la sécurité et à la construction d'un État palestinien aux côtés d'Israël.

Voilà les travaux pratiques qui attendent les intellectuels de gauche, mes camarades et moi-même. Malgré nos rêves d'une politique plus audacieuse, nous devons tenir notre ligne de défense et notre politique de compromis face aux absolutistes radicaux dont beaucoup sont jeunes, dynamiques et enthousiastes. Là se trouve notre espoir pour l'avenir.

Il faut cependant aller plus loin. Notre travail ne peut pas être seulement défensif ; nous devons aussi adopter le genre d'analyse politique et de critique sociale qui permet de transformer le monde. Je n'ai jamais cru que ce genre d'engagement exige une théorie intégrale et totalisante comme peut l'être le marxisme. Une telle théorie tend à produire une avant-garde de sachants aux idées indiscutables, qui dominent la masse des hommes et des femmes victimes de leur fausse conscience, mais qui, eux-mêmes, souffrent de la fausse conscience qu'ils prêtent aux autres. Ce n'est pas une bonne recette politique. À cette avant-garde qui s'est toujours trompée sur le monde nous devons opposer notre travail critique : une meilleure compréhension de l'ordre social et de ses contradictions internes ; des théories, mais des théories modestes.

Ne pas comprendre le monde est une vieille histoire. La société moderne ne se partage pas en deux classes comme le disait Marx. Elle n'est pas non plus une « société de masse » dont les membres sont atomisés et jouent leur partition en solo (« *bowling alone* » selon les mots de Putnam). La modernité n'est pas davantage gagnée par le désenchantement prédit par Weber : la science et la raison n'ont pas triomphé de la religion. Le capitalisme survit à ses crises ; la victoire finale de la démocratie libérale n'a rien de final ; la démocratie a besoin de ses avocats et de ses soldats. Pour comprendre ces évolutions contrariées, il nous faut accomplir un travail empirique et théorique qui, nous le savons, engendrera des analyses divergentes et soulèvera des critiques féroces. Nous savons que nous n'avons plus ce que les gauchistes appelaient autrefois la « position idéologique correcte ». C'est l'argumentation elle-même, l'analyse incessante de la situation présente et l'évaluation des mesures à prendre qui devraient constituer notre engagement. Cela veut dire aussi que la critique sociale ne peut s'appuyer sur une théorie sociale définitive : la critique est, en partie au moins, une activité indépendante. Nous critiquons une société que nous nous efforçons simultanément de comprendre.

J'ai beaucoup parlé de la critique sociale. Je n'ajouterai que ceci : la critique ne dépend pas d'une analyse sociale réussie ; elle n'est pas progressiste au sens où elle avancerait au même pas que l'éducation morale de l'humanité ou la réalisation historique de la raison. Elle prend plutôt la forme d'une activité réitérative : contre les pratiques et les institutions, nous invoquons, encore et encore, les valeurs de nos concitoyens. Il s'agit quelquefois de valeurs profondément ancrées. Songez à l'idée d'égalité qui est au cœur de la critique sociale aux États-Unis où les inégalités sont pourtant de plus en plus criantes. Le plus vieil argument contre l'inégalité se trouve peut-être dans la Bible hébraïque : les hommes ont tous été créés à l'image de Dieu. Cette affirmation simple a pu résonner dans les révoltes paysannes au Moyen Âge, parmi les réformateurs protestants, chez les rédacteurs de la Déclaration d'indépendance américaine ou lors du mouvement pour les droits civils. Elle sert encore aujourd'hui comme cri de ralliement et nous rappelle qu'il faut tenir les engagements auxquels nous croyons. Nous devrions nous la répéter même si certains l'ont révisée : tous les êtres humains ont été créés à l'image de Dieu, *que celui-ci existe ou non*. Ainsi amendée, la phrase conserve, je pense, un écho certain auprès de beaucoup d'Américains.

Il y a, en même temps, des versions spécifiques de l'égalité, centrales dans la culture américaine (et plus généralement dans la culture occidentale), comme l'égalité devant la loi et l'égalité des chances : toutes deux peuvent servir à construire une critique du capitalisme, même s'il est impossible d'en donner une justification fondationnelle ou de conclure définitivement à leur rationalité. Nous ne possédons pas une analyse générale du capitalisme moderne – que certains à gauche appellent de manière optimiste, le « capitalisme tardif » –, on peut conserver l'adjectif s'il contribue à la critique.

Je crois encore en une politique transformatrice, mais je suis certain que le rythme de la transformation sera et devra être lent ; c'est un travail de longue haleine. Il n'y aura ni moment messianique ni révolution finale. Les Juifs de gauche qui s'opposent au sionisme messianiste des colons ne sont pas obligés d'abandonner l'idée d'un changement radical, mais nous, nous devons insister sur ses limites. La création de l'État d'Israël n'a pas été le début de la rédemption ; il suffit qu'Israël soit un lieu meilleur et plus sûr que la Russie tsariste. C'est déjà un bon début, on pourra toujours rêver à quelque chose de meilleur par la suite. Aux États-Unis aussi, le discours révolutionnaire est insensé, peut-être même dangereux, mais les réformes peuvent s'additionner (deux pas en avant). Notre vie sociale sera peut-être un jour très différente, et nous pourrons vivre ensemble dans une société égalitaire, dépourvue de l'arrogance des puissants et de l'humiliation des plus démunis. Je continue de penser que cet accomplissement sera celui du socialisme démocratique, et que l'effort pour y parvenir, l'expérience du combat et de la solidarité, caractérise une véritable vie de gauche.

La lutte pour le socialisme démocratique doit être l'œuvre de tous, et non de quelques-uns, cela devrait être la loi absolue de la politique de gauche. Je peux l'illustrer par deux exemples. Reprenons les politiques avant-gardistes léninistes, elles sont présentes aussi dans une version religieuse, celle où les zélotes tiennent le premier rôle. La variante séculière ressemble à ceci : partout, les ouvriers sont censés s'unir pour faire la révolution mais, dans les faits, ils sont piégés par les politiques syndicales et se battent pour quelques dollars de plus, les fientes du capitalisme ; ils ignorent leur rôle historique, ils manquent de conscience révolutionnaire. Nous ferons donc, nous qui savons, la révolution sans eux.

Mon second exemple est inspiré des politiques féministes des années 1970 : les femmes militantes se sont alors attachées à faire « prendre conscience » des inégalités qui frappent les femmes ; elles estimaient qu'il fallait abattre le patriarcat pour réaliser l'égalité. Cette stratégie n'était sans doute pas fondée sur l'idée de fausse conscience, ce ne fut pas en tout cas son fondement nécessaire. L'idée, meilleure en l'occurrence, fut de faire valoir que les valeurs centrales du féminisme étaient présentes de façon latente dans la conscience de la majorité des femmes, qu'elles devaient seulement être révélées et pour ainsi dire articulées. Le message politique de cette sensibilisation était clair : nous ne pouvons pas faire la révolution sans vous.

Aucune révolution, aucune transformation, aucune politique de gauche sans vous et moi. C'est la meilleure réponse que nous pouvons donner aux arguments qui avaient cours autrefois à gauche, moins maintenant je l'espère. On disait qu'une tyrannie provisoire était nécessaire pour que les générations à venir aient des lendemains meilleurs. « La colère contre l'injustice, écrivait Bertolt Brecht, rend la voix rauque. Hélas, nous qui voulions préparer le terrain à l'amitié, nous ne pouvions être nous-mêmes amicaux[1]. » La vérité est pourtant différente : retarder l'advenue de l'amitié revient à la rejeter, « nous » avons appris cela. Les gens de gauche doivent poursuivre une politique de l'amitié, aujourd'hui, pour nos contemporains, et pour nous-mêmes : débattre doucement (même lorsque l'injustice provoque notre colère), faire prendre conscience, former des coalitions, construire une majorité, rendre la vie meilleure, un pas à la fois, « si ce n'est pas maintenant, alors quand[2] ? ».

עם לא עכשיו אז מתי?

Notes par Astrid von Busekist

Introduction – Philosopher dans la cité

1. Un *heder* est une école élémentaire traditionnelle où les enfants apprennent l'hébreu ainsi que les règles et l'histoire du judaïsme.

2. Michael Walzer a écrit une courte autobiographie intellectuelle pour l'*Annual Review of Political Science* (vol. 16, 2013, p. 1-9), intitulée «The Political Theory License», où il évoque, outre sa carrière, son enfance et le lien entre judaïsme et socialisme.

3. Michael Walzer, *La Révolution des saints. Éthique protestante et radicalisme politique*, trad. Vincent Giroud, Paris, Belin, 1988 (*The Revolution of the Saints: A Study in the Origins of Radical Politics*, Cambridge, Mass., Harvard University Press, 1965); *A Foreign Policy for the Left*, New Haven, Yale University Press, 2018.

4. Irving (Horenstein) Howe, 1920-1993, cofondateur de *Dissent*. Voir la notice biographique *infra*.

5. Voir chapitre 3 *infra*, ainsi que Maurice Isserman, «Steady Work: Sixty Years of Dissent», *Dissent*, 23 janvier 2014.

6. M. Walzer, «The Political Theory License», art. cit.

7. La langue préférée de la critique sociale est «générale»; «le postulat de la démocratie est que la langue la plus courante est la meilleure», *La Critique sociale au XXᵉ siècle. Solitude et solidarité*, trad. Sebastian McEvoy, Paris, Métaillé, 1996, p. 24 (*The Company of*

Critics, New York, Basic Books, 1988, 2ᵉ éd., 2002), désormais abrégé *CC*. Toutes les références à *CC* renvoient à la version américaine originale. Sauf indication contraire, tous les passages cités sont traduits par Astrid von Busekist.

8. « En cours, je tentais de décrire les positions politiques de mes opposants dans leur expression la plus forte et de la manière la plus équitable possible », M. Walzer, « The Political Theory License », art. cit., p. 2.

9. M. Walzer, *Critique et sens commun. Essai sur la critique sociale et son interprétation*, trad. Joël Roman, Paris, La Découverte, 1990, p. 39 (*Interpretation and Social Criticism*, Cambridge, Mass., Harvard University Press, 1987), désormais abrégé *ISC*. Toutes les références à *ISC* renvoient à la version américaine originale. Sauf indication contraire, tous les passages cités sont traduits par Astrid von Busekist ; voir aussi *CC*, p. 18 *sq*.

10. *CC*, p. XI, « le critique proteste depuis l'intérieur *[from within]* » ; voir aussi *ibid.*, p. 26.

11. Systématisée dans plusieurs textes en particulier : *ISC* (le livre est issu d'une série de conférences au titre homonyme : « The Tanner Lectures on Human Values », Harvard University, 13 et 14 novembre 1985) ; *CC* ; « Objectivity and Social Meaning », *in* Martha Nussbaum et Amartya Sen (éd.), *The Quality of Life*, Oxford, Clarendon Press, 1993, p. 165-177 ; ainsi que « Shared Meanings in a Poly-Ethnic Democratic Setting. A Response », *The Journal of Religious Ethics*, 22, 1994, p. 401-405.

12. M. Walzer, *Morale maximale, morale minimale*, trad. Camille Frot, Paris, Bayard, 2004 (*Thick and Thin : Moral Argument at Home and Abroad*, Londres, University of Notre Dame Press, 1994).

13. M. Walzer, *Sphères de justice. Une défense du pluralisme et de l'égalité*, trad. Pascal Engel, Paris, Seuil, 1997, chap. 2 (*Spheres of Justice : A Defense of Pluralism and Equality*, New York, Basic Books, 1983, rééd. avec une nouvelle préface, 2006), désormais abrégé *SJ*.

14. M. Walzer, « Nation and Universe », *in* Grethe B. Peterson (éd.), *The Tanner Lectures on Human Values*, vol. XI, Salt Lake City, University of Utah Press, 1990, p. 507-556 ; « A Particularism

of My Own», *Religious Studies Review*, 16, 1990, p. 193-197;
«Universalisme et valeurs juives», *Raisons politiques*, 2002/3,
n° 7, p. 53-78: traduction par Pierre-Emmanuel Dauzat d'une
conférence intitulée «Universalim and Jewish Values», donnée au
Carnegie Council on Ethics and International Affairs en 2001.

15. M. Walzer, *Traité sur la tolérance*, trad. Chaïm Hutner, Paris,
Gallimard, 1997 (*On Toleration*, New Haven, Yale University
Press, 1997), désormais abrégé *TT*.

16. M. Walzer, *Reformed Church and Holy Commonwealth: a Study
in English Puritanism, 1652-1662*, Brandeis University, dept. of
English and American Literature, 1956; *La Révolution des saints*,
op. cit.

17. M. Walzer, *Dans l'ombre de Dieu. La politique et la Bible*,
trad. Pierre-Emmanuel Dauzat, Paris, Bayard, 2016 (*In God's
Shadow: Politics in the Hebrew Bible*, New Haven, Yale University
Press, 2012).

18. Michael Walzer, Menachem Lorberbaum, Noam J. Zohar et Yair
Lorberbaum, *The Jewish Political Tradition*, vol. 1, *Authority*,
New Haven, Yale University Press; Michael Walzer, Menachem
Lorberbaum, Noam J. Zohar et Ari Ackerman, *The Jewish Political
Tradition*, vol. 2, *Membership*, 2003; Michael Walzer, Menachem
Lorberbaum, Noam J. Zohar et Madeline Kochen, *The Jewish
Political Tradition*, vol. 3, *Community*, New Haven, Yale University
Press, 2018. Un quatrième volume est en préparation. Désormais
abrégé *JPT*.

19. *ISC*, p. 56. Voir aussi *CC*, p. 3: «La plainte est la forme élémentaire de l'affirmation de soi, et la réponse à la plainte est l'une
des formes élémentaires de la reconnaissance mutuelle [...]. Je
me plains donc je suis.»

20. «La critique est la plus efficace [...] lorsqu'elle endosse la voix de
la plainte commune ou lorsqu'elle éclaire les valeurs sociales qui
soutiennent la plainte», *CC*, p. 4 et 16.

21. «La critique générale *[mainstream]* est le fait d'individus qui sont
suffisamment proches de leur audience et qui sont suffisamment
confiants dans leur rôle pour ne pas épouser un langage hautement spécialisé ou ésotérique», *ibid.*, p. 10-11.

22. *ISC*, p. 33.
23. *CC*, p. XIV-XVII et 15.
24. *Ibid.*, p. XIII et 9.
25. *Ibid.*, p. 8.
26. «Ce n'est pas de l'engagement que nous devons nous distancer, mais de l'autorité et de la domination», *ISC*, p. 52.
27. *Ibid.*, p. 53 ; *CC*, p. 20 et 226. «L'image, forgée tout au long du XX⁰ siècle, de l'intellectuel détaché et aliéné par nécessité est moins un fait sociologique (non vérifié) qu'un état mental. Élevé au rang de maxime, le détachement radical empêche la critique.» Voir *CC*, p. 5-6 et, à propos de «l'arrogance» de Philippe Sollers signalée par Breyten Breytenbach, cet «épigone de Sartre», pour qui «les intellectuels sont dans l'opposition. Par définition. Par principe. Par nécessité physique», voir *ibid.*, p. 237.
28. Un débat qui débuta peu après la publication de la *Théorie de la justice* de John Rawls, dans les années 1970 ; il opposa très schématiquement deux types d'approches pour comprendre et interpréter les interactions sociales et politiques : l'une attachée à l'individu autonome et à la «raison publique» (les libéraux), et l'autre à l'individu «situé», membre d'une communauté qui l'a socialisé. Michael Walzer est généralement associé au courant communautarien.
29. *Stricto sensu*, le statisme est une doctrine qui considère que l'autorité de l'État est en soi légitime ; que celui-ci peut et doit intervenir dans une série d'activités sociales, notamment dans l'économie. *Largo sensu*, le terme désigne simplement, *contra* les libertariens ou les anarchistes, que l'État est un acteur déterminant et légitime du système international.
30. *ISC*, p. 16.
31. M. Walzer, «Philosophy and Democracy», *Political Theory*, 9/3, 1981, p. 279-399, p. 389.
32. *ISC*, p. 12.
33. «Le fondationalisme philosophique est une entreprise autoritaire» *[philosophical founding is an authoritarian business]*, M. Walzer, «Philosophy and Democracy», art. cit., p. 381. Voir aussi *ibid.*, p. 383 : «Le philosophe affirme qu'il connaît la destinée "ourdie dans les cieux". Il sait ce qu'il faut faire.»

34. *ISC*, p. 14.

35. L'invention correspond au travail *législatif*, car sa légitimité dépend de la représentation : dans l'élaboration d'une constitution – la «création d'un nouveau monde moral» –, le législateur-philosophe doit être attentif à ce que le texte représente tous les membres réels et virtuels de la société; alors que dans la «codification légale», il ne représente que les sociétaires véritablement gouvernés par la Constitution. Voir *ISC*, p. 18. La première invention est maximaliste, la seconde minimaliste.

36. «S'il espère devenir "le législateur de l'humanité", il lui faudra émouvoir ses concitoyens plutôt qu'aspirer à les gouverner [...]. La poésie laisse une trace de la vérité du poète dans l'esprit du lecteur; moins cohérent qu'une affirmation philosophique, moins explicite qu'une injonction légale : un poème n'est jamais plus qu'une vérité partielle et non systématique, il nous surprend par ses excès, il nous tourmente avec ses ellipses, mais il ne plaide jamais une cause», M. Walzer, «Philosophy and Democracy», art. cit., p. 382.

37. M. Walzer prend pour cible John Rawls, Jürgen Habermas et Bruce Ackerman : «C'est étonnant : une fois que nous avons le plan préétabli de la conversation, il n'est plus guère besoin d'avoir la conversation», «A Critique of Philosophical Conversation», *Philosophical Forum*, 21, 1989, p. 182-196, reproduit *in* M. Walzer, *Thinking Politically*, éd. David Miller, New Haven, Yale University Press, 2007, p. 22-37, p. 25.

38. *Ibid.*, p. 36.

39. «Ils feront de longues promenades, joueront avec leurs enfants, feront des tableaux, feront l'amour et regarderont la télévision. Ils iront parfois aux réunions politiques, lorsque leurs intérêts sont directement en jeu ou lorsqu'ils en auront simplement envie. Mais ils ne rempliront pas les conditions d'un engagement total pourtant nécessaire au socialisme et à la démocratie participative», «A Day in the Life of a Socialist Citizen. Two Cheers for Participatory Democracy», *Dissent*, juin 1968, p. 245.

40. *Kibbitzer* désigne, en yiddish, une personne qui, littéralement, regarde par-dessus l'épaule des joueurs de cartes; plus généralement quelqu'un qui se mêle de ce qui ne le regarde pas, et/ou qui

fait des commentaires sans y avoir été invité. *CC*, «Introduction».
Voir également : «Le critique est aussi un commentateur qui offre
[...] une interprétation de ce que nous aimerions être, au fond de
nous-mêmes», *ibid.*, p. 231.
M. Walzer affectionne la métaphore du miroir que le critique tend
à sa société pour qu'elle s'y mire, comme Hamlet qu'il cite fré-
quemment : «Asseyez-vous ; vous ne bougerez pas, vous ne sorti-
rez pas, tant que je ne vous aurai pas présenté un miroir où vous
pourrez voir la partie la plus intime de vous-même», Shakespeare,
Hamlet, III, 4. «Pour la critique sociale, comme en philosophie
morale, affirme M. Walzer, c'est une erreur de penser que nous
devrions échapper à notre situation pour pouvoir la décrire de
manière adéquate», *CC*, p. 231.

41. Cette notion est empruntée à John Rawls, qui souhaitait ainsi
concilier les individus en «désaccord raisonnable» sur différentes
philosophies de la vie (séculières et religieuses), et qui soutien-
draient une vision politique commune pour des raisons différentes, internes à leur propre vision du monde.

42. *SJ*, p. 25-26.

43. M. Walzer, «Liberalism and the Art of Separation», *Political
Theory*, vol. 12, n° 3, 1984, p. 315-330.

44. *SJ*, p. 19.

45. *Ibid.*, p. 433-434. Voir aussi : «Les individus ont certes des droits
qui vont au-delà de leur droit à la vie et à la liberté ; mais ces
droits ne découlent pas de l'humanité que nous avons en partage ;
ils découlent de notre conception partagée des biens sociaux ; ils
ont un caractère local et particulier», *ibid.*, p. 19.

46. C'est la thèse de «Objectivity and Meaning», reproduite dans
M. Walzer, *Thinking Politically*, *op. cit.*, p. 38-53. Voir aussi : «Les
individus ne chérissent pas seulement le fruit de leurs expériences
spécifiques, ils chérissent le fait même de vivre des expériences,
le processus par lequel les biens ont été produits. Ils auront du
mal par conséquent à comprendre pourquoi l'expérience hypothétique d'hommes et de femmes abstraits devrait prendre le pas sur
leur propre histoire», M. Walzer, «Philosophy and Democracy»,
art. cit., p. 395.

47. Elle permettrait, dit Justine Lacroix avec justesse, de «conférer à la théorie éthique une réelle pertinence pratique», *Revue internationale de philosophie*, 2015/4, n° 274, p. 357-365, p. 361.
48. *ISC*, p. 24.
49. Il préfère «une critique sociale plus proche du travail de l'artisan aux bouleversements de la spéculation philosophique», *ibid.*, p. 25.
50. *Ibid.*, p. 24.
51. «[...] Le débat est sans fin. Il existe des haltes temporaires, des moments où l'on juge l'étant», *ibid.*, p. 42.
52. Les trois codifications de la loi divine se trouvent dans l'Exode, le Lévitique et le Deutéronome.
53. M. Walzer, *The Paradox of Liberation: Secular Revolutions and Religious Counterrevolutions*, New Haven, Yale University Press, 2015.
54. M. Walzer est attentif à la culture, à l'appartenance, aux significations partagées, il aime l'État-providence fort, il aime aussi le «socialisme démocratique décentralisé» (*SJ*, p. 440 *sq.*). J. Rawls disait que l'État-providence est mal armé pour réaliser les principes de justice, précisément parce qu'il ne fait pas «abstraction de la sociologie politique, c'est-à-dire d'une description des éléments politiques, économiques et sociaux qui déterminent son efficacité dans la réalisation de ses objectifs publics», et ne reconnaît ni la valeur équitable des libertés politiques, ni le principe de réciprocité (J. Rawls, *La Justice comme équité. Une reformulation de* Théorie de la justice, trad. Bertrand Guillarme, Paris, La Découverte, 2003, p. 190). M. Walzer, au contraire, du fait de son intérêt pour la justice sociale distributive, défend l'État-providence, parce qu'il ne fait justement pas abstraction de la «sociologie politique».
55. «Les philosophes ne devraient pas chercher à s'appuyer sur des outils juridiques (ou quelque autre outil), et les juges, bien qu'ils soient en quelque manière les philosophes du droit, ne devraient pas trop vite se transformer en philosophes politiques», «Philosophy and Democracy», art. cit., p. 382.
56. David Miller résume bien cette double colonisation de la dispute politique, voir *Thinking Politically, op. cit.*, p. IX.

57. « L'entreprise critique est fondée sur l'espoir [...]. La critique est orientée vers le futur », *CC*, p. 17.

Renoncer à affronter la défaite, le désappointement, mais aussi le reproche d'une trop grande proximité avec la société objet de la critique (et donc les prétentions universalistes), aurait trois conséquences : cesser d'être un intellectuel critique ; devenir un intellectuel général *[critic-at-large]* à la manière d'Herbert Marcuse, qui critiquait tout, de la modernité à la culture pop, en passant par la bureaucratie, et qui incarne une version « collectiviste de la misanthropie » ; devenir enfin le critique du petit cercle *[critic-in-the-small]*, à la manière de la critique universitaire qui débat en circuit fermé.

Voir *ibid.*, p. 227-228.

On retrouvera plus loin ce dernier argument dans les reproches que M. Walzer adresse à la « petite industrie qu'est devenue la recherche sur la guerre », qui ne « parle que de la recherche et qui a perdu de vue la guerre elle-même ».

58. *ISC*, p. 75. C'est pour cela que les théories du déterminisme historique ne sont guère compatibles avec la critique sociale. Marx peut être sauvé en revanche ; il fait du peuple l'objet de la critique sociale, mais il fait *aussi* de la révolte des masses la mobilisation d'une plaine commune. Le critique n'est ainsi plus seul, distant, il participe au contraire à une entreprise qu'il partage : il « agite, enseigne, défie et proteste depuis l'intérieur », *CC*, p. 26 [italiques de l'auteur].

59. « Les hommes et les femmes sont conduits à habiter des mondes moraux en conséquence d'une motivation morale : la passion pour la justification », *ISC*, p. 40.

60. « La moralité doit être débattue », *ibid.*, p. 29.

61. *CC*, p. 232.

62. *ISC*, p. 57.

63. *CC*, p. 232.

64. *Ibid.*, p. 226. « Quand la théorie s'effondre, on peut toujours se fier, comme le dit [Ignazio] Silone, à notre sens moral pour nous "guider vers le savoir" [...]. Qui peut douter que ces termes [liberté, justice, démocratie, oppression...] sont mieux employés par un

individu doué d'une sensibilité morale sans théorie que par une personne moralement obtuse possédant une théorie grandiose? [...] La sensibilité morale est l'armure de la survivance critique», *ibid.*, p. 229.

65. En désignant ces mauvais prophètes, M. Walzer n'émet pas un jugement sur la qualité philosophique des prophètes modernes, mais il met l'accent sur leur position critique.

66. *ISC*, p. 34.
    Voir aussi: «Un autre type de savoir est disponible depuis l'intérieur, plus limité, plus particulariste. Il est politique plutôt que philosophique. Il répond aux questions suivantes: Quels sont le sens et le but de cette association? Quelle est la structure appropriée pour notre communauté et notre gouvernement?», «Philosophy and Democracy», art. cit., p. 393.

67. *ISC*, p. 40.

68. La critique se forme au sein de la culture dominante, mais arrive le moment où celle-ci ne correspond plus à l'expérience des sociétaires. Si Karl Marx a bien joué un temps le rôle du critique, la «fausse conscience» dont il gratifie les travailleurs, contraire selon lui à leurs «intérêts objectifs», rompt le geste critique en épousant la forme de la sentence, universellement valide, du «standard externe». Car, comment les travailleurs «pourraient-ils se tromper sur la valeur et le sens de l'égalité dans leurs propres vies»?, *ISC*, p. 35, 38, 45.

69. Le *Traité sur la tolérance* est exemplaire d'un certain relativisme qui caractérise tous les écrits de M. Walzer. Ce relativisme ne s'apparente pourtant pas au relativisme moral classique. Il ne renonce pas aux principes et aux limites généraux (les prohibitions canoniques: ne pas tuer, ne pas opprimer, ne pas exploiter, etc.), mais il postule que le contexte historique des différentes expressions de la tolérance (comme de toutes les valeurs) importe, et qu'il serait vain de placer la règle avant ses manifestations particulières. Quelquefois, observe M. Walzer, c'est par «épuisement» que l'on obtient un progrès moral: l'observation empirique des horreurs des guerres civiles de religion a eu raison de la persécution des minorités et de l'inimitié entre les factions.

La démarche constructiviste ou procédurale n'est pas armée pour rendre compte de l'épaisseur des constellations morales spécifiques et historiques : « L'idée selon laquelle nos choix ne sont pas déterminés par un principe universel unique (ou par un système unique de principes), et l'idée selon laquelle le juste choix de telle situation peut n'être pas aussi juste dans telle autre, est, à proprement parler, une idée relativiste. La meilleure organisation politique est fonction de l'histoire et de la culture des hommes, ce sont elles qui régulent les existences. Voilà qui me paraît évident », *TT*, p. 18-19. « L'expérience est toujours, et de toute nécessité, culturellement médiatisée », *ibid.*, p. 21.

70. *Ibid.*, p. 16-17.

71. *ISC*, p. 47. Michael Sandel fait une analyse similaire lorsqu'il débat des arguments licites pour condamner l'esclavage. Contre la « raison publique », telle que la comprend J. Rawls, M. Sandel montre que le débat abolitionniste a été porté, littéralement, grâce à l'argumentation religieuse. Il prend pour exemple les débats entre Abraham Lincoln et Stephen A. Douglas, en 1865. L'objet du débat n'est pas d'abord la question du statut moral de l'esclavage, mais la question de savoir s'il faut mettre les doctrines morales et compréhensives entre parenthèses pour parvenir à un accord politique. St. A. Douglas défend une position « libérale » (ne pas frayer avec les « doctrines morales compréhensives ») : l'État doit rester neutre devant ces questions de conviction personnelle. A. Lincoln, en revanche, plaide dans le langage de la morale religieuse : il est amoral de réduire un autre être humain en esclavage, un vote ne pourra pas régler l'affaire (il ne dit rien de substantiel sur la moralité ou l'amoralité de l'esclavage, il enregistre de simples préférences). Voir M. Sandel, *Le Libéralisme et les limites de la justice*, trad. Jean-Fabien Spitz, Paris, Seuil, 1999 (*Liberalism and the Limits of Justice*, Cambridge/New York, Cambridge University Press, 1982, rééd. 1998).

72. *CC*, à propos d'Albert Camus, p. 139.

73. *Ibid.*, p. 151.

74. Voir les échanges sur A. Camus dans notre conversation aux chapitres 3 et 7.

75. Jean-Paul Sartre, *Plaidoyer pour les intellectuels*, Paris, Gallimard, 1972.
76. *CC*, p. 140, d'après J.-P. Sartre, *Plaidoyer pour les intellectuels*, *op. cit.*
77. *ISC*, p. 50.
78. *CC*, p. 143.
79. *Ibid.*, p. 141.
80. M. Walzer, « Philosophy and Democracy », art. cit., p. 382.
81. *ISC*, p. 51.
82. Voir le passage à ce sujet dans notre conversation au chapitre 6.
83. *ISC*, p. 59.
84. *Ibid.*, p. 58.
85. « La prophétie d'Amos est une critique sociale parce qu'il défie les puissants, les conventions et les pratiques rituelles d'une société particulière, et parce qu'il le fait au nom des valeurs reconnues et partagées dans ladite société [...]. C'est l'appartenance d'Amos à sa société qui fait la différence [...], il connaît les valeurs fondamentales des hommes et des femmes qu'il critique [...]. Et, dans la mesure où il est reconnu comme l'un des leurs, il peut les ramener dans le "droit chemin" », *ibid.*, p. 75-76.
86. « La prophétie est une manière particulière de parler, c'est une version moins éduquée qu'inspirée et poétique, qui ressemble à ce qu'a dû être [...] le *discours ordinaire* [nous soulignons] », *ibid.*, p. 62.
87. M. Walzer, « Nation and Universe », art. cit., p. 513 *sq.* Voir aussi : « Et cette pluralité est cohérente, en principe du moins, avec l'existence du Dieu omnipotent d'Israël qui crée les hommes et les femmes à son image. Car Dieu lui-même doit faire la paix avec leur pluralité et leur créativité. Tous les artistes ne peindront pas la même toile ; tous les auteurs dramatiques n'écriront pas la même pièce ; les philosophes auront des conceptions différentes du bien ; et les théologiens n'appelleront pas Dieu du même nom. Ce que les êtres humains ont en commun est précisément leur pouvoir de création qui ne consiste pas à faire la même chose de la même manière, mais à faire des choses différentes de différentes façons : l'omnipotence divine (faiblement) reflétée, distribuée et particularisée. C'est une histoire de la création qui s'accorde avec l'univer-

salisme réitératif, même si ce n'est pas, j'en conviens, la version dominante », *ibid.*, p. 518.

88. M. Walzer, « Philosophy and Democracy », art. cit., p. 394.

89. M. Walzer, « Nation and Universe », art. cit., p. 520-521.

90. *Ibid.*, p. 526 et 531.

91. *Ibid.*, p. 555.

92. Isaiah Berlin, « La théorie politique existe-t-elle ? », *Revue française de science politique*, 11, 1961, p. 309-337, traduit ensuite sous le titre « Does Political Theory Still Exist ? », *in* Henry Hardy (éd.), *Concepts and Categories : Philosophical Essays*, Londres-New York, Hogarth Press, 1979, p. 143-172.

93. M. Walzer, « Nation and Universe », art. cit., p. 555.

94. Ronald Dworkin, « To Each His Own » (recension de *Spheres of Justice*), *New York Review of Books*, 14 avril, 1983 ; « Spheres of Justice : An Exchange », réponse de M. Walzer suivie d'une réponse par R. Dworkin, *New York Review of Books*, 21 juillet 1983.

95. M. Walzer, « Objectivity and Social Meaning », *in* M. Nussbaum et A. Sen (éd.), *The Quality of Life, op. cit.*

96. John Searle, *La Construction de la réalité sociale*, trad. Claudine Tiercelin, Paris, Gallimard, 1998 (*The Construction of Social Reality*, New York, Free Press, 1997).

97. « La règle de la majorité ne gouverne pas les débats sur les significations sociales ; elle ne gouverne que les comportements. Les règles de comportement sont objectivement justes par rapport aux significations sociales partagées, mais les significations sociales partagées ne sont pas objectivement justes (ou fausses) », « Objectivity and Social Meaning », *in* M. Nussbaum et A. Sen (éd.), *The Quality of Life, op. cit.*, p. 44.

98. *Ibid.*, p. 45 [nous soulignons].

99. M. Walzer, « Liberalism and the Art of Separation », art. cit.

I. Qui êtes-vous, Michael Walzer ?

1. Herbert Hoover, républicain, secrétaire d'État au Commerce, l'a emporté contre le gouverneur démocrate de New York, Alfred E. Smith [Al Smith], un catholique.

2. Stephen Samuel [Weitsz] Wise (1874-1949) était un rabbin réformé favorable au sionisme politique. Né à Budapest, il était le co-fondateur de la *NAACP [National Association for the Advancement of Colored People]*, le fondateur, en 1922, du Jewish Institute for Religion (un centre d'études pour le judaïsme réformé), le pré-sident de Keren Hayessod (l'organisme de collecte de fonds pour Israël), le président honoraire du *AJC [American Jewish Congress]*, dont il organisa la première rencontre à Philadelphie avec Louis Brandeis et Felix Frankfurter en 1918. Il a conseillé le Président Franklin D. Roosevelt sur les questions juives et, en cette qualité, il a fait l'objet de critiques, de la part de Saul Friedländer notam-ment : St. S. Wise avait en effet soutenu l'embargo contre l'envoi d'aide aux Juifs dans les territoires occupés par les nazis.

3. Ewa Morawska, *Insecure Prosperity : Small-Town Jews in Industrial America, 1890-1940*, Princeton, N. J., Princeton University Press, 1999.

4. *Id., For Bread with Butter : The Life-Worlds of East Central Europeans in Johnstown, Pennsylvania, 1890-1940*, Cambridge, Mass., Cambridge University Press, 1985.

5. Bethlehem Steel, fondé en 1904, était à la fois un chantier naval et l'une des aciéries les plus importantes des États-Unis.

6. La Torah comprend cinquante-quatre *parachot*, lues, selon des cycles différents en Israël et en diaspora, le jour de shabbat.

7. Voir plus loin (chapitres 4, 7, 9).

8. *PM* était un journal de gauche fondé en 1940 par Ralph Ingersoll (le premier employeur de Isador F. Stone, voir *infra*). Le journal militait pour l'entrée des États-Unis dans la Seconde Guerre mon-diale, contre la discrimination raciale, le fascisme, l'antisémitisme, et publiait les célèbres bandes dessinées du Dr Seuss [Theodor Geisel]. *PM* a cessé de paraître en 1948.

9. Isador Feinstein Stone (1907-1989) était un écrivain américain d'origine russe, un journaliste de la gauche radicale, membre du Front populaire dans les années 1930. Il a travaillé pour *The New York Post, The Nation, PM*, avant de créer son propre hebdoma-daire, *I. F. Stone's Weekly*, qui a paru de 1953 à 1971. I. F. Stone était aussi un sioniste convaincu ; il a demandé avec insistance au

Président Fr. D. Roosevelt de s'engager dans le sauvetage des Juifs européens. Il a écrit contre les guerres de Corée et du Vietnam. On lui a prêté (sûrement à tort) des activités d'espionnage pour le compte des Soviétiques.

10. I. F. Stone, *Underground to Palestine*, New York, Boni & Gaer, 1946, publié d'abord comme collection d'articles dans *PM* (rééd. CreateSpace Independent Publishing Platform, 2017). C'est un récit fait à partir des témoignages de survivants de la Shoah arrivant en Israël. Il a été réédité en 1978 sous le titre *Underground to Palestine and Reflections Thirty Years Later*, avec une préface de Don D. Guttenplan et deux chapitres additionnels qui avaient paru dans la *New York Review of Books* sur les affrontements entre Arabes et Israéliens de 1948-1949 («Confessions of a Jewish Dissident», «The Other Zionism») et la guerre de Suez en 1956. *Dissent* a publié une recension faite par Susie Linfield en 2012 : «Zionism and its Discontent», automne 2012.

11. *United Jewish Appeal [UJA]*, une organisation philanthropique américaine créée en 1939.

12. Sam Rappaport est devenu Sam Shapiro dans l'article de *Foreign Affairs* («On Humanitarianism. Is Helping Others Charity, or Duty, or Both?», *Foreign Affairs*, juillet-août 2011). *Tsedakah* désigne à la fois l'aumône et la justice en hébreu. C'est également le récipient qui recueille l'argent destiné à être distribué aux nécessiteux. En se référant à l'événement dont il est question dans notre conversation, M. Walzer évoque les deux sens du terme :
«Dans la tradition juive, la conception de la *tsedakah* comme symbole de la justice peut être comprise dans le langage théologique. L'idée est que Dieu a entendu les – et a répondu aux – crises des pauvres, et, en principe du moins, leur a donné ce dont ils ont besoin. Vous possédez peut-être une partie de ce dont ils ont besoin, mais vous ne le possédez qu'en tant qu'agent de Dieu, et si vous ne le donnez pas aux pauvres, si vous ne contribuez pas au fonds de charité communautaire, vous volez aux pauvres ce qui leur appartient légitimement. L'action négative de ne pas contribuer est ainsi positivement qualifiée de vol. Et puisque voler est injuste, vous agissez non seulement de façon non charitable mais

aussi injustement en ne donnant pas – c'est pourquoi la coercition de la *tsedakah* est légitime. J'ai appelé ce raisonnement théologique, mais même ceux qui ne sont pas croyants peuvent accepter la vérité et la justesse de ce raisonnement. Ils peuvent le traduire dans un langage séculier : une partie de nos richesses appartient à la communauté politique.

Quel était donc le principe moral ou philosophique que Sam mettait en œuvre ici ? Il n'aurait sans doute pas su répondre à cette question, et pourtant la réponse est évidente : "de chacun selon ses moyens, à chacun selon ses besoins", c'est une citation de Marx, elle figure dans la *Critique du programme de Gotha*. Sam n'était pas un marxiste, pas même de loin, mais il ajustait ce qu'il nous demandait à notre capacité de payer. "De chacun selon ses moyens" est un exemple du "deux-en-un", car la notion traduit à la fois le don charitable et la légitimité de la réception [...]. Or des décisions de cette nature ne peuvent pas être prises de manière cohérente sans comprendre ce qu'exige le concept de justice. C'est donc dans ce contexte que nous devons réfléchir à l'aide humanitaire [...] ; elle doit répondre à l'urgence et au besoin. Soit la *tsedakah* : si elle n'a pas de rapport avec la justice, elle ne peut être ce qu'elle devrait être. »

13. Henry A. Wallace est devenu le vice-président de Fr. D. Roosevelt après les élections présidentielles de 1940. Mais, en 1944, les démocrates ont désigné Harry S. Truman comme colistier. H. A. Wallace, devenu l'éditeur de la *New Republic* à la fin des années 1940, était également un opposant féroce à la politique étrangère de H. S. Truman. Ce dernier a été Président des États-Unis en 1945, après la mort de Fr. D. Roosevelt.

14. H. S. Truman avait accepté de soutenir le plan d'Ernest Bevin pour approvisionner Berlin par un pont aérien. Il était également favorable à la création de l'État d'Israël. Voir David McCullough, *Truman*, New York, Simon & Shuster, 1992.

15. « Discours fait lors du 125ᵉ anniversaire de la présence juive à Johnstown », Archives personnelles de M. Walzer.

16. Joseph McCarthy (1908-1957), sénateur du Wisconsin de 1947 à 1957. Violemment anticommuniste, il lança, dans les services du

gouvernement, de l'université, de la presse et de l'industrie ciné-
matographique, des campagnes contre les citoyens qu'il soupçon-
nait d'être communistes, homosexuels. Il fut censuré par le Sénat
en 1954. Le maccarthysme, auquel il a donné son nom, caractérise les attaques semi-légales ou illégales contre les politiques ou
les comportements qu'il qualifiait d'anti-américains.

17. Sur l'engagement politique de M. Walzer, voir chapitre 2.

18. Dr Abram Leon Sachar était le fondateur et le premier président
de Brandeis. Lorsque l'université a ouvert ses portes en 1948, elle
comptait 107 étudiants et 13 enseignants. Brandeis a aujourd'hui
plus de 6000 étudiants et plus de 350 enseignants. A. Sachar
est né de parents immigrés à New York en 1899. Président de la
fondation Hillel, c'était un spécialiste de l'histoire juive. Voir sa
nécrologie dans le *New York Times* du 25 juillet 1993.

19. Marie Syrkin, *Golda Meir. Woman with a Cause*, New York, Putnam,
1963.

20. Marie Syrkin (1899-1989) était la fille de Nachman Syrkin (1868-
1924), socialiste et sioniste influent, fondateur du sionisme travailliste. M. Syrkin, qui avait un diplôme d'anglais (BA) de l'Université de Cornell, a été enseignante de littérature anglaise dans
un lycée professionnel textile à Manhattan avant de rejoindre
Brandeis. Écrivaine, poétesse, traductrice de la poésie yiddish, elle
avait également cofondé le journal sioniste *Jewish Frontier*. Son
livre *Blessed Is the Match: The Story of Jewish Resistance*, New
York, Knopf, 1948, est l'histoire d'un groupe de survivants de la
Shoah en Palestine.

21. Frank E. Manuel (1910-2003) était un professeur d'histoire
connu pour ses écrits sur l'utopie. Il a publié *Utopian Thought
in the Western World* avec sa femme Fritzie P. Manuel (Oxford,
B. Blackwell, 1979) ; en 1983, l'ouvrage a reçu le National Book
Award en Histoire.

22. *Birth of a Nation* [Naissance d'une nation], un film de
D. W. Griffith, sort en 1915. Il raconte l'histoire de deux familles,
nordiste et sudiste, pendant la guerre de Sécession. Le film,
basé sur deux romans de Thomas F. Dixon (*The Clansman: A
Historical Romance of the Ku Klux Klan* et *The Leopard's Spots*)

contient une apologie du Ku Klux Klan et des scènes racistes qui lui ont valu d'être interdit dans un certain nombre de villes des États-Unis.

23. « Discours fait lors du 125e anniversaire de la présence juive à Johnstown », Archives personnelles de M. Walzer.

24. *Hashomer Hatzaïr* est un mouvement de jeunesse socialiste et sioniste, fondé en 1913.

25. Voir par exemple Judith B. Walzer, « The Breakthrough : Feminism and Literary Criticism », *Dissent*, printemps 2008.

26. Geoffrey Rudolph Elton (1921-1994), historien politique britannique, spécialiste des constitutions et Regius Professor d'histoire moderne à Cambridge, il est l'auteur d'une vingtaine de livres sur la réforme des Tudor, la réforme protestante, l'histoire moderne de l'Angleterre, Henry VIII et Cromwell.

27. Victor Ehrenberg (1891-1976), historien allemand, spécialiste de l'histoire et de la pensée grecque antique, père de G. R. Elton.

28. Isaac Deutscher (1907-1967), auteur et journaliste polonais, communiste sans être bundiste, né à Varsovie. I. Deutscher est connu pour ses biographies de Joseph Staline, *Stalin. A Political Biography* (1949), Londres, Oxford University Press, 2e éd., 1967, et de Léon Trotski, *The Prophet Armed* (1954), *The Prophet Unarmed* (1959) et *The Prophet Outcast* (1963), 3 vol., Londres, Oxford University Press, 1963. Il a également écrit sur Israël : *The Non-Jewish Jew and Other Essays*, Londres, Oxford University Press, 1968.

29. Stuart Hall (1932-2014), cofondateur de la *New Left Review*, est aussi l'inventeur des « Cultural Studies » et a contribué à faire du genre et de la race des sujets centraux dans les cursus universitaires anglo-américains. Influencé par la philosophie continentale, française en particulier, il a écrit de nombreux articles et livres sur le postmodernisme, la théorie postcoloniale et la sémiotique. St. Hall est connu pour sa conception dynamique de l'identité culturelle, dépendante « [d]es situations chaque fois différentes qui nous assignent une position et dans lesquelles nous prenons place, [d]es narrations du passé » (*Cultural Identity and Diaspora. Identity : Community, Culture, Difference*, Londres,

Lawrence and Wishart, 1990). Parmi ses travaux, on compte notamment (avec Paul Walton), *Situating Marx: Evaluations and Departures*, Londres, Human Context Books, 1972; *Encoding and Decoding in the Television Discourse*, Birmingham, Centre for Contemporary Cultural Studies, 1973; *Representation. Cultural Representations and Signifying Practices*, Londres, Thousand Oaks, Calif., Sage & Open University, 1997; *Selected Political Writings: The Great Moving Right Show and Other Essays*, Londres, Lawrence & Wishart, 2017.

30. Michael et Margaret Rustin sont tous deux universitaires, spécialistes de la psychanalyse, notamment de Melanie Klein. Michael Rustin a été un contributeur régulier de la *New Left Review*. Un résumé de l'histoire de la revue et de ses animateurs est disponible en ligne: https://newleftreview.org/history

31. Catherine Hall est professeure d'histoire culturelle et sociale à UCL. Elle a épousé St. Hall en 1964. Ses travaux comprennent *White, Male And Middle-Class: Explorations in Feminism and History*, New York, Routledge, 1992; *Race, Nation and Empire: Making Histories, 1750 to the Present* (avec Keith McClelland), Manchester, Manchester University Press, 2010.

32. Charles Taylor est un philosophe canadien né en 1931 d'une mère francophone et d'un père anglophone. Il fait partie des premiers contributeurs de la *New Left Review* (avec Alisdair MacIntyre). Associé pendant un temps au courant communautarien, Ch. Taylor a publié plus d'une vingtaine de livres dans le domaine de la philosophie morale; il a également été à l'initiative, avec Gérard Bouchard, de la commission Taylor-Bouchard sur les «accommodements raisonnables» au Québec en 2007. Ses livres majeurs sont *Les Sources du moi. La formation de l'identité moderne*, Paris, Seuil/Boréal, 1998; *Multiculturalisme. Différence et démocratie*, Paris, Aubier, 1993; *La Liberté des Modernes*, Paris, PUF, 1999; *L'Âge séculier*, Paris, Seuil/Boréal, 2011.

33. Le titre anglais est «My Israel» (Micha Brumlik [éd.], *Mein Israel – 21 erbetene Interventionen*, trad. Ilse Strasmann, Francfort-sur-le-Main, Fischer Taschenbuch Verlag, 1998). En voici un extrait: «Alors, qu'avions-nous en commun avec les Égyptiens et les

Polonais ? Je pourrais bien sûr donner une réponse intellectuelle à cette question. Je n'aurais pas été sur ce bateau si je n'avais été en quelque manière déjà sioniste. J'avais foi dans l'unité du peuple juif, je croyais au droit à la libération nationale des Juifs, et à l'urgence, après la Shoah, de la création d'un État juif. Mais, entre le Pirée et Haïfa, j'ai compris le corrélat émotionnel de ces certitudes. Mon sentiment de parenté avec les gens à bord était tellement fort qu'aujourd'hui encore les mots me manquent pour l'exprimer – et, quarante-cinq ans plus tard, je ne ressens pas vraiment le besoin de le dire avec des mots. Depuis cette traversée, j'ai été sioniste, pas seulement pour toutes les autres raisons imaginables, mais à cause de ce petit garçon qui avait brusquement douté de ce que signifie être juif, tout en étant pris dans une expérience juive très singulière [...]. J'ai des espoirs plus élevés pour Israël ; bien qu'il soit essentiel que le pays soit un lieu où un garçon comme lui puisse grandir en sécurité et comprendre qui il est. Chaque fois que mes espoirs me conduisent à critiquer l'une ou l'autre des politiques du gouvernement israélien, ce qui arrive souvent, je me rappelle les Égyptiens et les Polonais sur ce bateau en 1957. Je suppose qu'ils ont fait d'Israël leur maison et, parce qu'ils l'ont fait, parce qu'ils ont pu le faire, leur Israël est aussi le mien. »

34. Nachshon est un kibboutz historique dans le centre d'Israël. Il doit son nom à Nachshon, commandant de la tribu de Juda (voir Nombres). L'« opération Nachshon » fut le nom donné à l'une des grandes initiatives de la Haganah pour mettre fin au siège de Jérusalem durant la guerre de 1948 et libérer la route de Tel Aviv à Jérusalem.

35. D'après un *midrash*, Nachshon, le fils d'Aminadav, fut le premier à se jeter dans la mer Rouge avant qu'elle ne se sépare en deux lors de la sortie d'Égypte.

36. Kiryat Shmona [la ville des Huit] est un village historique près de la frontière libanaise. Construit sur les ruines d'un village arabe en 1949 (Al Khalisah), il est devenu un camp de transition *(ma'abara)* pour les Juifs yéménites et doit son nom à la mémoire de Joseph Trumpeldor et de ses sept camarades tués lors de la défense de Tel Hai en 1920.

37. Voir les extraits de ce discours *supra*.
38. Dans une interview avec Harry Kreisler (*Conversations with History*, https://www.youtube.com/watch?v=t1_Z5SPIrs4), M. Walzer évoque l'empêchement *[narrowing down work]* dont étaient victimes les étudiants dans les écoles doctorales, ainsi que l'échappatoire bienvenue qu'offrait alors *Dissent*.
39. Louis Hartz (1919-1986) était professeur de science politique à Harvard. Il a écrit sur l'exceptionnalisme américain et le déficit d'idéologie dans l'Amérique libérale et consensuelle. Il a publié, entre autres, *The Liberal Tradition in America. An Interpretation of American Political Thought since the Revolution*, Harcourt, Brace, 1955; *The Founding of New Societies: Studies in the History of the United States, Latin America, South Africa, Canada, and Australia*, Harcourt, Brace & World, 1964.
40. Samuel Beer (1911-2009) était également professeur de science politique à Harvard. Membre du Comité national démocrate, il rédigeait les discours de Fr. D. Roosevelt et publiait dans le *New York Post*. Il est l'auteur de plusieurs livres, dont *The City of Reason*, Cambridge, Mass., Harvard University Press, 1949; *Britain Against Itself: The Political Contradictions of Collectivism*, New York, W. W. Norton & Company, 1982; *To Make a Nation: The Rediscovery of American Federalism*, Cambridge, Mass., Harvard University Press, 1993.
41. Valdimer Orlando Key Jr. (1908-1963), politologue américain, spécialiste du comportement électoral. Parmi ses publications, on peut citer *Politics, Parties, and Pressure Groups*, Springfield, Ohio, Crowell, 1942; *American State Politics: An Introduction*, New York, Knopf, 1956 et Westwood Ct, Greenwood Press, 1983; *Public Opinion and American Democracy*, New York, Knopf, 1961; et, avec Milton C. Cummings, *The Responsible Electorate: Rationality in Presidential Voting, 1936-1960*, Cambridge, Mass., Belknap Harvard Press, 1966.
42. Zbigniew Brzeziński (1918-2017), politologue polono-américain, spécialiste de relations internationales, membre de l'école réaliste; il fut le conseiller politique de Lyndon B. Johnson, et le conseiller en sécurité de Jimmy Carter. Z. Brzeziński a eu une longue car-

rière au sein du gouvernement américain, il a influencé la politique iranienne, chinoise, afghane et moyen-orientale. Intellectuel
et professeur (à Johns Hopkins, Columbia et Harvard), il est l'auteur de nombreux livres et articles, notamment sur le totalitarisme.
Voir *The Permanent Purge: Politics in Soviet Totalitarianism*,
Cambridge, Mass., Harvard University Press, 1956; *Soviet Bloc:
Unity and Conflict*, Cambridge, Mass., Harvard University Press,
1967; *Grand Failure: The Birth and Death of Communism in
the Twentieth Century*, New York, Collier Books, 1990; le classique *Totalitarian Dictatorship and Autocracy*, Cambridge, Mass.,
Harvard University Press, 1956, écrit avec Carl J. Friedrich; et,
avec P. Edward Haley, *American Security in an Interdependent
World*, Lanham, Mar., Rowman & Littlefield, 1988.

43. Rupert Emerson (1899-1979), politologue américain, professeur
de relations internationales à Harvard, spécialiste du nationa-
lisme en Asie et en Afrique. Il est notamment l'auteur de *From
Empire to Nation: The Rise to Self-Assertion of Asian and African
Peoples*, Cambridge, Mass., Harvard University Press, 1962; *Self-
Determination Revisited in the Era of Decolonization*, Cambridge,
Mass., Center for International Affairs, Harvard University Press,
1964.

44. Voir le texte de St. Hall sur la Nouvelle Gauche des débuts. Il
comprend des commentaires aussi sur le New Left Club: « Life
and Times of the First New Left », *The New Left Review*, 61,
janvier-février 2010, https://newleftreview.org/II/61/stuart-hall-
life-and-times-of-the-first-new-left

45. Publié dans le *New York Times*, le 10 mai 1961, 41M.

46. Stephan Thernstrom, né en 1934, a été professeur d'histoire
à Brandeis, Harvard et Cambridge. Il a coécrit avec sa femme
Abigail (née en 1936), elle-même politologue et spécialiste des
questions raciales, *America in Black and White. One Nation,
Indivisible*, New York, Simon and Schuster, 1997, et *No Excuses:
Closing the Racial Gap in Learning*, New York, Simon and
Schuster, 2003.

47. Gabriel M. Kolko (1932-2014), historien (révisionniste) américain, spécialiste de l'histoire de la guerre, du capitalisme et

du socialisme, ainsi que de l'«ère progressiste». Il a publié *The Triumph of Conservatism: A Reinterpretation of American History, 1900-1916*, New York, The Free Press, 1963; *Vietnam: Anatomy of a Peace*, Londres et New York, Routledge, 1997; *Century of War: Politics, Conflicts, and Society since 1914*, New York, The New Press, 1994; *After Socialism: Reconstructing Critical Social Thought*, Abingdon, Routledge, 2006.

48. *La Révolution des saints, op. cit.*

49. M. Walzer, «After the Landslide», *Views* (édition américaine), *Quarterly*, n° 6, automne 1964 *(Civil Rights, Goldwaterism, Cold War, Automation, Poverty, Mass Culture)*, p. 13-20.

50. Clancy Sigal (1926-2017) était auteur, scénariste et réalisateur. Son roman autobiographique, *Going Away. A Report. A Memoir*, New York, Carroll & Graf, 1961, a été nommé pour le National Book Award.

51. *Soundings* a été fondé par Doreen Massey, Stuart Hall et Michael Rustin. L'éditrice est aujourd'hui Sally Davison (https://www.lwbooks.co.uk/soundings).

52. Perry Anderson (né en 1938) est un historien britannique, marxiste, éditeur de la *New Left Review* (de 1962 à 1982, puis à nouveau au début des années 2000). Il est l'auteur d'un grand nombre de livres sur le marxisme occidental et le capitalisme tardif (*Considerations on Western Marxism*, Londres, Verso, 1976). Il a également proposé une lecture critique du postmodernisme, des thèses de Frederik Jameson notamment (*The Origins of Postmodernity*, Londres, Verso, 1998). Du même auteur, on peut également lire *Arguments within English Marxism*, Londres, Verso, 1980; *Mapping the West European Left*, avec Patrick Camiller, Londres, Verso, 1994. Paul Blackledge lui a consacré une biographie intéressante: *Perry Anderson, Marxism, and the New Left*, Londres, Merlin Press, 2004.

53. Dr Stanley Plastrik (1915-1981) est le cofondateur de *Dissent*. Il a enseigné l'histoire américaine dans l'une des branches de la City University à Staten Island jusqu'à sa retraite en 1980.
I. Howe et lui-même étaient déçus par la Ligue socialiste indépendante (ISL), qui avait pris le relais du Parti des travailleurs (la

Workers Party), et l'avaient quittée en 1952. «Ils se sont plaints, dans leur lettre de démission, que "la coquille isolante" *(sic)* autour d'ISL ait commencé par sembler presque confortable, et que ce qui apparaissait autrefois comme la tragédie de la vie sectaire était désormais secrètement glorifié par la psychologie du "reste salvateur"», cité par M. Isserman, «Steady Work», art. cit.

À la mort de S. Plastrik, I. Howe et M. Walzer ont publié un texte émouvant à sa mémoire : «On m'a demandé l'autre jour de parler de "la fondation morale du socialisme". Cela m'a surpris car je n'étais pas sûr que le socialisme puisse se réclamer d'une fondation morale [...]. Puis, après ma visite à l'hôpital où Stanley était en train de mourir, cela m'a frappé comme un éclair : j'ai parlé à la fondation morale du socialisme presque tous les jours au téléphone pendant plus de dix-sept ans, j'ai été ami avec elle pendant quarante ans, et j'ai collaboré avec elle au sein de *Dissent* pendant vingt-sept ans. Certes, au cours de notre expérience partagée depuis les années 1930, l'idée du socialisme était devenue de plus en plus problématique, mais la justesse de l'identité socialiste était toujours aussi claire. Être socialiste veut dire ressembler à Stanley ; garder le cap dans les bons et les mauvais moments ; répondre présent quoi qu'il arrive ; vivre selon un code de conduite, tacite, mais inviolable ; être attentif à la vie des gens », *Dissent*, hiver 1981.

54. Emanuel [Manny] Geltman (1914-1995) fut également un *Dissentnik* de la première heure. Ancien trotskiste, ancien éditeur de *Labor Action*, correcteur puis éditeur dans diverses maisons (The Free Press of Glencoe, Chicago University Press), Geltman était, entre autres, responsable du design de la revue.

Un *in memoriam* écrit par Brian Morton a paru dans le numéro d'hiver de *Dissent* en 1996, en voici un extrait : «Manny a été socialiste plus longtemps que n'a duré notre vie à nous. Adolescent, influencé par ses frère et sœur plus radicaux, il a rejoint un groupe de jeunes communistes. Étudiant au Brooklyn College, il se posait des questions sur l'entente entre les communistes et Adolf Hitler, et s'est inscrit à l'embryonnaire mouvement trotskiste américain, au sein duquel il est devenu rapidement le leader de la jeunesse. Avec James P. Cannon et Max Shachtman, les fondateurs du trotskisme américain, ainsi que Nathan Gould, il avait fait le voyage à Paris en 1937 pour participer à la manifestation qui allait devenir la Quatrième Internationale. Manny disait en blaguant qu'il rejoignait des mouvements politiques juste à temps pour les quitter. Il n'a jamais suivi une "ligne de parti" ; lorsqu'il a rompu avec les trotskistes du parti des socialistes travaillistes, il a adhéré au groupe de M. Shachtman qui avait été dégoûté par le pacte germano-soviétique et l'invasion soviétiques des pays Baltes. Avant d'être appelé, Manny était l'éditeur de *Labor Action*, l'hebdomadaire des Shachtmanites [...]. Mais, après la guerre, les limites de la politique sectaire devenaient de plus en plus évidentes et, en 1953, il a quitté le groupe de Shachtman et a rejoint Irving Howe, Stanley Plastrik, Lewis Coser et Meyer Schapiro, pour créer une revue dont I. Howe et L. Coser disaient qu'elle fournirait un point de ralliement pour tous ceux qui contestaient l'atmosphère de conformisme glauque qui avait perverti la vie intellectuelle et politique des États-Unis. »

55. Voir Lewis Coser, « Sects and Sectarianism », *Dissent*, n° 4, automne 1954.

56. Edward Palmer Thompson (1924-1993) est un historien important du socialisme britannique, spécialiste de la classe ouvrière. Il est le fondateur de la « nouvelle histoire sociale » *[new social history]*. Il a beaucoup écrit, voir par exemple *The Making of the English Working Class*, Londres, Victor Gollancz, 1963 ; *The Poverty of Theory and Other Essays*, Londres, Merlin Press, 1978 ; *Protest and Survive*, Londres, Penguin Books, 1980 ; *Making History : Writings on History and Culture*, Londres, The Free Press, 1994.

57. Voir « The Great Moving Right Show », *Marxism Today*, janvier 1979 (disponible en ligne : http://banmarchive.org.uk/collections/mt/index_frame.htm) ; ainsi que Stuart Hall et Martin Jacques, *The Politics of Thatcherism*, Londres, Lawrence & Wishart, 1983.

58. John Schrecker (né en 1937) est professeur émérite à Brandeis. Spécialiste de l'histoire et de la civilisation de l'Asie de l'Est. Il a notamment écrit *The Chinese Revolution in Historical Perspective*,

2ᵉ éd., New York, Greenwood/Praeger, 2004; avec Paul Cohen, *Reform in Nineteenth-Century China*, Cambridge, Mass., Harvard University Press, 1976; *Imperialism and Chinese Nationalism: Germany in Shantung*, Cambridge, Mass., Harvard University Press, 1971.

59. Michael Walzer et John Schrecker, «American Intervention and the Cold War», *Dissent*, automne 1965, et «A reply by Michael Walzer and John Schrecker», *Dissent*, mars-avril 1966.

60. Jon Wiener (né en 1944) est historien et journaliste. Il a fait partie des équipes éditoriales de *The Nation*, *The New York Times Magazine*, *The Guardian*, *The New Republic*. Il s'est fait connaître par la bataille légale menée contre le FBI, dénonçant la surveillance dont son ami John Lennon fut la victime, et réclamant que le dossier J. Lennon soit rendu public. J. Wiener était très engagé dans le mouvement contre la guerre du Vietnam; il a publié un ouvrage sur le procès des émeutiers de Chicago en 1968: *Conspiracy in the Streets: The Extraordinary Trial of the Chicago Eight*, édition et introduction de Jon Wiener, postface de Tom Hayden, dessins de Jules Feiffer, New York, The New Press, 2006.

61. https://simplecast.com/s/410f4b0e?t=0m0s

62. M. Walzer, «The State of Righteousness: Liberal Zionists Speak Out», *Huffpost Blog*, 24 avril 2012, voir https://www.huffingtonpost.com/michael-walzer/liberal-zionists-speak-out-state-of-righteousness_b_1447261.html?guccounter=2

63. Voir M. Walzer, «What Does It Means to Be an "American"?», *Social Research*, vol. 71/3, automne 2004, p. 633-654.

64. M. Walzer, «A Day in the Life of a Socialist Citizen», *Dissent*, mai-juin 1968.

II. L'ENGAGEMENT. DROITS CIVIQUES
ET MOUVEMENT ANTI-GUERRE

1. Cité par M. Isserman, «Steady Work», art. cit.

2. Voici comment M. Walzer décrit l'état d'esprit des premiers membres des *sit-in*: mobilisés par une «indignation au jour le jour», un certain bonheur d'assister aux protestations, «nous étions

si heureux»; une forte et spontanée solidarité et une bonne organisation, «comme copiée sur un manuel de bureaucratie», M. Walzer, «The Young. A Cup of Coffee and a Seat», *Dissent*, printemps 1960.

3. La *Weather Underground Organization* a été créée en 1969 par une fraction de *SDS*, lors de la dissolution de l'organisation. Militant pour une société sans classes et pour les droits des Noirs aux côtés des *Black Panthers*, opposée à la guerre du Vietnam, l'organisation a déclaré la guerre à l'impérialisme américain et organisé le bombardement de bâtiments gouvernementaux dans les années 1970, ainsi que des émeutes: les trois «Days of Rage» [Jours de rage] d'octobre 1969 à Chicago par exemple.

4. Jürgen Habermas raconte l'expérience allemande dans «20 Years Later. May 68 and the West-German Republic», *Dissent*, printemps 1989.

5. *Dissent, Symposium 68*, printemps 2008.

6. «Les campagnes présidentielles leur semblaient un univers séparé des *sit-in*, du piquetage et de la solidarité étudiante», voir M. Walzer, «The Young. A Cup of Coffee and a Seat», art. cit.

7. Ralph Abernathy (1926-1990) était un pasteur célèbre et un activiste politique dans le mouvement des droits civiques. Contre l'usage de la violence, coorganisateur du boycott des bus à Montgomery, cofondateur et président du SCLC après l'assassinat de Martin Luther King en 1968, membre du conseil d'administration du Martin Luther King, Jr. Center for Nonviolent Social Change. R. Abernathy est l'auteur d'une autobiographie controversée (*And the Walls Came Tumbling Down*, New York, Harper Collins, 1989), où il fait état de la vie privée de Martin Luther King.

8. Un article intéressant note cette solidarité initiale entre Noirs et Juifs: «Can the Blacks Do for Africa What the Jews Did for Israel?», Martin Weil, *Foreign Policy*, 15, été 1974.

9. Voir *Conversations with History*, 12 novembre 2013, https://conversations.berkeley.edu/walzer_2013

10. Harvey Pressman, ancien étudiant à Brandeis et camarade de M. Walzer (promotion 1958), est le fondateur de la Central Coast Children's Foundation. Voir son interview par Deena Ecker

dans *The Civil Rights History Project: Survey of Collections and Repositories: Massachusetts to Mississippi: Brandeis Student Involvement in the Civil Rights Movement, 1960-1964*, https://www.loc.gov/folklife/civilrights/survey/view_collection.php?coll_id=1500

11. Cet article n'a jamais été publié. M. Walzer y développe une analyse serrée de la découverte de la politique et de la solidarité par les étudiants des années 1960; des incompréhensions entre générations en général (mais aussi entre les vieux routiers de la politique tentant de récupérer le mouvement et les jeunes étudiants enthousiastes peu enclins à se laisser embrigader); de l'expérience des piquets de grève et du blocage des magasins; du comportement relativement calme et politiquement assez astucieux de la police (la situation était explosive : « il y avait là plus d'électeurs noirs que de managers de chez Woolworth ») ; du rôle de la presse qui avait toujours dénoncé l'apathie politique des étudiants et qui, ici, « oubliait de noter qu'ils s'étaient réveillés » ; enfin, de la véritable éducation citoyenne au sein des mouvements du début des années 1960.

12. Robert F. Williams, *Negroes with Guns* (1962), Detroit, Mich., Wayne State University Press, rééd. 1998.

13. M. Walzer, « Politics of Non-Violent Resistance », *Dissent*, automne 1960.

14. *Ibid.*

15. « Quand on mène une "guerre sans armes", on en appelle à la modération des hommes armés. Il est peu probable que ces hommes, des soldats soumis à la discipline militaire, vont se convertir au credo de la non-violence », *GJI*, trad. Simone Chambon et Anne Wicke, Paris, Gallimard, 2006, p. 584.

16. Le massacre de My Lai eut lieu le 16 mars 1968. C'est l'un des épisodes les plus atroces de la guerre du Vietnam. Entre 350 et 500 civils vietnamiens, hommes, femmes, enfants, ont été massacrés par des soldats de l'infanterie américaine dans les hameaux de My Lai et de My Khe. La divulgation de l'événement, en novembre 1969, a contribué à renforcer, chez les Américains, l'opposition à la guerre.

17. Discours de Martin Luther King prononcé à la Riverside Church de New York le 4 avril 1967. Voici un extrait de ce long et important discours : « Cette folie doit, d'une façon ou d'une autre, s'arrêter. Je parle en tant qu'enfant de Dieu et frère des pauvres qui souffrent au Vietnam et des pauvres Américains qui payent un double prix : les espoirs perdus à la maison, la mort et la corruption au Vietnam. Je parle en tant que citoyen du monde, car le monde d'aujourd'hui est sidéré par le chemin que nous avons emprunté. Je parle en tant qu'Américain aux dirigeants de ma propre nation. Il nous appartient de prendre l'initiative dans cette guerre. L'initiative de l'arrêter doit être la nôtre. »

18. *Yippies* est le terme employé pour désigner la *Youth International Party*, fondée par Abbie Hoffman et Jerry Rubin.

19. Tom Hayden (1939-2016) est un intellectuel, écrivain, homme politique et militant politique dans les mouvements des droits civiques et contre la guerre. Il est l'un des fondateurs de *SDS* (*Students for a Democratic Society*, le mouvement des étudiants démocrates dissous en 1969) et l'auteur du « Port Huron Statement », le manifeste politique de *SDS*. T. Hayden est aussi l'un des représentants majeurs de la Nouvelle Gauche et de la contre-culture aux États-Unis. Opposé à la politique de l'Union soviétique, il ne souhaitait néanmoins pas exclure les communistes de son mouvement. Il s'est rendu au Vietnam du Nord et au Cambodge dès 1965 ; il a créé la Indochina Peace Campaign (1972-1975), s'est battu pour le droit des femmes, et a toujours eu un rapport difficile avec les *Dissentniks*. I. Howe dit ceci à propos de la Nouvelle Gauche : « Ce type de mouvement correspondait à quelque chose que nous attendions depuis longtemps mais, lorsqu'il est venu, il a pris des formes quelquefois formidables, comme au début de la lutte pour les droits civiques, et, progressivement, que nous avions de plus en plus de mal à comprendre », « New Styles in "Leftism" », *Dissent*, été 1965.

20. Au début du mois de mars de cette année, Lyndon Johnson est donné gagnant dans les sondages avec 49 % contre 42 % pour Eugène McCarthy ; à la mi-mars, Robert Kennedy annonce sa candidature ; il est assassiné au mois de juin. La Convention

démocrate de Chicago élit alors le vice-président, Hubert Humphrey.

21. M. Walzer et I. Howe, «Were We Wrong About Vietnam?», *The New Republic*, 18 août 1979, p. 15-18.

22. M. Isserman, «Steady Work», art. cit.

23. Les *midterms* ont eu lieu en 2018; l'élection de représentants des minorités ethniques et de femmes, souvent jeunes, a en effet contribué à modifier la composition de la Chambre des représentants.

24. *Dissent*, 24 janvier 2017.

25. M. Walzer, «A Day in the Life of a Socialist Citizen. Two Cheers for Participatory Democracy», *Dissent*, mai-juin 1968, p. 243-247.

26. M. Walzer, *CC*. Le chapitre sur A. Camus a d'abord été publié dans *Dissent*, à l'automne 1986: «Commitment and Social Criticism, Camus' Algerian War».

27. Voir par exemple Messali Hadj, «A Voice from Algeria», *Dissent*, printemps 1956; St. Plastrik rend hommage à M. Hadj dans «On the Death of an Old Militant» en 1974, voir *Dissent*, automne 1974.

28. *Dissent*, été 1956, numéro spécial sur l'Algérie: https://www.dissentmagazine.org/issue/summer-1956

29. «Car, dans le premier temps de la révolte, il faut tuer: abattre un Européen c'est faire d'une pierre deux coups, supprimer en même temps un oppresseur et un opprimé: restent un homme mort et un homme libre; le survivant, pour la première fois, sent un sol national sous la plante de ses pieds. Dans cet instant la Nation ne s'éloigne pas de lui: on la trouve où il va, où il est – jamais plus loin, elle se confond avec sa liberté», J.-P. Sartre, préface à Frantz Fanon, *Les Damnés de la terre*, Paris, Maspero, 1961.

30. A. Camus a dit: «En ce moment, on lance des bombes dans les tramways d'Alger. Ma mère peut se trouver dans un de ces tramways. Si c'est cela la justice, je préfère ma mère.» Voir la rencontre avec Carl Gustav Bjurström, à l'occasion de la parution de *Discours de Suède* d'A. Camus dans la collection «Folio» en 1997, http://www.gallimard.fr/catalog/entretiens/01002289.htm

III. *Dissent*

1. «Le ton de *Dissent* sera radical. Sa tradition sera celle du socialisme démocratique. Nous allons tenter de réaffirmer les valeurs libertariennes de l'idéal socialiste et de discuter librement et honnêtement ce qui, dans la tradition socialiste, doit demeurer, mais aussi ce qui doit être abandonné ou modifié», I. Howe et L. Coser, «A Word to Our Readers», *Dissent*, janvier 1954.
2. Brown v. Board of Education, 1954.
3. Le *Daily Worker*, le quotidien du Parti communiste américain, a été fondé en 1924.
4. Il s'agit du «Rapport secret» de Nikita Khrouchtchev prononcé devant le 20ᵉ Congrès du Parti communiste soviétique, où l'auteur dénonce la politique de Joseph Staline après 1934 (25 février 1956).
5. «Angry Young Men» était le nom d'un groupe de romanciers et d'auteurs de théâtre britanniques dans les années 1950.
6. John Osborne, *Look Back in Anger*, a été joué au Royal Court Theater à Londres en 1956.
7. M. Walzer, «The Hero in Limbo», in *Perspective: A Quarterly of Literature and the Arts*, 10/3, été-automne 1958.
8. M. Walzer, «In Place of a Hero», *Dissent*, printemps 1960; réédité cinquante ans plus tard, en janvier 2010, après la mort de J. D. Sallinger, voir https://www.dissentmagazine.org/online_articles/ in-place-of-a-hero-spring-1960
9. «Pour Howe et ses camarades, le socialisme était devenu une sorte d'impératif catégorique kantien, un guide normatif des obligations morales dans la vie de tous les jours. Même s'ils ne croyaient pas nécessairement à l'avènement d'une société socialiste, ils pensaient qu'il fallait vivre une vie de socialiste, comme si le but du socialisme était une possibilité historique réelle [...]. "Le socialisme, écrivent Howe et Coser dès la deuxième livraison de *Dissent*, dans un article sur la pensée utopique, *c'est le nom de notre désir*. Et non seulement parce que c'est une vision qui, pour beaucoup d'individus dans le monde, assure une nourriture

morale, mais aussi parce que c'est une vision qui rend objective et urgente la critique de la condition humaine de notre époque [italiques dans l'original]." Howe et Coser respectaient la part utopique du marxisme, mais ils souhaitaient l'amender. Le socialisme ne devait pas être entendu comme un royaume paradisiaque séculier. Ils soutenaient, au contraire, que "dans un âge où règne un réalisme un peu rance, il est nécessaire d'affirmer l'image de l'utopie. Mais il n'est possible de faire cela de manière éloquente que si l'image de la société elle-même est celle d'une société ambitieuse, faite de tensions et de conflits ; l'image d'une société qui crée des problèmes et qui les résout". Le projet socialiste de *Dissent* serait de marier un esprit utopique avec un agenda non-utopique de réformes immédiates et pratiques », M. Isserman, « Steady Work », art. cit.

10. *Shtetl* désigne une petite ville ou une bourgade en yiddish : il s'agit du diminutif de *Shtot*, la « ville ». Au-delà de cette définition minimale, le *shtetl* est l'expression même de la vie juive ashkénaze en diaspora, en Pologne en particulier, l'horizon de la vie communautaire et rituelle, le lieu de l'entre-soi.

11. Cette attitude face à la guerre de 1967 n'a rien de surprenant. En France, Raymond Aron a eu une réaction similaire. M. Walzer fait le point sur les logiques paradoxales de la gauche face à l'antinationalisme et l'antisionisme dans « Antisionisme et antisémitisme », traduit par Astrid von Busekist, *Esprit*, octobre 2019, p. 121-131.

12. Norman Mailer, « The White Negro », *Dissent*, automne 1957, avait pour sous-titre « Réflexions superficielles sur le *hipster* », que N. Mailer définissait comme un « existentialiste américain », « un psychopathe philosophe [...] qui tente de générer un nouveau système nerveux à son propre usage ».
Dans ce texte controversé sur le jazz, l'orgasme, le désespoir, le totalitarisme, le nihilisme, l'existentialisme (typiquement français selon N. Mailer), la nouvelle langue urbaine et le surmoi social, l'auteur analyse ce psychopathe nouveau qu'est le *hipster* : « Ainsi naquit une nouvelle génération d'aventuriers, d'aventuriers citadins, qui, la nuit, cherchaient à vivre suivant le code de l'homme

noir. Le *hipster* avait fait siens les élans existentiels du Nègre et pouvait être pratiquement considéré comme un Blanc-Nègre.»

N. Mailer explore la relation entre *hipsters* et «Nègres», en s'interrogeant sur la culture dominante américaine et la place qu'elle est prête à faire à l'égalité : «[...] la croissance organique du *hip* dépend du fait que le Noir s'affirmera ou non comme une force dominante dans la vie américaine. Étant donné que le Nègre en sait plus que quiconque quant à l'horreur et au danger de la vie, il est probable que, s'il peut acquérir l'égalité, il possédera *ipso facto* une supériorité potentielle, une supériorité dont l'avènement est craint à ce point qu'il est devenu le moteur sous-jacent de la politique intérieure des États-Unis» (en France, le texte a paru un an plus tard dans la revue *Esprit*, n° 258, février 1958, trad. Jean Cathelin).

13. Hannah Arendt, «Reflections on Little Rock», *Dissent*, hiver 1959. L'article avait été rejeté par *Commentary* en 1958. L. Coser, qui avait travaillé avec H. Arendt chez Schocken Books, accepta de le publier assorti des «remarques préliminaires» de H. Arendt sur la «nature controversée» de ses réflexions. Dans «Reflections on Little Rock», H. Arendt explique son désaccord avec la décision de la Cour suprême dans Brown v. Board of Education («le gouvernement n'a pas le droit d'interférer avec les préjugés et les pratiques discriminatoires d'une société»), et commente les événements de Little Rock qui ont suivi la décision, c'est-à-dire le harcèlement des élèves noirs, Elizabeth Eckford en particulier, admise dans une des écoles déségréguées. «Reflections on Little Rock» est traduit (par Jean-Luc Fidel) et reproduit in *Responsabilité et jugement*, Paris, Payot & Rivages, 2009, p. 249-271. L'édition reprend la réponse de H. Arendt à ses critiques, mais ne reproduit pas les «remarques préliminaires» de H. Arendt du texte original.

14. Un boulanger avait en effet refusé de préparer un gâteau de mariage pour un couple homosexuel.

15. «L'État libéral ne peut fournir une solution au problème juif, car cette solution réclamerait une interdiction légale de toute "discrimination" de quelque sorte qu'elle soit, c'est-à-dire l'abolition

de la sphère privée, la négation de la différence entre l'État et la société, la destruction de l'État libéral», Leo Strauss, *Libéralisme antique et moderne* (1968), Paris, PUF, 1991, p. 231.

16. M. Isserman, «Steady Work», art. cit.

17. M. Walzer et I. Howe, «Were We Wrong About Vietnam?», art. cit.

18. Cette offensive de janvier et février 1968 est l'une des attaques militaires les plus meurtrières menées par le Viêt-cong et l'Armée populaire du Nord contre le Sud, les États-Unis et leurs alliés.

19. J. Toby Reiner, «Toward an Overlapping Dissensus: The Search for Inclusivity in the Political Thought of "*Dissent* Magazine"», *Political Research Quarterly*, 66/4, 2013, p. 756-767, p. 757.

20. Voir I. Howe, «New Styles in "Leftism"», art. cit.

21. M. Walzer, «In Defense of Equality», *Dissent*, automne 1973.

IV. RÉFLEXIONS SUR LA GUERRE

1. L'Académie militaire est située à West Point dans l'État de New York.

2. «Les États peuvent utiliser la force des armes face à des menaces de guerre chaque fois que s'en abstenir mettrait gravement en danger leur intégrité territoriale ou leur indépendance politique. Dans de telles circonstances, il est juste de dire qu'ils ont été forcés à se battre et qu'ils sont victimes d'une agression», *GJI*, p. 180; «[...] des États peuvent être envahis et des guerres entreprises légalement [...] pour sauver des populations menacées de massacre», *GJI*, p. 218.

3. *Ius ad vim* ou *force short of war* est quelquefois traduit par «conflit» ou «conflit armé». Daniel Brunstetter et Megan Braun donnent un excellent résumé de la conception walzérienne du *ius ad vim*: «Walzer distingue entre les degrés d'usage de la force: le premier, plus limité dans sa portée, ne produit pas les "conséquences imprévisibles et souvent catastrophiques" d'une "attaque à grande échelle". Walzer appelle le cadre éthique qui gouverne ces mesures *ius ad vim* (l'usage juste de la force), et il applique le concept à l'usage de la force par les États contre les États, mais aussi contre les acteurs non étatiques qui se trouvent

en dehors des territoires étatiques, en bref à des situations que l'on n'associe pas habituellement à la guerre traditionnelle. Par comparaison avec les actes de guerre, les actes qualifiés de *ius ad vim* présentent un risque moindre pour les troupes engagées, aboutissent à des conséquences destructrices moindres et plus prédictibles, réduisent les risques de morts civiles et font appel à un fardeau économique et militaire réduit. Ces facteurs rendent les actes correspondant au *ius ad vim* plus facilement justifiables pour les chefs d'État au regard des guerres conventionnelles. Cela ne veut pas nécessairement dire que le *ius ad vim* soit moralement légitime ou qu'il n'ait pas de conséquences néfastes», «From *Jus ad Bellum* to *Jus ad Vim* : Recalibrating Our Understanding of the Moral Use of Force», *Ethics & International Affairs*, vol. 27, n° 1, 2013, p. 87-106, p. 87.

4. M. Walzer, *GJI*, chapitre 11, «La guerre de guérilla», p. 327-362.

5. Michael Walzer et Avishai Margalit, «Israel : Civilians and Combatants», *New York Review of Books*, 14 mai 2009. Cette réponse à Asa Kasher et Amos Yadlin a donné lieu à un échange avec les deux auteurs : «Israel & the Rules of War : An Exchange», *New York Review of Books*, 11 juin 2009 ; ainsi qu'avec Shlomo Avineri et Zeev Sternhell : «Israel : Civilians and Combatants. An Exchange», *New York Review of Books*, 13 août 2009.

6. Asa Kasher et Amos Yadlin, «Assassination and Preventive Killings», *The SAIS Revue of International Affairs*, vol. 25/1, 2005, p. 41-57.

7. «Voici ce que chaque camp devrait dire à ses soldats : en endossant l'uniforme vous prenez un risque qui incombe seulement à ceux qui ont été entraînés à blesser *[injure]* d'autres soldats (et à se protéger eux-mêmes). Vous ne devez pas faire porter ce risque à ceux qui n'ont pas été entraînés, à ceux qui n'ont pas les capacités de blesser ; qu'il s'agisse de vos frères ou d'autres individus. La justification morale de cette exigence se fonde sur l'idée selon laquelle la violence est un mal, et que nous devrions limiter sa portée autant que réalistement possible. En tant que soldat, on vous demande de prendre des risques supplémentaires dans le but de limiter la portée de la guerre. Les combattants sont les David et les

Goliath de leur communauté. Vous êtes notre David », M. Walzer et A. Margalit, « Israel : Civilians and Combatants », art. cit.

8. « Les guerres entre États ne devraient jamais être des guerres totales entre peuples. Quoi qu'il arrive aux armées, quelle que soit celle qui gagne, quelle que soit la nature des batailles ou le nombre de victimes, les deux nations, les deux peuples doivent demeurer des communautés capables de fonctionner à l'issue de la guerre. La guerre ne peut être une guerre d'extermination ou de nettoyage ethnique. Et ce qui vaut pour les États vaut autant pour des entités politiques qui s'apparentent à des États, comme le Hamas ou le Hezbollah, qu'ils aient recours au terrorisme ou non. Les peuples qu'ils représentent ou disent représenter sont des peuples comme les autres », *ibid.*

9. M. Walzer, « Response to McMahan's Paper », art. cit., p. 44.

10. M. Walzer, « War Fair. The Ethics of Battle », *The New Republic*, 31 juillet 2006.

11. Voir *GJI*, chapitre 9 (« Immunité des non-combattants et la nécessité militaire »), *GJI*, p. 296 *sq.* : « Le bombardement de la France occupée et le raid sur Vemork ».

12. « La guerre met nécessairement la vie des civils en danger [...] et tout ce que l'on peut exiger des soldats est de réduire au maximum les dangers qu'ils imposent à ceux-ci. [...] Mieux vaut à mon sens se contenter d'affirmer que les civils ont le droit d'être traités avec "toutes les précautions requises" *[due care]* », *GJI*, p. 295.

13. « Lorsqu'un pays impose des risques à des innocents d'un autre pays, il doit prendre des mesures positives pour minimiser ces risques – et ces mesures ne doivent pas dépendre de la nationalité des innocents. C'est cela que nous affirmons. C'est exigeant, mais ce n'est pas une demande radicalement absolutiste comme le suggèrent nos critiques », réponse à Sh. Avineri et Z. Sternhell, « Israel : Civilians and Combatants. An Exchange », art. cit.

14. Peter Singer, « The Drowning Child and the Expanding Circle », *New Internationalist*, 5 avril 1997.

15. « L'urgence suprême » est l'un des chapitres de *GJI* (chapitre 16). La notion renvoie à une exemption réfléchie des règles du *ius in bello*. Dans des situations exceptionnelles, la morale n'est pas

suspendue, mais les règles de comportement, généralement pour sauver des vies innocentes, peuvent être adaptées à une situation de danger extrême.

Cette analyse a donné lieu à un grand nombre de critiques. M. Walzer décline la notion, d'abord défendue dans *GJI*, dans d'autres textes, notamment dans «Emergency Ethics» [L'éthique d'urgence], qui date de 1988 et qui a été repris dans *Arguing About War*, New Haven, Yale University Press, 2004, p. 33 *sq.* Voir *infra*.

16. «Je ne sais pas si nous devons accepter l'idée du seuil et, si nous l'acceptons, si l'hypothèse commune de la bombe à retardement serait une illustration de son application. Mais, dans l'intérêt de la distinction entre les enjeux du débat sur l'absolutisme et ceux qui se jouent ailleurs dans la philosophie morale, nous pourrions dire que l'existence ou la non-existence de normes absolues *au sein* du domaine où la moralité doit ou devrait avoir cours, devrait être traitée comme une question différente de celle qui s'interroge sur les limites à ce domaine», Jeremy Waldron, «What Are Moral Absolutes Like?», présenté à l'Annual Lecture for the Harvard Philosophy Club Cambridge, Massachusetts, avril 2011, publié dans la *Harvard Philosophical Review*, 18/1, 2012, p. 4-30. Pour une discussion sur le thème du seuil dans les situations d'urgence extrême, voir Marc Sadoun, *Critique de la démocratie*, Paris, PUF, «Les limites de la transgression», «Conclusion».

17. J. Waldron, «What Are Moral Absolutes Like?», art. cit.

18. *Ethics of War Conference*, Westpoint, 26-28 octobre 2017, non publié.

19. Une version abrégée de l'argumentaire d'Alan Dershowitz, «Should We Fight Terror with Torture?» a paru dans *The Independent*, lundi 3 juillet 2006, voir: https://www.independent. co.uk/news/world/americas/alan-Dershowitz-should-we-fight-ter-ror-with-torture-6096463.html

20. Je fais référence au chapitre de M. Walzer, «World Government and the Politics of Pretending», in *A Foreign Policy for the Left*, *op. cit.*, chap. 6, p. 116-136.

21. A. Dershowitz, «Should We Fight Terror with Torture?», art. cit.

22. M. Walzer, «The Problem of Dirty Hands», *Philosophy & Public Affairs*, vol. 2, n° 2, hiver 1973, p. 160-180.

23. Sir Arthur Harris (1892-1984), marshal de l'Air Force britannique, commandeur en chef du Bomber Command, responsable du bombardement de Dresde. M. Walzer lui consacre un sous-chapitre dans le chapitre «Crimes de guerre» de *GJI*: «L'honneur perdu d'Arthur Harris», p. 568-671, où il traite de la situation paradoxale du soldat qui, bien qu'il obéisse aux ordres, a moralement tort.

24. J.-P. Sartre, *Les Mains sales*, Paris, Gallimard, 1948.

25. «Bien que nous soyons seuls lorsque nous prenons telle ou telle décision, nous ne sommes pas isolés ou solitaires dans nos vies morales. La vie morale s'inscrit dans le tissu social qui se compose, du moins en partie, de règles que nous connaissons (et que nous contribuons à fabriquer) avec nos pairs», M. Walzer, «The Problem of Dirty Hands», art. cit., p. 169.

26. Les utilitarismes de Machiavel, de Weber et de Hoederer dans *Les Mains sales*.

27. M. Walzer, «The Problem of Dirty Hands», art. cit., p. 167-168.

28. Jeff McMahan est un spécialiste de la guerre qui appartient à l'école «révisionniste». Voir «The Ethics of Killing in War», *Philosophia*, 2006, 34/1, p. 23-41.

29. J. McMahan conteste les «trois thèses fondationnelles de la théorie traditionnelle: «1) que les principes du *ius in bello* sont indépendants de ceux du *ius ad bellum*, 2) que les combattants injustes, s'ils respectent les principes du *ius in bello*, n'agissent pas mal, 3) que les combattants sont des cibles permises alors que les non-combattants ne le sont pas», *ibid.*, p. 24.

30. «Au cours du cambriolage d'une banque, un voleur tire sur le gardien qui est sur le point de saisir son arme. Le voleur est coupable de meurtre, même s'il affirme avoir agi par légitime défense. Dans la mesure où il n'avait pas le droit de cambrioler la banque, il n'a pas non plus le droit de se défendre contre les défenseurs de la banque», *GJI*, p. 128.

31. «[La guerre] est une entreprise collective coercitive; une entreprise tyrannique; elle ignore l'individualité et rend impossible le genre de sollicitude que nous aimerions avoir pour le statut moral

de la personne; la guerre est universellement oppressive. La théorie de la guerre juste est adaptée à la réalité morale de la guerre, ce qui veut dire que la "justice" de la théorie vit en quelque manière sous couvert [under a cloud]», M. Walzer, «Response to McMahan's Paper», *Philosophia*, 34/1, 2006, p. 43-45, p. 43.

32. «Dans son article, Jeff McMahan tente de faire un compte rendu prudent et précis de la responsabilité individuelle en temps de guerre. Mais il fait en réalité un compte rendu prudent et précis de ce que serait la responsabilité individuelle en temps de guerre si la guerre était une activité de paix», *ibid.*, p. 43.

33. Voir sur cette question M. Walzer, «The Politics of Rescue», *Dissent*, hiver 1995.

34. Voir chapitre 3 sur l'engagement politique.

35. «Les opérateurs de drones ne sont pas vulnérables, tuer-par-drone est politiquement plus facile que d'autres formes d'assassinats ciblés: [cette technique] nous invite à imaginer une guerre où il n'y aurait pas de victimes [dans notre camp], pas de vétérans qui passent des années dans les hôpitaux pour vétérans, pas d'enterrements. La facilité du combat par drone devrait nous inquiéter», M. Walzer, «Just and Unjust Targeted Killing and Drone Warfare», *Daedalus*, vol. 145, n° 4, 2016, p. 12-24.

36. Pour J. McMahan, «l'assassinat ciblé d'une personne qui est en vérité un terroriste est moralement – mais non légalement – assez similaire à l'assassinat d'un "combattant injuste" (c'est-à-dire d'un combattant dans une guerre dépourvue d'une juste cause) pendant son sommeil, ce que la plupart des gens considèrent comme justifié», «Targeted Killing: Murder, Combat or Law Enforcement?», *in* Claire Oakes Finkelstein, Jens David Ohlin et Andrew Altman (éd.), *Targeted Killings: Law and Morality in an Asymmetrical World*, Oxford, Oxford University Press, 2012.

37. M. Walzer, «Just and Unjust Targeted Killing and Drone Warfare», art. cit., p. 12-24. Une version antérieure a été publiée dans *Dissent*, 11 janvier 2013: https://www.dissentmagazine.org/online_articles/targeted-killing-and-drone-warfare

38. International Human Rights and Conflict Resolution Clinic of Stanford Law School (Stanford Clinic) et Global Justice Clinic at

New York University School of Law (NYU Clinic), *Living Under Drones. Death, Injury, and Trauma to Civilians. From US Drone Practices in Pakistan.* Le rapport est consultable en ligne : https://www.cdn.law.stanford.edu/wp-content/uploads/2015/07/Stanford-NYU-Living-Under-Drones.pdf

Pour une analyse critique, voir Glenn Greenwald, « New Stanford/NYU Study Documents the Civilian Terror from Obama's Drones », *The Guardian*, septembre 2012 : https://www.theguardian.com/commentisfree/2012/sep/25/study-obama-drone-deaths

39. M. Walzer s'interroge sur le fait de savoir s'il est juste de cibler les membres d'Al Qaida au Yémen dans « Just War and Terrorism », conférence à l'Institute for Advanced Studies de Princeton, juin 2016. La vidéo est disponible en ligne : https://www.youtube.com/watch?v=yZEprmCb5Pk&index=10&list=PL94UJTaiiod0WFQPfXhM5StY7go93oOf-&t=3491s

40. M. Walzer, « Just and Unjust Targeted Killing and Drone Warfare », art. cit.

41. « J'ai défendu, avec beaucoup d'autres, l'application d'une autre règle : les forces d'intervention doivent fournir des efforts positifs, demander à leurs propres soldats de prendre des risques, entre autres pour minimiser les risques qu'ils imposent aux civils ennemis. Quel est le degré de risque acceptable ? Il n'y a pas de réponse précise à cette question. Un certain degré de risque est cependant nécessaire et, si on l'accepte, alors la responsabilité première pour la mort de civils incombe à mon avis aux insurgés qui se battent depuis des rues fréquentées ou des écoles. Et si l'opinion publique pouvait entendre la responsabilité de cette façon, il serait alors possible de combattre et de gagner dans une guerre asymétrique », M. Walzer, « Israel Must Defeat Hamas, But Also Must Do More to Limit Civilian Deaths », *The New Republic*, 30 juillet 2014.

42. « La nouvelle doctrine américaine n'est plus la même. Nous ne voulons pas tuer tous les hommes en âge de porter les armes, mais nous en avons fait des cibles potentielles. Nous en avons fait des combattants sans rien savoir sur eux sinon leur âge (approximatif) », M. Walzer, « Just and Unjust Targeted Killing and Drone Warfare », art. cit.

43. «Si vous tuez des civils dans des endroits comme le Vietnam
     ou l'Afghanistan, vous perdez la bataille pour "les cœurs et les
     esprits". Si vous tuez des civils dans un endroit comme Gaza, vous
     perdez la bataille pour le soutien international. Les deux situa-
     tions sont pourtant dissemblables : l'Amérique a été vaincue au
     Vietnam, tandis qu'Israël (à Gaza en 2006) a simplement été forcé
     d'accepter un cessez-le-feu, ce qui a empêché la victoire. Le prix
     de la victoire aurait en effet été insoutenable», M. Walzer, «Israel
     Must Defeat Hamas, But Also Must Do More to Limit Civilian
     Deaths», art. cit.

44. Aharon Barak (Lituanie, 1936-) est un célèbre juriste israélien.
     Professeur de droit, nommé à la Cour suprême en 1978, il la
     préside de 1995-2006. Barak est l'auteur d'un grand nombre de
     jugements importants (contre l'usage de la torture, en faveur du
     contrôle de constitutionnalité, mais aussi sur la légalité des assas-
     sinats ciblés).

45. Le débat sur les termes est à la fois légal, moral et idéologique. Un
     assassinat ciblé n'est «extrajudiciaire» que si les législations natio-
     nales le condamnent. Israël et les États-Unis ont pris des disposi-
     tions légales qui autorisent le recours aux assassinats ciblés dans
     des conditions déterminées. Voir la thèse de doctorat d'Amélie
     Ferey à ce sujet, *Les Politiques d'assassinats ciblés en Israël et aux
     États-Unis. Juger de la violence étatique en démocratie libérale*,
     soutenue à Sciences Po, le 7 février 2018.

46. M. Walzer, «Responsibility and Proportionality in State and
     Nonstate Wars», *Parameters* (la revue bimestrielle du US Army War
     College), printemps 2009, p. 40-52. L'article est disponible en ligne :
     https ://ssi.armywarcollege.edu/pubs/parameters/articles/09spring/
     walzer.pdf

47. Né en 1954, Stanley A. McChrystal est un général de l'armée
     américaine, commandant du Joint Special Operations Command
     en Irak et en Afghanistan de 2003 à 2008, puis commandant
     de l'ISAF (Force internationale de sécurité et d'assistance) en
     Afghanistan de 2009 à 2010.

48. L'article de M. Walzer a suscité un certain nombre d'échanges et
     de critiques. Voir «War Fair. The Ethics of Battle», art. cit. ; voir

318

aussi l'interview sur le site de *Americans for Peace Now*: http://archive.peacenow.org/entries/archive2851, et la réponse de Jerome Slater, «On Michael Walzer, Gaza, and the Lebanon War», publiée dans *Dissent*, hiver 2007.

49. «Le cas de l'Irak ne ressemble ni aux cas allemand ou japonais, ni à (l'hypothétique) situation rwandaise: la guerre n'a pas été une réponse à une agression, et ce n'était pas une intervention humanitaire. Elle n'est pas due à une attaque irakienne contre un État voisin (comme en 1991), ou à une menace d'attaque imminente; il n'y a pas eu de massacres continus. La cause était un changement de régime direct – ce qui veut dire que le gouvernement des États-Unis plaidait pour un élargissement significatif de la doctrine du *ius ad bellum*. L'existence d'un régime agressif et meurtrier, affirmait-il, légitimait le déclenchement d'une guerre, bien que le régime irakien ne se fût pas engagé dans des agressions ou des meurtres de masse. Mais le prétexte avancé pour justifier cette guerre préventive ne correspondait pas à la compréhension classique d'un changement dangereux de l'équilibre des pouvoirs, d'une situation qui "nous" aurait laissés bientôt sans défense face à "eux". C'était une perception radicalement nouvelle d'un régime malfaisant», M. Walzer, «Regime Change and Just War», *Dissent*, été 2006.

50. Dans *GJI*, il existe deux références similaires. «L'agression, écrit M. Walzer, est coercitive moralement et physiquement, c'est là l'un de ses traits essentiels. "Un conquérant, écrit Carl von Clausewitz, aime toujours la paix (ce que Bonaparte a toujours affirmé): il aimerait pénétrer dans notre État sans rencontrer d'opposition; c'est pour empêcher cela qu'il nous faut choisir la guerre…"», *GJI*, p. 128, C. von Clausewitz, *De la guerre*, trad. Denise Naville, Paris, Minuit, 1955, s. p.; «Les Français, disait John Weston, nous ont envahis d'abord […]. Il n'a donc jamais été nécessaire de corriger le jugement de John Weston ou des membres du Parti social-démocrate des travailleurs allemands qui avaient déclaré en juillet 1870 que Napoléon avait "pour des raisons frivoles" détruit la paix européenne: "La nation allemande […] est la victime d'une agression." Donc […], à notre grand regret, [nous] devons accepter la guerre défensive comme un mal nécessaire», *GJI*, p. 148.

51. Dans « Just and Unjust Occupations », *Dissent*, hiver 2004, M. Walzer offre une analyse de la situation *post bellum* en Irak : « Nous avons fait la guerre, nous sommes désormais responsables du bien-être de la population irakienne ; nous devons leur fournir les ressources – en soldats et en dollars – nécessaires pour garantir leur sécurité, et nous devons contribuer à la reconstruction politique et économique de leur pays. » L'article se termine sur une note sombre : « Il est quelquefois plus dur d'occuper que de combattre. »

52. Kanan Makiya, *The Republic of Fear. The Politics of Modern Iraq*, Stanford, University of California Press, 1989, 2e éd., 1998. K. Makiya (né en 1949) est un intellectuel irakien, professeur d'études islamiques et moyen-orientales à Brandeis. Il a soutenu la guerre de 2003 et a été sévèrement critiqué pour son pronostic optimiste d'une guerre « brève et victorieuse ». Il a également publié *Cruelty and Silence : War, Tyranny, Uprising and the Arab World*, New York, W.W. Norton & Company, 1994.

53. Voici comment George Packer du *New York Times Magazine* raconte la discussion à l'Université de New York : « Puis le dernier intervenant prend la parole, un dissident irakien du nom de Kanan Makiya : "J'ai bien peur de faire résonner une note discordante", dit-il. Il remarque qu'en cas d'invasion, les Irakiens paieront le prix le plus élevé, mais qu'ils "veulent cette guerre à une majorité écrasante". Il offre ensuite un panorama de l'Irak après la guerre : une démocratie séculière avec des droits égaux pour tous les citoyens. Ce serait inédit dans le monde arabe. "On peut l'encourager comme on peut anéantir cet espoir. Mais songez à ce que vous faites si vous l'anéantissez." La voix de K. Makiya monte d'un cran lorsqu'il conclut : "Voici sur quoi je fonde mes espoirs moraux : s'il y a une chance ne serait-ce qu'infime pour que cela arrive, une chance de 5 à 10 %, vous avez une obligation morale, je l'affirme, de le faire". »

54. « La théorie politique démocratique, qui joue un rôle relativement modeste dans nos échanges sur le *ius ad bellum* et *in bello*, énonce pourtant les principes fondamentaux : l'autodétermination, la légitimité populaire, les droits civils, l'idée du bien commun. Dans les pays vaincus, nous voulons que les guerres se terminent avec des

gouvernements élus par les gouvernés, ou, du moins, reconnus comme légitimes, et que ceux-ci s'engagent pour le bien commun de l'ensemble de la population. Nous voulons voir les minorités protégées contre les persécutions, les plus pauvres protégés contre la destitution de leurs biens et la famine. En Irak, nous avons (officiellement) visé plus haut que cela encore, puisque nous voulions un régime pleinement démocratique et fédéral, mais la justice post-guerre doit sans doute s'apprécier de façon minimaliste. Ce n'est pas comme si les vainqueurs avaient toujours réussi à réaliser le minimum», M. Walzer, «Just and Unjust Occupations», art. cit.

55. «Les forces d'intervention sont mandatées pour la transformation politique mais non culturelle», M. Walzer, «Regime Change and Just War», art. cit.

56. «Le changement de régime n'est pas, en soi, une juste cause de guerre», *ibid.*

57. «En dépit de tout ce que j'ai dit jusqu'à maintenant, je ne veux pas abandonner le principe de non-intervention – ou alors seulement pour saluer les exceptions. Oui, la norme est de ne pas intervenir dans les affaires d'un autre pays ; la norme reste l'autodétermination des peuples. Mais pas spécifiquement pour *ces gens-là*, les victimes de la tyrannie, du zèle idéologique, de la haine ethnique, ces gens qui ne décident de rien pour eux-mêmes et qui ont un besoin urgent d'aide extérieure. Il ne suffit pas d'attendre que les tyrans, les zélotes et les bigots aient fait leur sale boulot pour envoyer nourriture et médicaments aux survivants dépossédés. Lorsque le sale boulot peut être stoppé, il doit être stoppé», M. Walzer, «The Politics of Rescue», art. cit.

58. «Nous visons l'endiguement, mais nous espérons un changement de régime», M. Walzer, «Regime Change and Just War», art. cit.

59. M. Walzer, *A Foreign Policy for the Left, op. cit.*, chap. 6.

60. «L'autonomie kurde n'a pas été obtenue par une imposition extérieure ; bien que le système d'endiguement ait rendu l'autonomie possible, le nouveau régime a d'abord été demandé, puis créé et soutenu par les Kurdes eux-mêmes. Il arrive que l'endiguement anticipe plutôt qu'il ne réponde à des demandes d'autodétermi-

nation locales. Mais ce n'est pas une anticipation injuste dans la mesure où les États qui mettent en place l'endiguement ne renversent pas eux-mêmes l'ancien régime et n'en créent pas un nouveau. Ils agissent à la marge du principe de non-intervention, mais ne le violent pas. Si prévenir l'agression et le meurtre de masse est justifié, alors cette version indirecte du changement de régime l'est tout autant », M. Walzer, « Regime Change and Just War », art. cit.

V. Coopération et multilatéralisme.
Nations, États, souveraineté

1. Dans « The Moral Standing of States : A Response to Four Critics », *Philosophy & Public Affairs*, vol. 9, n° 3, printemps 1980, p. 209-229, par exemple ; également dans « The Politics of Difference : Statehood and Toleration in a Multicultural World », *Ratio Juris*, vol. 10, n° 2, juin 1997, p. 165-176.
2. M. Walzer, « The Politics of Difference », art. cit., p. 175.
3. M. Walzer, *Arguing About War*, New Haven, Yale University Press, 2004, p. 187.
4. « Commençons par donner un État décent et compétent à tous les peuples du monde. Je sais que ce n'est pas une tâche facile, mais c'est possible, de manière incrémentale, ici et là. Le plus important cependant est la reconnaissance de la valeur de l'État *[statehood]*. Il y a trop de bavardages sur la transcendance du système des États, alors que la participation à ce système est le besoin le plus urgent pour les peuples les plus opprimés et les plus pauvres dans le monde d'aujourd'hui », M. Walzer, *A Foreign Policy for the Left*, *op. cit.*, chap. 6, « Conclusion ».
5. M. Walzer, « The State of Righteousness : Liberal Zionists Speak Out », art. cit.
6. « Les leaders palestiniens seraient heureux de voir un retrait israélien de la Cisjordanie, mais ils ne sont pas prêts à terminer le conflit ; aucun leader palestinien n'a jamais fait la moindre allusion à la volonté d'abandonner le droit du retour. Aucun n'est assez fort pour le faire, et ils n'en ont pas le désir non plus à mon avis. Le but stratégique est, je le crains, ce qu'il a toujours été :

la création d'un État palestinien aux côtés de l'État juif qu'ils ne reconnaissent pas, et avec lequel ils ne sont pas réconciliés. Tactiquement en revanche, ils sont devenus plus inventifs. Ils ont fait les choses à l'envers : leur premier ressort a été la violence et la terreur, leur dernier recours est la protestation pacifique. S'ils avaient renversé cet ordre, ils auraient aujourd'hui un État. Ils ont organisé de petites protestations pacifiques dans le passé, et ils continuent aujourd'hui dans les villages le long du mur, mais ils sont marginaux au regard de la lutte palestinienne. Ils n'ont jamais été encouragés par le Fatah ou l'OLP, et certainement pas par le Hamas. Israël doit aujourd'hui faire face à quelque chose de radicalement nouveau. Comment peut-il résister à des masses d'hommes et de femmes, d'enfants aussi, qui traversent tout simplement les lignes de cessez-le-feu ? », M. Walzer, « What Does Netanyahu Think He Is Doing ? », *Dissent*, 26 mai 2011.

7. Voir par exemple Charles Beitz, « Cosmopolitan Ideals and National Sentiment », *The Journal of Philosophy*, vol. 80, n° 10, 1983, p. 591-600 ; « International Liberalism and Distributive Justice », *World Politics*, vol. 51, n° 2, 1999, p. 269-296.

8. « Ch. Beitz semble penser que l'ordre du monde pluraliste a déjà été dépassé et que l'intégrité communale appartient au passé. Ce serait, dans un monde d'interdépendance accrue, une "erreur manifeste" que de croire que "les États sont les lieux d'un développement politique relativement fermés sur eux-mêmes" », M. Walzer, « The Moral Standing of States », art. cit., p. 227.

9. « Mon argument peut être compris comme une défense du politique ; à l'inverse, celui de mes critiques répète ce que je considère être le désamour philosophique traditionnel du politique », *ibid.*, p. 228.

10. « À l'étranger, l'opinion dominante sur le nationalisme semble être alimentée par – et réduite à – une sorte de furie idéologique contre l'État d'Israël ; elle accompagne la revendication qu'Israël soit remplacé par un État post-national de "tous ses citoyens", mais identifié à aucun d'entre eux, et, d'après les sondages récents, désiré par très peu d'entre eux », M. Walzer, *A Foreign Policy for the Left*, *op. cit.*, chap. 6.

11. « Il [l'anti-américanisme] prend la forme d'une apologie, d'une excuse, ou d'un refus simple de s'opposer aux adversaires de l'Amérique, quelle que soit la médiocrité de leur politique. Et dans le cas de l'allié des États-Unis, Israël, cela va beaucoup plus loin. Les gauchistes anglais qui manifestaient à Londres en 2006, avec des pancartes sur lesquelles on pouvait lire "nous sommes tous le Hezbollah", pensaient sans doute qu'ils exprimaient là une politique de gauche internationaliste. Que le Hezbollah ne soit en rien un mouvement de gauche leur importait peu tant qu'il était hostile à Israël et à l'Amérique », M. Walzer, préface à *Global Politics After 9/11: The Democratiya Interviews*, éd. Alan Johnson, Londres, Foreign Policy Centre, 2007.

12. M. Walzer, « A Foreign Policy for the Left », *Dissent*, printemps 2014. Voir également *A Foreign Policy for the Left*, *op. cit.*, « Introduction: The Default Position », p. 1-10.

13. Jérémie 7,3-7 ; Isaïe, 42.

14. *Democratiya* est une revue bimestrielle de recensions de livres et d'interviews fondée par A. Johnson en 2005. *Democratiya* et *Dissent* ont fusionné en 2009 (les archives sont disponibles sur le site de *Dissent*: https://www.dissentmagazine.org/democratiya-issue). Le but, selon M. Walzer, était de « défendre et de promouvoir une politique de gauche libérale, démocratique, égalitaire et internationaliste ».

15. « L'internationalisme n'est pas le soutien automatique à des groupes de militants qui affirment parler au nom des travailleurs du monde entier ou des peuples opprimés des anciens empires, ou encore des victimes de l'impérialisme américain. L'internationalisme exige de faire des choix politiques et moraux ; il exige ce que l'auteur italien Ignazio Silone appelle "le choix des camarades" […]. Les militants qui agissent au nom des opprimés sont parfois les agents de nouveaux oppresseurs – de zélotes idéologiques ou religieux aux programmes totalisants qui ont un profond mépris pour les valeurs libérales. Les gens de gauche du monde entier devraient leur témoigner leur hostilité parce qu'ils ne servent pas les intérêts des peuples qu'ils prétendent représenter, et parce qu'ils ne font pas progresser la cause de la

démocratie ou de l'égalité. Les camarades que nous nous choisissons en revanche sont les hommes et les femmes qui résistent à l'oppression au nom des valeurs de gauche. L'internationalisme de gauche est une solidarité entre gens de gauche», M. Walzer, préface à *Global Politics After 9/11 : The Democratiya Interviews*, *op. cit.*

16. Michael Kazin participe à cette discussion entre camarades : «Ne changeons pas le monde après tout. Du côté de la gauche américaine, l'internationalisme était considéré autrefois comme une chose aussi commune et aussi essentielle que respirer. Que s'est-il passé?», M. Kazin, *Dissent*, printemps 2016.

17. In *A Foreign Policy for the Left*, *op. cit.*, chap. 7, «The Left and Religion», p. 136-156.

18. Kamel Daoud est cité in *ibid.*, p. 142.

19. Voir «Cologne, lieu de fantasmes», *Le Monde*, 31 janvier 2016; et «La misère sexuelle d'Allah», *The New York Times*, 12 février 2016.

20. «Mais personne ne veut vraiment que les États-Unis deviennent les gendarmes du monde, même en dernier recours comme nous nous en apercevrions très vite si nous devions endosser ce rôle. Moralement et politiquement, il vaut mieux opter pour une division du travail, et le meilleur usage du pouvoir américain consiste le plus souvent à encourager les autres pays à faire leur part du travail [...]. Les États-Unis doivent parfois prendre l'initiative; à d'autres occasions, nous devrions contribuer financièrement à des interventions que d'autres engagent, ou envoyer nos soldats. La plupart du temps, rien ne se passe à moins que nous ne soyons prêts à faire l'un ou l'autre : prendre l'initiative ou combiner les rôles de banquier et de soutien. La méfiance, ancienne et méritée, à l'égard du pouvoir américain doit aujourd'hui céder la place à une reconnaissance, fût-elle circonspecte, de sa nécessité. (Un de mes amis commente : "Tu insisterais davantage sur la circonspection si nous avions un président républicain." Sans doute.)», M. Walzer, «The Politics of Rescue», art. cit.

21. *Ibid.*

22. M. Walzer, *A Foreign Policy for the Left*, *op. cit.*, chap. 6, p. 130.

23. « Le Rwanda aurait pu être un candidat pour la curatelle ; la
    Bosnie pour le protectorat », M. Walzer, « The Politics of Rescue »,
    art. cit.
24. « Ce dont le monde a besoin, et ce que l'ONU pourrait faire si
    elle était l'institution qu'elle devrait être, c'est d'un système de
    curatelle innovant pour ceux des pays qui sont temporairement
    incapables de se gouverner eux-mêmes. [...] Depuis quinze ans
    maintenant, le Kosovo est sous curatelle de l'ONU, ce n'est pas
    un exemple glorieux, j'en conviens, les réfugiés fuient toujours,
    mais les tueries au moins se sont arrêtées. Il n'est donc peut-être
    pas insensé de proposer que la Lybie et la Syrie soient mises sous
    curatelle de l'ONU ou d'une coalition d'autres pays [...] respon-
    sables du maintien de l'ordre [...], sous la stricte supervision de
    l'ONU. [...] Il n'est pas besoin de vertus exemplaires pour cela,
    la volonté d'arrêter les assassinats et les assassins, et le désir de
    fournir une stabilité suffisante aux victimes des pays ravagés par la
    guerre pour reconstruire leur pays suffiront. Voilà le programme »,
    M. Walzer, « The European Crisis », *Dissent*, septembre 2015.
25. « Tout le monde sait cela : le Conseil de sécurité ne peut pas empê-
    cher les guerres, il ne peut pas les faire et ne peut pas les terminer.
    La revendication habituelle de la gauche de porter telle ou telle
    question à l'attention du Conseil (mon exemple standard est l'at-
    taque du 11 Septembre) est en réalité une revendication inavouée
    d'inaction. C'est ce que j'appelle la politique des faux-semblants »,
    M. Walzer, *A Foreign Policy for the Left*, op. cit., chap. 6.
26. M. Walzer a beaucoup écrit sur les événements du 11 Septembre,
    et il a participé à de nombreux débats portant sur la réponse adé-
    quate aux attaques. Il a, dans ses analyses, critiqué sans relâche ce
    qu'il appelle la « culture de l'excuse et de l'apologie » du terrorisme.
    M. Walzer affirme que la « guerre » n'est pas la bonne qualification
    pour répondre aux attaques terroristes, que la notion de guerre
    est, au mieux, une métaphore : « [...] dans cette "guerre" contre le
    terrorisme, trois autres éléments l'emportent sur la guerre : un tra-
    vail de police transfrontalier intensif, une campagne idéologique
    pour répondre à tous les arguments et à toutes les excuses du ter-
    rorisme pour les contredire, et un effort diplomatique sérieux et

soutenu [...]. Mais tout le monde veut parler d'actions militaires – non de la métaphore de la guerre mais de la guerre pour de vrai. Alors que faire ? Deux conditions doivent être réunies avant d'engager un combat juste : trouver d'abord des cibles légitimes – c'est-à-dire les gens véritablement impliqués dans l'organisation, le soutien ou la réalisation d'actes terroristes ; être ensuite capable de frapper ces cibles sans tuer un grand nombre de personnes innocentes. Malgré la critique, par des représentants gouvernementaux américains, des "assassinats" israéliens, je ne crois pas qu'il importe, d'un point de vue moral, que les cibles soient des groupes d'individus ou des individus spécifiques pour autant que mes deux critères soient réunis. Si nous ne les respections pas, nous défendrions notre civilisation en imitant les terroristes qui l'attaquent. Tenir compte de ces critères signifie préférer des raids effectués par des commandos aux missiles ou aux bombes [...]. Nous devrions mener une guerre métaphorique et renoncer à la vraie guerre », M. Walzer, « First Define the Battlefield », *The New York Times*, 21 septembre 2001.

Voir l'échange intéressant avec George Scialabba : http://george-scialabba.net/mtgs/2001/09/911-an-exchange-with-michael-w.html, ainsi qu'un dialogue sur Terrorisme.net (https://www.terrorisme.net/pdf/2006_Walzer.pdf), où l'interlocuteur demande à M. Walzer si le terrorisme peut être expliqué (et légitimé) par l'« urgence suprême » : « Je n'ai jamais eu beaucoup de sympathie pour les gens qui affirmaient que le 11 Septembre était un incident criminel, et non un acte de guerre, et que nous aurions dû aller devant l'ONU ou la CPI. Dans une société internationale organisée différemment, cela aurait peut-être fait sens de répondre aux attaques du 11 Septembre en appelant le 911. Mais il n'y avait personne au bout du fil en 2001 – et il n'y a toujours personne », M. Walzer, « Was Obama's War in Afghanistan Just ? », *Dissent*, novembre 2009.

Voir également M. Walzer, « Five Questions about Terrorism », *Dissent*, hiver 2002, et A. Johnson (éd.), *Global Politics After 9/11 : The Democratiya Interviews*, *op. cit.*

VI. Israël – Palestine

1. Voir M. Walzer, « A Journey to Israel », *Dissent*, septembre-novembre 1970, p. 497-503.

2. La guerre de 1973, plus connue sous le nom de guerre de Kippour (6 octobre-25 octobre 1973), a été menée par une coalition d'États arabes contre Israël pour reconquérir les territoires occupés par Israël depuis la guerre des Six Jours (le Sinaï, le Golan et la Cisjordanie).

3. Marty Peretz et Michael Walzer ont publié ensemble « Israel Is Not Vietnam », *Ramparts*, juillet 1967, p. 11-14. M. Peretz (né en 1938) a été l'éditeur de *The New Republic* pendant plus de trente ans.

4. « In Support of Israel's Right to Security and Peace », *The New York Times*, 25 octobre 1973.

5. Yigal Allon (1918-1980) était le commandant du Palmach (les forces d'élite de la Haganah), membre du Parti travailliste (il a cofondé le Mapam et a rejoint Ahdut HaAvoda lors de la scission entre les partis). Il a été brièvement Premier ministre après la mort de Levi Eshkol en 1969, ministre du Travail, de l'Éducation et de la Culture, des Affaires étrangères, et parlementaire de 1955 à 1980.

6. Un *ulpan* est un centre étatique d'apprentissage de l'hébreu destiné en principe aux nouveaux immigrants.

7. *Ben Gurion's Epilogue : The Lost Interview* (Yariv Mozer, 2016). Ben Gurion a 82 ans en 1968, il vit alors à Sde Boker, kibboutz où il a pris sa retraite dans le désert, et il est interviewé par Clinton Bailey. Voir https://www.nytimes.com/2016/08/13/world/middleeast/israel-ben-gurion-interview.html

8. En 2018, la « grande marche du retour » qui s'est déroulée sur une semaine a été le théâtre de grandes violences à Gaza, faisant plus d'une centaine de morts et plusieurs milliers de blessés palestiniens.

9. Voir l'article très bien informé de Peter Berkowitz à ce sujet : https://www.realclearpolitics.com/articles/2018/06/08/israel_can_ease_gaza_tensions_but_so_must_the_un_137221.html

10. On peut lire l'évolution des perspectives respectives dans les articles suivants : https://www.haaretz.com/israel-news/.premium-after-three-hour-meeting-cabinet-makes-no-decisions-on-gaza-economy-1.6163334 ; https://www.haaretz.com/middle-east-news/palestinians/eu-raises-half-billion-dollars-to-improve-gaza-s-drinking-water-1.5931630 ; https://www.haaretz.com/israel-news/.premium-israel-will-present-plan-to-rebuild-gaza-to-be-funded-by-int-l-donors-1.5782230

11. Voir « What Does Netanyahu Think He Is Doing? » ; « The Paradox and Tragedy of Israeli-Palestinian Politics », *Dissent*, 23 novembre 2012, et « Israel Must Defeat Hamas, But Also Must Do More to Limit Civilian Deaths », paru dans *The New Republic* le 30 juillet 2014 : « Nous devrions choisir Israël – parce qu'Israël est une démocratie où il est possible d'imaginer la défaite des nationalistes de droite qui sont au gouvernement aujourd'hui ; où il est possible d'imaginer un gouvernement qui travaillerait en faveur de la création d'un État palestinien – Israël a eu des gouvernements de ce type dans le passé, dirigés par Itzhak Rabin et Ehud Olmert par exemple. »

12. « Notre espoir est que le boycott ciblé, limité aux colonies israéliennes dans les territoires occupés, ainsi qu'un changement de la politique américaine encourageront toutes les parties à négocier la solution des deux États pour mettre fin à ce long conflit », « Non Recognition of the Israeli Settlements in the Occupied Territories », *New York Review of Books*, 13 octobre 2016.

13. Voir M. Walzer, « Five Questions About Terrorism », art. cit.

14. Les *haredim*, littéralement « craignant-Dieu », souvent appelés « ultra-orthoxes », désignent une branche du judaïsme particulièrement pieuse.

15. Vladimir Jabotinsky (Odessa, 1880-New York, 1940) était auteur, poète, journaliste, et l'un des leaders du mouvement sioniste de droite. « Sioniste révisionniste », car il plaidait pour l'inclusion de la Jordanie dans le projet sioniste, il a quitté l'Organisation sioniste mondiale en 1923 à la suite d'une série de différends politiques, mais il a inspiré la formation de l'Irgun, l'organisation juive combattante clandestine. Voir Marius Schattner, *Histoire*

de la droite israélienne, de Jabotinsky à Shamir, Bruxelles, éd. Complexe, 1991.

16. Yuli Tamir, *Liberal Nationalism*, Princeton, N. J., Princeton University Press, 2013.
17. Voir « Antisionisme et antisémitisme », art. cit.
18. https://www.ynet.co.il/articles/0,7340,L-4089488,00.html
19. M. Walzer est membre du conseil d'*APN [Americans for Peace Now]*.
20. http://archive.peacenow.org/entries/archive295
21. « Le mouvement de colonisation est une folie et un échec. Il a contribué à appauvrir les Israéliens ordinaires. Il est temps que cela s'arrête », voir http://jeffweintraub.blogspot.com/2006/04/michael-walzer-rich-settlers-poor.html
22. « Le véritable défi pour Israël, que seule la gauche peut relever, est de défendre la sécurité physique de ses citoyens avec force, puisque la force est inévitable, tout en préparant, en même temps, les conditions de la paix », voir http://archive.peacenow.org/entries/archive4889
23. « For an Economic Boycott and Political Nonrecognition of the Israeli Settlements in the Occupied Territories », *New York Review of Books*, 13 octobre 2016.
24. Les différents sites web de *BDS* proposent des modèles de lettres de refus en réponse à des invitations israéliennes (colloques, enseignement, etc.) ; ils défendent l'idée selon laquelle le monde universitaire devrait être au cœur du boycott. Voir l'interview de M. Walzer avec Talia Krupkin ici : https://www.haaretz.com/us-news/.premium-100-jewish-studies-scholars-threaten-to-not-visit-israel-over-travel-ban-1.5447119

VII. Quelle théorie politique ?

1. Voir *A Foreign Policy for the Left*, op. cit.
2. *The Paradox of Liberation: Secular Revolutions and Religious Counterrevolutions*, op. cit.
3. Cf. *infra*.
4. *ISC*, p. 14-15 : « C'est comme si nous étions en train de prendre une chambre d'hôtel, un meublé ou un refuge, pour le modèle

idéal de l'habitation humaine. Loin de chez nous, nous sommes reconnaissants de l'abri et des commodités que procure une chambre d'hôtel. Privés de toute connaissance sur ce qu'était notre propre maison, parlant avec d'autres dans la même situation [...], nous nous retrouverions sans doute dans quelque chose d'analogue à un Hilton, quoique culturellement moins déterminé. [...] Kafka [écrit dans son *Journal*] : "J'aime beaucoup les chambres d'hôtel, dans une chambre d'hôtel je suis tout de suite chez moi, vraiment." Remarquez l'ironie : il n'y a pas d'autre moyen de dire qu'on est à sa propre place que de dire : "je suis chez moi" », M. Walzer, *Critique et sens commun, op. cit.*, p. 23-25. Je rejoins l'interprétation de Pierre Birnbaum qui a, comme moi, été frappé par ce passage. Voir le chapitre qu'il consacre à M. Walzer dans *Géographie de l'espoir. L'exil, les Lumières, la désassimilation*, Paris, Gallimard, 2004 (chapitre 6, « La fin du chuchotement », p. 281-326).

5. « Nous avons besoin d'engagements moraux et de petites théories sur la manière dont les choses fonctionnent. Avec cela, on est bon. »

6. « L'ingénieur social [...] adoptera la méthode de la quête pour et de la lutte contre les maux les plus grands et les plus urgents de la société, plutôt que de se mettre en quête et de se battre pour le plus grand bien ultime », Karl Popper, *La Société ouverte et ses ennemis* (1945), vol. 1, *L'Ascendant de Platon*, trad. Jacqueline Bernard et Philippe Monod, Paris, Points, 2018, p. 158. Voir aussi : « Nous ferons des progrès si et seulement si nous sommes prêts à apprendre de nos erreurs : au lieu de persévérer de manière dogmatique, nous devons les reconnaître et les utiliser de manière critique », K. Popper, *Misère de l'historicisme* (1957), trad. Hervé Rousseau, Paris, Plon, 1956, p. 87.

7. M. Walzer, *A Foreign Policy for the Left, op. cit.*, chap. 6.

8. « Il y a quelques exemples utiles, contemporains : l'Inde au Pakistan oriental, la Tanzanie en Ouganda, le Vietnam au Cambodge. Ces interventions sont sans doute réalisées au mieux par les voisins, comme dans les cas ci-dessus, puisque les voisins ont un sens de la culture locale », M. Walzer, « Politics of Rescue »,

art. cit.; voir aussi «Responsibility and Proportionality in State and Nonstate Wars», art. cit.

9. Robert Nozick (1938-2002) est un philosophe américain libertarien, professeur de philosophie à Harvard de 1969 à 2002. Il est surtout connu pour *Anarchy, State and Utopia*, New York, Basic Books, 1974 (*Anarchie, État et utopie*, trad. Évelyne d'Auzac de Lamartine et Pierre-Emmanuel Dauzat, Paris, PUF, 2016). L'ouvrage est une réponse oblique à la *Théorie de la justice* de J. Rawls.

    «Il n'est pas exagéré de dire que Nozick a incarné, plus que tout autre, le nouveau *Zeitgeist* libertarien qui, après des générations de welfarisme étatique, du New Deal à Kennedy, Johnson et Carter, a inauguré une nouvelle ère sous Reagan, Carter et Bush père et fils» (*The Telegraph*, 28 janvier 2002). Ses livres plus tardifs sont assez différents d'*Anarchie* (*Philosophical Explanations*, Cambridge, Mass., Harvard University Press, 1981; *The Examined Life: Philosophical Meditations*, New York, Simon & Schuster, 1989; *Invariances: The Structure of the Objective World*, Cambridge, Mass., Harvard University Press, 2001), il avait en effet affirmé ne pas vouloir «passer le reste de sa vie à écrire "le fils d'*Anarchie, État et utopie*"» (*The Harvard Gazette*, 24 janvier 2002).

10. Thomas Nagel (né en 1937 à Belgrade), fils de réfugiés juifs allemands, est un professeur américain de droit et de philosophie. Il a enseigné à l'Université de New York de 1980 à 2016. Rationaliste kantien, il a étudié avec J. Rawls et s'est spécialisé en éthique et philosophie morale. Son livre, *Equality and Partiality*, New York, Oxford University Press, 1991 (*Égalité et partialité*, trad. Claire Beauvillard, Paris, PUF, 1994), est une lecture approfondie et une critique de J. Rawls; l'auteur affirme que le principe de différence rawlsien n'est pas assez exigeant. Parmi ses autres publications, on lira notamment *The Possibility of Altruism*, Princeton, N. J., Oxford University Press, 1970; *The View from Nowhere*, New York, Oxford University Press, 1989; *Secular Philosophy and the Religious Temperament: Essays 2002-2008*, New York, Oxford University Press, 2010.

11. Stuart Hampshire (1914-2004), que M. Walzer admire et cite souvent, a été professeur de philosophie à UCL, Oxford, Princeton et Stanford. C'est un spécialiste de Spinoza (*Spinoza and the Idea of Freedom*, Londres, Oxford University Press, 1960), influencé par Maurice Merleau-Ponty. Parmi ses livres majeurs : *Thought and Action*, Londres, Chatto and Windus, 1959 ; *Freedom of Mind, and Other Essays*, Oxford, Clarendon Press, 1972 ; *Morality and Conflict*, Cambridge, Mass., Harvard University Press, 1983 ; *Justice is Conflict*, Princeton N. J., Princeton University Press, 2000.
    Sa nécrologie dans *The Guardian* évoque ses activités pendant la guerre et la manière dont elles ont influencé sa pensée : https:// www.theguardian.com/news/2004/jun/16/guardianobituaries. obituaries

12. M. Walzer, *Obligations. Essays on Disobedience, War and Citizenship*, Cambridge, Mass., Cambridge University Press, 1970.

13. J. Rawls, *A Theory of Justice*, Cambridge, Mass., Harvard University Press, 1971 (*Théorie de la justice*, trad. Catherine Audard, Paris, Seuil, 1987).

14. M. Walzer, « WW II. Why Was this War Different? » paraît en effet dans le premier numéro de *Philosophy and Public Affairs* (automne 1971, p. 3-21). Dans le même numéro de la revue, promise à l'avenir que l'on sait, Judith Jarvis Thomson a publié son célèbre article sur l'avortement « A Defense of Abortion », p. 47-66 ; on y trouve également le texte de Shlomo Avineri, « Labor, Alienation, and Social Classes in Hegel's Realphilosophie », p. 96-119. Dans le deuxième numéro (hiver 1973), Tom Nagel a publié « War and Massacre » ; Thomas Scanlon, un article maintes fois cité sur la liberté d'expression ; et Gerald A. Cohen, « Marx and the Withering Away of Social Science ».

15. Voir l'introduction.

16. D'après M. Walzer, et d'après ses élèves et ses collègues, R. Nozick était un enseignant remarquable : « l'enseignement de Nozick était en harmonie avec ses écrits : vivant, hétérogène, peu orthodoxe ; il n'a jamais enseigné deux fois le même cours, à l'exception de "The Best Things in Life", qu'il a présenté en 1982 et 1983, car il voulait bâtir une théorie générale des

valeurs en s'inspirant des discussions en cours. Le descriptif du cours mentionnait une exploration "de la nature et de la valeur des choses que l'on apprécie le plus, comme l'amitié, l'amour, l'entente intellectuelle, le plaisir sexuel, la réussite, l'aventure, le jeu, le raffinement, la gloire, le pouvoir, les lumières, et la crème glacée". Il parlait toujours sans notes, arpentait la salle de cours sans relâche, une canette de Tab [une variété de Coca-Cola] à la main, incitant ses étudiants à participer librement à la discussion. Il a opposé sa méthode du "réfléchir à haute voix" à la méthode plus traditionnelle, où l'on présente aux étudiants une version définitive des grandes idées philosophiques : "présenter une version polie et définitive ne permet pas aux étudiants de sentir à quoi ressemble la production d'une œuvre philosophique originale, de voir la réflexion en action et de s'y accrocher"», *The Harvard Gazette*, 24 janvier 2002. Voir la belle biographie de David Schmidtz, *Robert Nozick*, Cambridge, Cambridge University Press, 2002.

17. R. Nozick, *Anarchie, État et utopie, op. cit.*

18. Sydney Morgenbesser (1921-2004) a été professeur de philosophie à Columbia après avoir été nommé rabbin. Il est connu pour ses remarques spirituelles («c'était la quintessence du Juif intellectuel new-yorkais : Isaiah Belin, Woody Allen et Isaac Bashevis Singer en un seul être», *The Independent*, 6 août 2004 ; «Il appelait la comparaison avec Socrate – moins l'accent yiddish», *The New York Times*, 4 août 2004). Un site web a même été dédié à ses citations : https://en.wikiquote.org/wiki/Sidney_Morgenbesser. Il a coédité *Philosophy of Science Today*, New York, Basic Books, 1967.

19. R. Nozick aurait dit qu'il avait eu son diplôme «ès Morgenbesser» ; il avait en effet écrit son mémoire de BA sous la direction de ce dernier à Columbia en 1959.

20. Les conférences philosophiques du Shalom Hartman Institute ont lieu à Jérusalem, tous les ans. Des philosophes du monde entier se réunissent au cours d'un séminaire intensif d'une semaine. Voir https://hartman.org.il/

21. S. Morgenbesser était en effet un activiste anti-guerre du Vietnam.

22. Voici l'histoire que raconte J.-P. Sartre sur sa tentative de réconcilier A. Camus et M. Merleau-Ponty : « Un soir, chez Boris Vian, Camus prit Merleau à partie et lui reprocha de justifier les procès. Ce fut pénible : je les revois encore, Camus révolté, Merleau-Ponty courtois et ferme, un peu pâle, l'un se permettant, l'autre s'interdisant les fastes de la violence. Tout d'un coup, Camus se détourna et sortit. Je lui courus après, accompagné de Jacques Bost, nous le rejoignîmes dans la rue déserte ; j'essayai tant bien que mal de lui expliquer la pensée de Merleau, ce que celui-ci n'avait pas daigné faire. Avec ce seul résultat que nous nous séparâmes brouillés ; il fallut plus de six mois et le hasard d'une rencontre pour nous rapprocher. Ce souvenir ne m'est pas agréable : quel sot projet que d'offrir mes bons offices ! Il est vrai : j'étais à la droite de Merleau, à la gauche de Camus ; quel humour noir me souffla de faire le médiateur entre deux amis qui devaient un peu plus tard me reprocher l'un après l'autre mon amitié pour les communistes et qui sont tous deux morts, irréconciliés ? », voir J.-P. Sartre, « Merleau-Ponty vivant », *Les Temps Modernes*, n° 184-185, 1961, p. 61.

23. Michael Walzer et Michael Rustin, « Les travaillistes au pouvoir » (trad. Paul Thibaud), *Esprit*, janvier 1965. Entre 1991 et 2010, M. Walzer a publié treize articles dans la revue *Esprit*, la plupart avaient été publiés auparavant dans *Dissent*. Le dernier (2010), coécrit avec Avishai Margalit, « Israël et le statut des civils dans la guerre antiterroriste », est la traduction de « Israel. Civilians and Combatants », déjà cité, publié d'abord par *The New York Review of Books*, le 14 mai 2009.

24. M. Walzer, « The Lonely Politics of Michel Foucault », in *CC*, p. 192.

25. Daniel Zamora (éd.), *Critiquer Foucault. Michel Foucault, les années 1980 et le néolibéralisme*, Bruxelles, Aden, 2014.

26. M. Walzer fait référence au principe de sécurité tel qu'il est défini par M. Foucault dans son cours de 1978, *Sécurité, territoire, population*, Paris, EHESS/Gallimard/Seuil, 2004.

27. Leo Strauss (1899-1973) est un philosophe américain très influent, en particulier aux États-Unis. Né en Allemagne, il a enseigné la philosophie politique à l'Université de Chicago. Il a

inspiré (et inspire toujours) des générations entières de philosophes (conservateurs) – les « straussiens » –, de penseurs politiques, les néo-conservateurs et, bien au-delà, de philosophes séduits par la profondeur de sa pensée. On connaît ses textes sur Machiavel, Spinoza, Maïmonide et Mendelssohn ; sur le droit naturel et l'histoire, l'art d'écrire, la tyrannie, l'historicisme, le nihilisme, le relativisme, Athènes et Jérusalem. Pour un compte rendu compréhensif de sa philosophie et de ses idées politiques, voir Robert Howse, *Leo Strauss, Man of Peace*, New York, Cambridge University Press, 2014.

Parmi ses textes les plus importants : *La Critique de la religion chez Spinoza*, trad. Gérard Almaleh, Albert Baraquin et Mireille Depadt-Ejchenbaum, Paris, Le Cerf, 1996 ; *De la tyrannie*, trad. Hélène Kern, André Enegrén et Marc de Launay, Paris, Gallimard, 1997 ; *Droit naturel et histoire*, trad. Monique Nathan et Éric de Dampierre, Paris, Plon, 1954 ; *Pensées sur Machiavel*, trad. Michel-Pierre Edmond et Thomas Stern, Paris, Payot, 1982 ; *La Cité et l'Homme*, trad. Olivier Berrichon-Sedeyn, Paris, Pocket, 1991 ; *Le Libéralisme antique et moderne*, trad. O. Berrichon-Sedeyn, Paris, PUF, 1900.

28. Harvey C. Mansfield (né en 1932) a été professeur de théorie politique à Harvard. Connu comme un conservateur, disciple de Leo Strauss, proche d'Alan Bloom et d'Irving Kristol, il a publié de nombreux livres sur Machiavel, Tocqueville (dont il est le traducteur) ou Burke. Parmi ses ouvrages, on lira *The Spirit of Liberalism*, Cambridge, Mass., Harvard University Press, 1979 ; *Taming the Prince*, New York, Free Press, 1989 ; *Manliness*, New Haven, Yale University Press, 2007.

29. Michael Walzer a des amis aussi parmi les straussiens : Clifford Orwin, professeur canadien, et Steven Smith, professeur de théorie politique à Yale et disciple de Jospeh Cropsey, lui-même élève de Strauss et coauteur du classique *Histoire de la philosophie politique*, trad. Olivier Sedeyn, Paris, PUF, 1994.

30. « L'article de Michael Harrington (1973), "The Welfare State and its Neo-Conservative Critics", est une défense ingénieuse de la guerre contre la pauvreté (savoir si Harrington a véritablement

inventé la notion de "néoconservateur" dans les pages de *Dissent* est une question controversée, mais il est certain qu'il a popularisé son usage)», M. Isserman, «Steady Work», art. cit. Voir aussi *id.*, «Starting Out in the 1950's», *Dissent*, hiver 2014.

31. Emmanuel Kant, *Critique de la raison pure* (1781); Georg Wilhelm Friedrich Hegel, *Phénoménologie de l'esprit* (1807).

32. Jürgen Habermas, *L'Espace public. Archéologie de la publicité comme dimension constitutive de la société bourgeoise*, trad. Marc de Launay, Paris, Payot, 1988.

33. M. Walzer, «A Critique of Philosophical Conversations». L'article développe une critique des «situations idéales de discours» où le consensus final est incorporé dans l'architecture de l'échange lui-même (M. Walzer prend exemple sur J. Habermas, J. Rawls et B. Ackerman). Mais les «échanges véritables» *[real talk]*, les véritables conversations démocratiques, sont «indéterminés, imprévisibles, ne se concluent pas». «[...] La conversation n'est qu'une des formes que prennent les processus sociaux nombreux et complexes qui produisent le consensus et les significations partagées. Ils comprennent la lutte politique, la négociation et le compromis, la fabrication du droit et son application, la socialisation au sein des familles et dans les écoles, les transformations économiques et la créativité culturelle [...]. On ne peut pas imaginer de conclusion sans manifestation d'autorité, sans conflit et sans coercition (la socialisation par exemple est toujours coercitive).»

34. Avishai Margalit (né en 1939) est professeur émérite de philosophie à l'Université hébraïque de Jérusalem. Activiste de la paix, membre de B'Tselem, il est l'auteur d'un grand nombre d'ouvrages d'éthique, de politique, de philosophie, de langage et de logique. Margalit écrit, dans un article assez drôle sur Walzer, «Liberal or Social Democrat» (*Dissent*, printemps 2013): «Michael Walzer est un social-démocrate; c'est un insigne honoraire. Il a longtemps arboré son insigne en conduisant une vieille Volvo – la voiture de seconde main pour les sociaux-démocrates matures.»

35. Jacques Derrida, *Le Monolinguisme de l'autre*, Paris, Galilée, 1995.

36. David Rodin, *War and Self Defense*, Oxford, Oxford University Press, 2002. David Rodin est codirecteur du Oxford Institute

for Ethics, Law and Armed Conflict. Il fait partie des fondateurs « révisionnistes » de la théorie de la guerre juste, et a écrit un grand nombre de textes sur l'éthique de la guerre. Sur cette question, il a publié (avec Henry Shue), *Preemption: Military Action and Moral Justification*, Oxford, Oxford University Press, 2007 ; *Just and Unjust Warriors: The Moral and Legal Status of Soldiers*, Oxford, Oxford University Press, 2010 ; *War, Torture and Terrorism*, Londres, Wiley Blackwell, 2008.

37. Judith Shklar, « The Liberalism of Fear », *in* Nancy Rosenblum, *Liberalism and the Moral Life*, Cambridge, Mass., Harvard University Press, 1989.

38. *CC*, p. XVII.

39. Le « problème du tramway » *[trolley problem]* est une expérience de pensée bien connue et très débattue en philosophie morale. Voir par exemple https://en.wikipedia.org/wiki/Trolley_problem

40. Judith J. Thomson, « A Defense of Abortion », art. cit. : « Vous vous réveillez un matin et vous vous trouvez au lit avec un violoniste inconscient. Un violoniste inconscient célèbre. On lui a trouvé une maladie fatale aux reins et la Société des amateurs de musique a compulsé tous les registres médicaux et s'est rendu compte que vous seule avez le bon groupe sanguin pour le sauver. Ils vous ont donc kidnappée, et, la nuit dernière, le circuit sanguin du violoniste a été branché sur le vôtre pour que vos reins puissent irriguer les siens, nettoyer les toxines, etc. Le directeur de l'hôpital vous dit maintenant : "Écoutez, on est désolés que la Société des amateurs de musique vous ait fait cela – on ne l'aurait jamais permis si on avait su –, mais ils l'ont fait et vous voilà branchée sur le violoniste. Si on le débranche, il meurt. Mais ne vous inquiétez pas, ça ne durera que neuf mois. Dans neuf mois, il aura repris des forces et pourra être débranché de vous." Accepter cette situation relève-t-il, pour vous, d'un devoir moral ? Il est certain que ce serait gentil de votre part, très généreux. Mais est-ce une obligation ? Et si ce n'était pas neuf mois mais neuf ans ? ou plus longtemps encore ? Et si le directeur de l'hôpital vous disait : ah, pas de chance, c'est sûr, mais maintenant que vous êtes branchés l'un dans l'autre, vous allez devoir rester au lit pour le reste de votre vie. Car, rappelez-

vous de ceci : toutes les personnes ont un droit à la vie, et le violoniste est une personne. Bien sûr, vous avez le droit de décider de ce qui se passe avec et dans votre corps, mais le droit à la vie est sûrement plus important que votre droit de décider ce qui se passe avec et dans votre corps. Donc vous ne pourrez jamais être débranchée. J'imagine que vous trouverez cela inouï, ce qui suggère qu'il y a vraiment quelque chose qui ne va pas dans ce scénario. »

41. Kwame Anthony Appiah, *Experiments in Ethics*, Cambridge, Mass., Harvard University Press, 2009.
En France, Ruwen Ogien est un bon représentant de ce type de philosophie. Voir *L'Influence de l'odeur des croissants chauds sur la bonté humaine*, Paris, Grasset, 2011.

42. Jeremy Waldron, « Right and Wrong. Psychologists *v.* Philosophers », *The New York Review of Books*, 8 octobre 2009.

43. M. Kazin, « A Decent Leftist », *Dissent*, printemps 2013 reprend le titre d'un article publié après les attaques du 11 Septembre et qui avait valu une salve de critiques à son auteur (M. Walzer, « Can There Be a Decent Left? », *Dissent*, printemps 2002).

VIII. L'EXPÉRIENCE DE LA MINORITÉ
ET *SPHÈRES DE JUSTICE*

1. Charles Taylor, *Hegel*, Cambridge, Cambridge University Press, 1975, p. 459.

2. *Id.*, *Les Sources du moi. La formation de l'identité moderne*, trad. Charlotte Melancon, Paris, Seuil, 1989, p. 56 (*Sources of the Self. The Making of the Modern Identity*, Cambridge, Cambridge University Press, 1989).

3. M. Walzer, *SJ*, p. 19. Voir aussi : « Le problème véritable est celui du particularisme de l'histoire, de la culture et de l'appartenance à une communauté », *ibid.*, p. 25-26.

4. *Ibid.*, p. 433.

5. C'est une position que l'on a coutume d'appeler « communautarienne », elle est également défendue par les nationalistes libéraux (comme Yael Tamir, *Liberal Nationalism*, New Haven, Princeton University Press, 1993) ou les libéraux culturalistes (comme Will

Kymlicka, *Politics in the Vernacular: Nationalism, Multiculturalism, Citizenship*, Oxford University Press, 2001).

6. *SJ*, p. 58.

7. David Miller, «Justice in Immigration», *European Journal of Political Theory*, 14/4, 2015, p. 391-408.

8. Michael Walzer & Nicolaus Mills, *Getting Out. Historical Perspectives on Leaving Iraq*, Philadelphie, University of Pennsylvania Press, 2009.

9. Il s'agit du traité de réparations israélo-allemand du 10 septembre 1952.

10. R. Dworkin, «To Each His Own», art. cit. ; «*Spheres of Justice* : An Exchange», art. cit.

11. M. Walzer, *Morale maximale, morale minimale, op. cit.*

12. Susan Moller Okin, *Justice, Gender and the Family*, New York, Basic Books, 1989.

13. M. Walzer, «Feminism and Me», *Dissent*, hiver 2013 : «Okin soutient qu'une théorie comme [la mienne] n'est d'aucune utilité pour les femmes, car les significations sociales de l'éducation, du travail, du métier politique, entre autres choses dans notre société, ont exclu les femmes de manière radicale ou les ont confinées à des postes marginaux.»

14. M. Walzer, «Objectivity and Social Meaning», *in* M. Nussbaum et A. Sen (éd.), *The Quality of Life, op. cit.*

15. Dans *Le Libéralisme et les limites de la justice, op. cit.*, p. 198 *sq.*, M. Sandel met en scène les débats entre A. Lincoln et St. A. Douglas dans les années 1860 et demande comment le libéralisme peut s'opposer à l'esclavage sans endosser une doctrine morale et compréhensive, ici la conviction religieuse selon laquelle l'esclavage est un mal moral. On ne devrait pas mettre la morale entre parenthèses pour aboutir à un accord politique : les doctrines (religieuses) compréhensives ne sont pas seulement moralement nécessaires dans un débat politique, elles sont aussi impossibles à mettre de côté lorsqu'il s'agit d'un sujet aussi important que l'égale valeur des êtres humains.

16. M. Walzer, *What It Means to Be an American. Essays on the American Experience*, New York, Marsilio Publishers, 1996. «What

It Means…» est également le titre d'un article publié dans *Social Research*, 71/3, automne 2004, p. 633-654.

17. Le *Seder* commémore la libération des Hébreux, esclaves en Égypte. Il marque le début de la pâque juive, on y lit le récit *(haggadah)* de l'exode qui figure dans la Mishna.

18. Pascal et Marx sont également cités dans l'article annonçant *Sphères de justice*, «In Defense of Equality», art. cit., p. 402.

19. Dans *SJ*, p. 43-44, M. Walzer cite les passages suivants : «La tyrannie tient dans le désir de domination, universel et hors de son ordre. Diverses chambres, de forts, de beaux, de bons esprits, de pieux, dont chacun règne chez soi, non ailleurs ; et quelquefois ils se rencontrent, et le fort et le beau se battent, sottement, à qui sera le maître l'un de l'autre ; car leur maîtrise est de genres différents. Ils ne s'entendent pas, et leur faute est de vouloir régner partout. Rien ne le peut, pas même la force : elle ne fait rien au royaume des savants ; elle n'est maîtresse que des actions extérieures. […] Ainsi ces discours sont faux et tyranniques : "Je suis beau, donc on doit me craindre. – Je suis fort, donc on doit m'aimer. – Je suis…" Etc. La tyrannie est de vouloir avoir par une voie ce qu'on ne peut pas avoir par une autre. On rend différents devoirs aux différents mérites : devoir d'amour à l'agrément ; devoir de crainte à la force ; devoir de créance à la science.» (Pascal, *Les Pensées*, éd. L. Brunschvicg, Paris, Hachette, 1921, p. 251).

«Supposons que l'homme soit homme, et que sa relation au monde soit humaine. Alors on peut échanger de l'amour contre de l'amour, de la confiance contre de la confiance, etc. Si vous voulez jouir des œuvres d'art, il vous faut être une personne douée de culture artistique ; si vous voulez influencer d'autres gens, vous devez être quelqu'un qui est réellement capable de stimuler et d'encourager les autres […]. Si vous aimez sans susciter l'amour en retour, c'est-à-dire si vous n'êtes pas capable, en vous manifestant comme personne aimante, de devenir une personne aimée – alors votre amour est impuissant et c'est une infortune», K. Marx, «Pouvoir de l'argent dans la société bourgeoise», in *Manuscrits de 1844, Économie politique et philosophie*, présentation, traduction, notes E. Bottigelli, Paris, Les Éditions sociales, 1972.

20. Clifford Geertz (1926-2006), anthropologue américain. Connu pour ses travaux sur l'Indonésie, Bali en particulier, il donne un sens nouveau à l'«anthropologie culturelle» et conceptualise une sémiotique de la culture. Voir, par exemple: *Observer l'islam. Changements religieux au Maroc et en Indonésie*, Paris, La Découverte, 1992; *Savoir local, savoir global. Les lieux du savoir*, Paris, PUF, 1986; *Bali. Interprétation d'une culture*, Paris, Gallimard, 1984; *Ici et là-bas. L'anthropologue comme auteur*, Paris, Métailié, 1996.

IX. La politique dans la Bible.
Dans l'ombre de Dieu

1. La traduction française, *Dans l'ombre de Dieu*, porte le sous-titre «La politique *et* la Bible [nous soulignons]», *op. cit.*
2. Eruvin 13b. La citation fait référence à la controverse entre Hillel et Shammaï que Dieu clôt par ces paroles, signifiant ainsi que deux opinions non convergentes peuvent, toutes deux, représenter la vertu et la justice.
3. Voir *CC*, *ISC* et *supra* l'introduction.
4. M. Walzer *et al.*, *The Jewish Political Tradition*, vol. 1, 2 et 3, *op. cit.* Le quatrième volume est en préparation.
5. M. Walzer, *De l'Exode à la liberté. Essai sur la sortie d'Égypte*, trad. Micheline Pouteau, Paris, Calmann-Lévy, 1986 (*Exodus and Revolution*, New York, Basic Books, 1985).
6. *Ibid.*, p. 199.
7. M. Walzer, *Dans l'ombre de Dieu*, *op. cit.*, p. 180.
8. *Ibid.*, p. 207.
9. Moshe Halbertal et Stephen Holmes, *The Beginning of Politics. Power in the Biblical Book of Samuel*, New Haven, Princeton University Press, 2017.
10. Voir chapitre 4, le passage sur Nachshon.
11. *Galut* est le terme hébreu désignant l'exil.
12. «Nous devons réfléchir dans les termes de l'État et de son indépendance, de la pleine responsabilité pour nous-mêmes et les autres. Dans notre État, il y aura aussi des citoyens non juifs,

et tous seront égaux, égaux en toute chose sans exception, ce qui veut dire que notre État sera leur État. L'attitude de l'État juif vis-à-vis de ses citoyens arabes sera un facteur important – mais non le seul – dans la construction de bonnes relations de voisinage. Aspirer à une alliance judéo-arabe exige que nous remplissions un certain nombre d'obligations que nous devons assumer quoi qu'il arrive : une pleine et réelle égalité, de droit et de fait, de tous les citoyens de l'État, une égalisation progressive des niveaux économiques, sociaux et culturels de la communauté arabe avec la communauté juive, la reconnaissance de la langue arabe en tant que langue des citoyens arabes dans l'administration, les cours de justice, et, par-dessus tout, dans les écoles, l'autonomie municipale dans les villages et villes, et ainsi de suite », *in* « Michael Walzer Responds [to Jim Rule] », *Dissent*, automne 2012.

13. https ://www.youtube.com/watch?v=vANFcZhXtBM&index=2&list=PL94UJTaiiod0WFQPfXhM5StY7go93oOf-&t=1s ; voir aussi https ://www.youtube.com/watch?v=axcQbPe8cYc&t=1960s

14. Yosef Hayim Yerushalmi, « "Serviteurs des rois et non serviteurs des serviteurs". Sur quelques aspects de l'histoire politique des Juifs », *Raisons politiques*, n° 7, 2002/3, Paris, Presses de Sciences Po, 2002, p. 19-52. C'est, en partie, une réponse à la lecture erronée que fait H. Arendt des relations entre les communautés juives et l'État selon Y. H. Yerushalmi.

15. Max Weber, *Le Judaïsme antique* (1917), trad. de l'allemand F. Raphael, Paris, Pocket, rééd. 2008.

16. Le Shalem Center de Jérusalem a été fondé par Yoram Hazony, il est devenu Shalem College en 2013, lorsqu'il a reçu son accréditation universitaire. Créé à l'origine, à une période de débats intenses sur le post-sionisme, pour publier des travaux savants sur la philosophie et l'histoire juives, le centre édite un trimestriel en anglais, *Azure. Ideas for the Jewish Nation*, ainsi que *Tchelet* (תכלת) – qui signifie bleu clair, la couleur associée à Israël –, une revue en hébreu.

17. Yoram Hazony est un spécialiste de la Bible moderne-orthodoxe, actuellement président de l'Institut Herzl à Jérusalem. Il a

notamment écrit *The Philosophy of Hebrew Scripture*, Cambridge, Cambridge University Press, 2012. Son dernier livre s'intitule *The Virtue of Nationalism*, New York, Basic Books, 2018.

18. M. Walzer, « Prophecy and International Politics », *Hebraic Political Studies*, vol. 4, n° 4, automne 2009, p. 319-328.

19. Fania Oz-Salzberger (née en 1960) est professeure d'histoire à l'Université de Haïfa. Spécialiste des Lumières et des sources juives de la pensée occidentale, elle a publié, avec son père, Amos Oz, *Jews and Words*, New Haven, Yale University Press, 2012. Elle a édité, avec Gordon Schochet et Meirav Jones, un ouvrage intitulé *Political Hebraism : Judaic Sources in Early Modern Political Thought*, Jérusalem, Shalem, 2008 ; ainsi que « The Political Thought of John Locke and the Significance of Political Hebraism », in *Hebraic Political Studies*, Jérusalem, Shalem, 2006, p. 568-592.

20. Eric Nelson, *The Hebrew Republic : Jewish Sources and the Transformation of European Political Thought*, Cambridge, Mass., Harvard/Belknap, 2010.

21. *Brit* signifie « alliance » en hébreu.

22. Voir M. Walzer, *Exodus and Revolution*, *op. cit.*, chap. 3 ; et le passage suivant dans *L'Ombre de Dieu*, p. 35-36 : « Moïse lut au peuple la totalité de la Torah, qu'il sache exactement ce qu'il prenait sur lui. On reconnaît ici les conditions cruciales de ce qu'on appelle de nos jours la théorie du consentement. Il ne saurait y avoir consentement effectif qu'en connaissance de cause, assorti de la possibilité du refus. Mais est-il réellement possible de dire non à un Dieu tout-puissant ? Une histoire rabbinique plus sceptique et ironique nous laisse entrevoir la difficulté. Israël dit que Dieu a soulevé la montagne, l'a brandie au-dessus de la tête des Israélites assemblés et leur a dit : "Si vous acceptez la Torah, c'est bon ; autrement, vous trouverez votre tombe sous cette montagne." Un des rabbis, bon théoricien du consentement, dit que raconter cette histoire est une "protestation contre la Torah". En fait, elle fait de la Torah une loi qui ne lie pas, fondée sur une seule force, plutôt que sur l'engagement (BT Shabbat 88a). Le livre de l'Exode n'a rien à dire sur ces problèmes théoriques. En

revanche, il insiste sur le consentement du peuple et offre donc une plateforme, pour ainsi dire, à la spéculation ultérieure.»

23. *Dans l'ombre de Dieu*, *op. cit.*, chap. 12.

24. Exode, 32,27.

25. M. Walzer, «Exodus 32 and the Theory of Holy War: The History of a Citation», *The Harvard Theological Review*, vol. 61, n° 1, 1968, p. 1-14.

26. Lincoln Steffens (1866-1936), *Moses in Red. The Revolt of Israel as a Typical Revolution*, Philadelphie, Dorrance & Company, 1926. Peter Hartshorn lui a consacré une biographie en 2011 sous le titre *I Have Seen the Future. A Life of Lincoln Steffens* (Berkeley, Counterpoint). Le titre reprend une formule de L. Steffens qui écrivit, à son retour d'URSS en 1921: «J'ai vu le futur et ça marche» [*I have seen the future and it works*].

27. La seconde bar-mitsva est généralement célébrée à l'âge de quatre-vingt-trois ans. Le Psaume 90,10 dit en effet qu'une vie dure soixante-dix ans («Les jours de nos années s'élèvent à soixante-dix ans»). On considère qu'atteindre cet âge correspond alors à un nouveau départ; à quatre-vingt-trois ans on aurait ainsi à nouveau treize ans (la première bar-mitsva étant célébrée à treize ans).

28. Appelés aussi «Oracles *contre* les Nations» dans la littérature prophétique. Parmi les nations visées: l'Égypte, Gaza, Ninive, Babylone, Damas, Moab, etc.

29. En 2016.

30. David Ben Gurion, *Ben Gurion Looks at the Bible*, trad. de l'hébreu Jonathan Kolatch, New York Jonathan David Publishers, 2008.

31. Horace Kallen (1882-1974) fut membre fondateur de la New School for Social Sciences à New York. Diplômé de philosophie (Harvard), il enseigna brièvement à Princeton et à Madison, Wisconsin. Sioniste militant, membre de la ZOA, auteur d'un grand nombre d'ouvrages, il inventa le terme de «pluralisme culturel». Il a publié, entre autres, *Cultural Pluralism and the American Idea* (1956), Philadelphie, University of Pennsylvania Press, 2016; «Democracy *Versus* the Melting-Pot», *The Nation*, vol. 100, n° 2590, 18-25 février 1915, p. 190-194, 217-220; *Zionism and*

World Politics. A Study in History and Social Psychology, Londres, William Heinemann, 1921 ; «*Of Them Which Say They Are Jews* and Other Essays on the Jewish Struggle for Survival*, New York, Bloch Pub. Co, 1954; ainsi qu'un joli dialogue «éthéré» avec Socrate: «Socrates and the Street Car», *The Wisconsin Quarterly*, vol. 1, n° 4, 1914, p. 358-374. Sa notice nécrologique est accessible en ligne: https://www.nytimes.com/1974/02/17/archives/dr-horace-kallen-philosopher-dies.html

32. Il s'agit de la Kogod Lecture au Shalom Hartman Institute, Jérusalem, 22 juin 2010.

33. Le rabbin Haim Herschensohn (1856-1930), né à Tsfat (Safed), fut un sioniste précoce. Il a grandi en Israël et a assisté Ben Yehouda dans son entreprise de création de l'hébreu moderne avant de s'installer dans le New Jersey au début des années 1900. Il œuvra à établir les «fondations halakhiques pour un régime démocratique, théologique et politique» du nouvel État israélien. Rabbin et intellectuel moderne et ouvert, H. Herschensohn était convaincu que la *halakha* ne devait pas être un obstacle au gouvernement démocratique. Voir Eliezer Schweid, *Democracy and Halakha*, Lanham, Mar., Londres-New York, University Press of America & Jerusalem Center for Public Affairs, 1994.

34. La révolte menée par Simon Bar Kokhba est aussi la dernière guerre entre les Juifs de Judée et les Romains (132-136).

35. Enseignements ou Maximes des pères.

36. *Gadol* signifie «grand» en hébreu. Le «grand œuvre», autrement dit.

37. *JPT*, vol. 1, p. XIV-XV.

38. Michael Fishbane, in *ibid.*, p. LV.

39. «Les textes bibliques nécessitent une exégèse et un approfondissement continus […], comme une *maison* exigerait des réaménagements et des réparations [nous soulignons]», *ibid.*, «Introduction».

40. Voir le commentaire de M. Walzer, «Pluralisme et singularité», *JPT*, vol. 2 ; «l'histoire véritable de chaque *kahal* est née d'un compromis entre une loi universellement contraignante et une série d'arrangements et de décisions particularistes», ainsi que l'introduction de M. Walzer à *JPT*, vol. 3.

41. « Rédiger un commentaire est un engagement militant qui est généralement – et qui devrait être – un engagement critique, un effort aussi pour comprendre les choses correctement », *ibid.*

42. Tous les chapitres que M. Walzer a rédigés trouvent une résonance dans ses propres travaux – ou l'inverse : pour le premier volume, il rédige les entrées concernant la constitution monarchique, la critique des prophètes, et le pluralisme et la singularité ; il s'interroge sur les exilés et les citoyens dans le deuxième volume ; dans *JPT*, vol. 3, on retrouve ses réflexions sur le fardeau de l'impôt, sur l'autonomie, la reproduction culturelle et la liberté positive.

43. Ces trois termes renvoient à *retrieval*, *integration* et *criticism* dans le texte anglais.

44. Dans son usage biblique, *stam* est d'abord l'abréviation de *sifrei tora, t'filin um'zuzot*. Il désigne ici le travail à l'œuvre : le *stam* est celui qui convoque les traditions et les opinions des sages issus de diverses strates temporelles et de différents corpus pour reconstruire des modèles de raisonnement intertextuels sur des sujets théoriques et pratiques, légaux par exemple. « S'il y a un esprit dans le Talmud, dit M. Fishbane, c'est celui du *stam*, il réfléchit les traditions, les cite et les critique à travers d'autres voix et délibère de leurs implications sur l'action religieuse à poursuivre [...]. Le *stam* est ainsi l'étudiant idéal : son savoir est vaste, son analyse probe ; il veille à protéger la loi et la synthétise si nécessaire. Le *stam* pense avec la tradition et ceux qui la transmettent, offrant ainsi le modèle cognitif d'une herméneutique de l'alliance », *JPT*, vol. 1, p. XLV.

45. Le Grand Sanhédrin, créé en 1806, après le rétablissement du culte israélite par Napoléon et convoqué par l'Empereur en 1807, devait donner son imprimatur religieux aux réponses proposées par une « Assemblée de notables », composée de députés français et italiens de confession juive, elle-même convoquée par Napoléon pour répondre à douze questions relatives aux règles gouvernant la religion juive. Trois questions en particulier portaient sur les relations entre citoyens juifs et français : « Aux yeux des Juifs, les Français sont-ils leurs frères ou sont-ils des étrangers ? » (Quatrième question) ; « Dans l'un et dans l'autre cas, quels sont

les rapports que leur loi leur prescrit avec les Français qui ne sont pas de leur religion ? » (Cinquième question) ; « Les Juifs nés en France et traités par la loi comme citoyens français regardent-ils la France comme leur patrie ? Ont-ils l'obligation de la défendre ? Sont-ils obligés d'obéir aux lois et de suivre toutes les dispositions du Code civil ? » (Sixième question). La réponse du Sanhédrin a été publiée dans *Le Moniteur universel* du 11 avril 1807 (p. 398-400). Voir René Gutman, *Le Document fondateur du judaïsme français : les décisions doctrinales du Grand Sanhédrin 1806-1807, suivi de Joseph David Sintzheim et le Grand Sanhédrin de Napoléon*, Strasbourg, Presses Universitaires de Strasbourg, 2000.

46. Dans le commentaire de Simon (*JPT*, vol. 3), M. Walzer dit d'abord l'importance de l'éducation communautaire, puis il poursuit par une analyse du sionisme et du nationalisme chez Simon Dubnov. Celui-ci était convaincu qu'un réseau élaboré d'institutions de la diaspora était une meilleure réponse que la création de l'État : « Beaucoup de sionistes d'aujourd'hui contemplent le monde juif depuis leur État-nation souverain, ils apprécient la valeur d'une vie juive vivante à l'étranger. Certains se qualifieraient peut-être même de dubnovniens de la diaspora », *JPT*, vol. 3, p. 447.

47. « Le pluralisme libéral n'a pas seulement fait la place aux Juifs dans le monde gentil, il a également fait une place à différentes manières d'être juif dans le monde juif », *JPT*, vol. 1, p. 7.

48. « Devant faire face aux besoins physiques, au conflit social, aux désastres naturels [...], les scribes étaient souvent profondément impliqués dans les luttes politiques locales », *JPT*, vol. 1, « Introduction ».

49. « La communauté *[kahal]* est importante pour des raisons historiques et symboliques ; c'est la *polis* des Juifs en exil », *ibid.*

50. « La permanence de la loi et une structure d'autorité qui était autant politique que religieuse », « Le miracle de la politique juive est la persistance de cette forme de gouvernement [l'autogouvernement des *kehilot*] pendant tant de siècles – un régime commun doté d'un système légal partagé, réitéré dans un grand nombre de pays, dans des circonstances très différentes, sans le bénéfice du

(et souvent dans l'opposition au) pouvoir de l'État», *ibid.*, p. XXIX. Voir aussi vol. 3, «Introduction»: «Le rôle des hommes bons était doublement limité: par les gouvernants gentils et les sages juifs.»

51. *JPT*, vol. 1, p. XXXII, voir aussi p. 354.

X. CODA – EN GUISE DE CONCLUSION

1. Bertolt Brecht, «An die Nachgeborenen» [À ceux qui viendront après nous], III, 1939.

2. L'expression est de Hillel: «Si je ne suis pas pour moi, qui le sera? Si je ne suis que pour moi, que suis-je? Et si pas maintenant, quand?», voir *Pirke Avot* 1, 14.

Remerciements

Astrid von Busekist

Ce livre est l'aboutissement d'une traversée intellectuelle singulière. Lors de nos longues conversations, Michael Walzer a accepté de répondre à mes questions, quelquefois difficiles, parfois critiques, de réfléchir avec moi sur le sens de son travail, de revenir sur les interrogations qu'une œuvre riche et diverse continue de soulever, sur la réception de ses écrits, théoriques et politiques. Devisant sur le travail à l'œuvre, il a livré une part de lui-même aussi, de son parcours jalonné de joies personnelles et de quelques déceptions politiques face aux événements du siècle. Mais je peux en témoigner : sa combativité est intacte. *Thank you Michael.*

Je voudrais tout spécialement remercier Amélie Ferey qui a fidèlement retranscrit la plus grande partie de nos conversations.

C'est avec Eyal Chovers, Joseph Cohen, Ronit Peleg et Raphaël Zagury-Orly que nous avons organisé le colloque international sur Mai 1968 à l'Université de Tel Aviv en juin 2018 (*May 68, Legacies of Resistance*) qui m'a permis d'interroger Michael Walzer sur son engagement politique durant la longue décennie du combat pour les droits civiques et contre la guerre du Vietnam. Que soient également remerciées Tilla Rudel et Yael Baruch de l'Institut français à Tel Aviv.

À Sciences Po, je remercie les coorganisateurs du séminaire de théorie politique, SPOT, qui a accueilli Michael Walzer en mars 2018 ; Gaëlle Durif et Jerôme Guilbert m'ont aidée à réaliser et diffuser sa conférence : « Freedom and Equality – can the two stand together ? »

Ariel Colonomos, Azar Gat et Yoel Mitrani m'ont soufflé quelques questions, Tom Theuns m'a fait l'amitié de traduire l'introduction en anglais, Ian Shapiro a été mon messager entre Paris et Princeton.

Je remercie le Israel Institute à Washington (israelinstitute.org) qui m'a permis de faire un séjour prolongé à Tel Aviv, en particulier Itamar Rabinovitch, Daniel Shek, ainsi que Erika Falk, Kerren Marcus, Ilai Saltzman et Jill Wyler.

Judith B. Walzer m'a gentiment prêté son mari à Tel Aviv le temps de nos conservations ; Marc Sadoun a été, comme toujours, mon lecteur fidèle ; Hélène Monsacré, l'amie et l'éditrice, continue de chérir les humanités face aux vents contraires ; sans elle ce livre n'aurait jamais vu le jour. Merci.

REMERCIEMENTS

Michael Walzer

Mes seuls remerciements vont à Astrid, qui a véritablement fait ce livre. Le premier chapitre (biographique) se lit comme une interview, mais le reste du livre est une conversation au cours de laquelle j'ai beaucoup appris sur ce que j'ai écrit ou n'ai pas écrit, sur ce que je pense et ce que je ne pense pas. Nous avons tous les deux beaucoup travaillé, mais il suffit de regarder les notes pour savoir qui a travaillé le plus. Pour cette expérience inédite, face à face et par écrit, je serai toujours reconnaissant.

Index des noms

Abernathy, Ralph, 75
Ahad Ha'Am, 12
Air Marshal Harris, 134
Allon, Yigal, 174, 177
American Jewish Congress (AJC), 77
Americans for Peace Now (AFP), 181, 190
Amos (prophète), 21, 25-27, 244, 251
Anderson, Perry, 63
Appiah, Kwame A., 219
Arafat, 181-182
Arendt, Hannah, 106-109, 187-188, 211, 250, 268
Austin, John Longfellow, 207
Autorité palestinienne (AP), 179-180
Avineri, Shlomo, 66

Bailey, Clinton, 178
Barak, Aharon, 145
Beauvoir, Simone de, 22, 97
Begin, Menachem, 175, 191
Beitz, Charles, 160, 227
Ben Gourion, David, 178, 247, 249, 258
Berlin, Isaiah, 29
Berman, Paul, 113, 149
Brandeis, Louis (Université), 12, 43, 45-48, 51-55, 58, 60, 76, 78-80, 101-102, 104, 149, 175
Brecht, Bertolt, 278
Brinker, Menachem, 176
Brzeziński, Zbigniew, 59, 185
Bush, George W., 231

Table

DES MÊMES AUTEURS

Michael Walzer

Ouvrages traduits en français

Manuel d'action politique, introduction de Jon Wiener,
traduit par Frédéric Joly, Paris, Premier Parallèle, 2019.

Dans l'ombre de Dieu. La politique et la Bible,
traduit par Pierre-Emmanuel Dauzat, Montrouge, Bayard, 2016.

Sphères de justice. Une défense du pluralisme et de l'égalité,
traduit par Pascal Engel, Paris, Seuil, 1997, rééd. 2013.

La Soif du gain, traduit par Myriam Dennehy, Ernst Dupont
et Laurent Thévenot, Paris, L'Herne, 2010.

Guerres justes et injustes, traduit par Simone Chambon
et Anne Wicke, Paris, Belin, 1999 ; rééd., avec un avant-propos
inédit de l'auteur traduit par Pierre-Emmanuel Dauzat,
Paris, Gallimard, 2006.

De la guerre et du terrorisme, traduit par Camille Fort-Cantoni,
Montrouge, Bayard, 2004.

Morale maximale, morale minimale, traduit de l'anglais
par Camille Fort-Cantoni, Montrouge, Bayard, 2004.

Raison et Passion. Pour une critique du libéralisme,
traduit par Camille Fort-Cantoni, Belval, Circé, 2003.

Traité sur la tolérance, traduit par Chaïm Hutner,
Paris, Gallimard, 1998.

La Critique sociale au XXᵉ siècle. Solitude et solidarité,
traduit par Sebastian McEvoy, Paris, Métailié, 1996.

Critique et sens commun. Essai sur la critique sociale et son interprétation, traduit par Joël Roman, Paris, La Découverte, 1990.

La Révolution des saints. Éthique protestante et radicalisme politique, traduit par Vincent Giroud, Paris, Belin, 1988.

De l'Exode à la liberté. Essai sur la sortie d'Égypte, traduit par Micheline Pouteau, Paris, Calmann-Lévy, 1986.

Astrid von Busekist

(trad.), Richard Sennett, *Bâtir et habiter. Pour une éthique de la ville*, Paris, Albin Michel, 2019.

(trad.), Roger Scruton, *Conservatisme*, Paris, Albin Michel, 2018.

(trad.), Philippe Sands, *Retour à Lemberg*, Paris, Albin Michel, 2017.

Portes et murs. Des frontières en démocratie, Paris, Albin Michel, 2016.

(dir.), *Singulière Belgique*, Paris, Fayard, 2012.

Penser la politique. Enjeux et défis contemporains, Paris, Presses de la Fondation nationale des sciences politiques, 2010, rééd. 2013.

La Belgique. Politique des langues et construction de l'État, de 1780 à nos jours, Paris/Bruxelles, Duculot, 1998.

Nations et nationalismes, XIXᵉ-XXᵉ siècle, Paris, Armand Colin, 1997.

Impression : CPI Bussière en décembre 2019
Éditions Albin Michel
22, rue Huyghens, 75014 Paris
www.albin-michel.fr
ISBN : 978-2-226-44075-4
N° d'édition : 23379/01 – N° d'impression : 2044420
Dépôt légal : janvier 2020
Imprimé en France